POESÍA

editores mexicanos unidos

Gustavo Adolfo Bécquer

rimas, narraciones y leyendas

POESÍA

editores mexicanos unidos

Diseño de portada: *Alberto Diez*

Editores Mexicanos Unidos, S.A.
Luis González Obregón 5-B
C.P. 06020 Tels: 521-88-70 al 74
Miembro de la Cámara Nacional
de la Industria Editorial. Reg. No. 115
La presentación y composición tipográficas
son propiedad de los editores

ISBN 968-15-0103-9

6a. edición, mayo de 1987

INTRODUCCION SINFONICA

Los *extravagantes* hijos de mi fantasia, duermen por los tenebrosos rincones de mi cerebro, acurrucados y desnudos, esperando en silencio que el Arte los vista de la palabra, para poderse presentar decentes en la escena del mundo.

Fecunda, como el lecho de amor de la Miseria, y parecida a esos padres que engendran más hijos de los que pueden alimentar, mi Musa concibe y pare en el misterioso santuario de la cabeza, poblándola de creaciones sin número, a las cuales ni mi actividad ni todos los años que me restan de vida serían suficientes a dar forma.

Y aquí, dentro, desnudos y deformes, revueltos y barajados en indescriptible confusión, los siento a veces agitarse y vivir con una vida obscura y extraña, semejante a la de esas miríadas de gérmenes que hierven y se estremecen en una eterna incubación, dentro de las entrañas de la tierra, sin encontrar fuerzas bastantes para salir a la superficie y convertirse, al beso del sol, en flores y frutos.

Conmigo van, destinados a morir conmigo, sin que de ellos quede otro rastro que el que deja un sueño de la medianoche, que a la mañana no puede recordarse. En algunas ocasiones, y ante esta idea terrible, se subleva en ellos el instinto de la vida, y agitándose en terrible, aunque silencioso tumulto,

buscan en tropel por dónde salir a la luz de las tinieblas en que viven. Pero ¡ay!, que entre el mundo de la idea y el de la forma existe un abismo, que sólo puede salvar la palabra, y la palabra, tímida y perezosa, se niega a secundar sus esfuerzos. Mudos, sombríos e impotentes, después de la inútil lucha vuelven a caer en su antiguo marasmo. Tal caen inertes en los surcos de las sendas, si cae el viento, las hojas amarillas que levantó el remolino.

Estas sediciones de los rebeldes hijos de la imaginación explican algunas de mis fiebres; ellas son la causa, desconocida para la ciencia, de mis exaltaciones y mis abatimientos. Y así, aunque mal, vengo viviendo hasta aquí, paseando por entre la indiferente multitud esta silenciosa tempestad de mi cabeza. Así vengo viviendo; pero todas las cosas tienen un término, y a éstas hay que ponerles punto.

El Insomnio y la Fantasía siguen y siguen procreando en monstruoso maridaje. Sus creaciones, apretadas ya como las raquíticas plantas de un vivero, pugnan por dilatar su fantástica existencia, disputándose los átomos de la memoria como el escaso jugo de una tierra estéril. Necesario es abrir paso a las aguas profundas, que acabarán por romper el dique, diariamente aumentadas por un manantial vivo.

¡Andad, pues; andad y vivid con la única vida que puedo daros! Mi inteligencia os nutrirá lo suficiente para que seáis palpables. Os vestirá aunque sea de harapos, lo bastante para que no avergüence vuestra desnudez. Yo quisiera forjar para cada uno de vosotros una maravillosa estrofa tejida de frases exquisitas, en la que os pudierais envolver con orgullo, como en un manto de púrpura. Yo quisiera poder cincelar la forma que ha de conteneros, como se cincela el vaso de oro que ha de guardar un preciado perfume. ¡Mas es imposible!

No obstante, necesito descansar; necesito, del mismo modo que se sangra el cuerpo por cuyas hinchadas venas se precipita la sangre con pletórico empuje, desahogar el cerebro, insuficiente a contener tantos absurdos.

Quedad, pues consignados aquí, como la estela nebulosa que señala el paso de un desconocido cometa; como los átomos dispersos de un mundo en embrión que aventa por el aire la muerte antes que su Creador haya podido pronunciar el Fiat Lux *que separa la claridad de las sombras.*

No quiero que en mis noches sin sueño volváis a pasar por delante de mis ojos, en extravagante procesión, pidiéndome con gestos y contorsiones que os saque a la vida de la realidad, del limbo en que vivís semejantes a fantasmas sin consistencia. No quiero que al romperse esta arpa vieja y cascada ya se pierdan, a la vez que el instrumento, las ignoradas notas que contenía. Deseo ocuparme un poco del mundo que me rodea, pudiendo, una vez vacío, apartar los ojos de este otro mundo que llevo dentro de la cabeza. El sentido común, que es la barrera de los sueños, comienza a flaquear, y las gentes de diversos campos se mezclan y se confunden. Me cuesta trabajo saber qué cosas he soñado y cuáles me han sucedido; mis afectos se reparten entre fantasmas de la imaginación y personajes reales; mi memoria clasifica revueltos nombres y fechas de mujeres y días que han muerto o han pasado con los de días y mujeres que no han existido sino en mi mente. Preciso es acabar arrojándoos de la cabeza de una vez para siempre.

Si morir es dormir, quiero dormir en paz en la noche de la Muerte, sin que vengáis a ser mi pesadilla, maldiciéndome por haberos condenado a la nada antes de haber nacido. Id, pues, al mundo, a cuyo

contacto fuisteis engendrados y quedad en él como el eco que encontraron en un alma que pasó por la tierra sus alegrías y sus dolores, sus esperanzas y sus luchas.

Tal vez muy pronto tendré que hacer la maleta para el gran viaje; de una hora a otra puede desligarse el espíritu de la materia para remontarse a regiones más puras. No quiero, cuando esto suceda, llevar conmigo, como el abigarrado equipaje de un saltimbanqui, el tesoro de oropeles y guiñapos que ha ido acumulando la fantasía en los desvanes del cerebro.

<div style="text-align:right">Gustavo Adolfo Bécquer.</div>

Yo sé de un himno gigante y extraño
que anuncia en la noche del alma una aurora,
y estas páginas son de ese himno
cadencias que el aire dilata en las sombras.

Yo quisiera escribirlo; del hombre
domando el rebelde, mezquino idioma,
con palabras, que fuesen a un tiempo
suspiros y risas, colores y notas.

Pero en vano es luchar; que no hay cifra
capaz de encerrarlo, y apenas, ¡oh hermosa!
si, teniendo en mis manos las tuyas,
pudiera al oído, cantártelo a solas.

II

Saeta que voladora
cruza, arrojada al azar,
sin adivinarse dónde
temblando se clavará;

11

hoja que del árbol seca
arrebata el vendaval,
si que nadie acierte el surco
donde a caer volverá;

gigante ola que el viento
riza y empuja en el mar,
y rueda y pasa, y no sabe
qué playa buscando va;

luz que en cercos temblorosos
brilla, próxima a expirar,
ignorándose cuál de ellos
el último brillará;

ese soy yo, que al acaso
cruzo el mundo, sin pensar
de dónde vengo, ni a dónde
mis pasos me llevarán.

III

Sacudimiento extraño
que agita las ideas,
como huracán que empuja
las olas en tropel;
murmullo que en el alma
se eleva y va creciendo,
como volcán que sordo
anuncia que va a arder;

deformes siluetas
de seres imposibles;
paisajes que aparecen
como a través de un tul;

colores que fundiéndose

remedan en el aire
los átomos del Iris,
que nadan en la luz;

ideas sin palabras,
palabras sin sentido;
cadencias que no tienen
ni ritmo ni compás;

memorias y deseos
de cosas que no existen.
accesos de alegría,
impulsos de llorar;

actividad nerviosa
que no halla en qué emplearse
sin rienda que lo guíe
caballo volador;

locura que el espíritu
embriaguez divina
del genio creador...
¡Tal es la inspiración!

Gigante voz que el caos
ordena en el cerebro,
y entre las sombras hace
la luz aparecer;

brillante rienda de oro
que poderosa enfrena
de la exaltada mente
el volador corcel;

hilo de luz que en haces

los pensamientos ata;
sol que las nubes rompe
y toca en el cenit;

inteligente mano
que en un collar de perlas
consigue las indóciles
palabras reunir;

armonioso ritmo
que con cadencia y número
las fugitivas notas
encierra en el compás;

cincel que el bloque muerde
la estatua modelando
y la belleza plástica
añade a la ideal;

atmósfera en que giran
con orden las ideas,
cual átomos que agrupa
recóndita atracción;

raudal en cuyas ondas
su sed la fiebre apaga;
oasis que al espíritu
devuelve su vigor...
¡Tal es nuestra razón!

Con ambas siempre en lucha
y de ambas vencedor,
tan sólo el genio puede
a un yugo atar las dos.

IV

No digáis que agotado su tesoro,
de asuntos falta, enmudeció la lira:
podrá no haber poetas; pero siempre
 habrá poesía.

Mientras las ondas de la luz al beso
 palpitan encendidas;
mientras el sol las desgarradas nubes
 de fuego y oro vista;

mientras el aire en su regazo lleve
 perfumes y armonías;
mientras haya en el mundo primavera,
 ¡habrá poesía!

Mientras la ciencia a descubrir no alcance
 las fuentes de la vida
y en el mar o en el cielo haya un abismo
 que al cálculo resista;

mientras la humanidad siempre avanzando
 no sepa a do camina,
mientras haya un misterio para el hombre,
 ¡habrá poesía!

Mientras sintamos que se alegra el alma,
 sin que los labios rían;
mientras se llore sin que el llanto acuda
 a nublar la pupila;

mientras el corazón y la cabeza
 batallando prosigan;
mientras haya esperanzas y recuerdos,
 ¡habrá poesía!

Mientras haya unos ojos que reflejen
　　los ojos que los miran;
mientras responda el labio suspirando
　　al labio que suspira;

mientras sentirse puedan en un beso
　　dos almas confundidas;
mientras exista una mujer hermosa,
　　¡habrá poesía!

V

Espíritu sin nombre.
Indefinible esencia,
yo vivo con la vida
sin formas de la idea.

Yo nado en el vacío,
del sol tiemblo en la hoguera,
palpito entre las sombras
y floto con las nieblas.

Yo soy el fleco de oro
de la lejana estrella,
yo soy de la alta luna
la luz tibia y serena.

Yo soy la ardiente nube
que en el ocaso ondea;
yo soy del astro errante
la luminosa estela.

Yo soy nieve en las cumbres
soy fuego en las arenas,
azul onda en los mares
y espuma en las riberas.

En el laúd soy nota,
perfume en la violeta,
fugaz llama en las tumbas
y en las ruinas hiedra.

Yo atrueno en el torrente,
y silbo en la centella,
y ciego en el relámpago
y rujo en la tormenta.

Yo río en los alcores,
susurro en la alta hierba,
suspiro en la onda pura
y lloro en la hoja seca.

Yo ondulo con los átomos
del humo que se eleva
y al cielo lento sube
en espiral inmensa.

Yo en los dorados hilos
que los insectos cuelgan,
me mezo entre los árboles
en la ardorosa siesta.

Yo corro tras las ninfas
que en la corriente fresca
del cristalino arroyo
desnudas juguetean.

Yo en bosques de corales,
que alfombran blancas perlas,
persigo en el océano
las náyades ligeras.

Yo, en las cavernas cóncavas,
do el sol nunca penetra,
mezclándome a los gnomos
contemplo sus riquezas.

Yo busco de los siglos
las ya borradas huellas,
y sé de esos imperios
de que ni el nombre queda.

Yo sigo en raudo vértigo
los mundos que voltean,
y mi pupila abarca
la Creación entera.

Yo sé de esas regiones
a do un rumor no llega,
y donde informes astros
de vida un soplo esperan.

Yo soy sobre el abismo
el puente que atraviesa;
yo soy la ignota escala
que el cielo une a la tierra.

Yo soy el invisible
anillo que sujeta
el mundo de la forma
al mundo de la idea.

Yo; en fin, soy ese espíritu,
desconocida esencia,
perfume misterioso,
de que es vaso el poeta.

VI

Como la brisa que la sangre orea
sobre el obscuro campo de batalla,
cargada de perfumes y armonías
en el silencio de la noche vaga;
símbolo del dolor y la ternura,
del bardo inglés en el horrible drama,
la dulce Ofelia, la razón perdida,
cogiendo flores y cantando pasa.

VII

Del salón en el ángulo obscuro,
de su dueño tal vez olvidada,
silenciosa y cubierta de polvo
veíase el arpa.

¡Cuánta nota dormía en sus cuerdas
como el pájaro duerme en las ramas,
esperando la mano de nieve
que sabe arrancarlas!

¡Ay! —pensé— ¡cuántas veces el genio
así duerme en el fondo del alma,
y una voz, como Lázaro, espera
que le diga: "¡Levántate y anda!"

VIII

Cuando miro al azul horizonte
perderse a lo lejos
al través de una gasa de polvo
dorado e inquieto,
me parece posible arrancarme
del mísero suelo

y flotar con la niebla dorada
en átomos leves
cual ella deshecho.

Cuando miro de noche en el fondo
obscuro del cielo
las estrellas temblar, como ardientes
pupilas de fuego
me parece posible a do brilian
subir en un vuelo,
y anegarme en su luz, y con ellas
en lumbre encendido
fundirme en un beso.

En el mar de la duda en que bogo
ni aun sé lo que creo:
¡sin embargo, estas ansias me dicen
que yo llevo algo
divino aquí dentro!...

IX

Besa el aura que gime blandamente
las leves ondas que jugando riza;
el sol besa a la nube en Occidente
y de púrpura y oro la matiza;
la llama en derredor del tronco ardiente
por besar a otra llama se desliza.
Y hasta el sauce, inclinándose a su peso,
al río que le besa, vuelve un beso.

X

Los invisibles átomos del aire
en derredor palpitan y se inflaman;

el cielo se deshace en rayos de oro;
la tierra se estremece alborozada;
oigo flotando en olas de armonía
rumor de besos y batir de alas:
mis párpados se cierran... ¿Qué sucede?
—¡Es el amor que pasa!

XI

Yo soy ardiente, yo soy morena,
yo soy el símbolo de la pasión;
de ansia de goces mi alma está llena.
¿A mí me buscas? —No es a ti, no.

—Mi frente es pálida; mis trenzas, de oro;
puedo brindarte dichas sin fin;
yo de ternura guardo un tesoro.
¿A mí me llamas? —No, no es a ti.

—Yo soy un sueño, un imposible.
Vano fantasma de niebla y luz;
soy incorpórea, soy intangible;
no puedo amarte. —¡Oh, ven; ven tú!

XII

Porque son, niña, tus ojos
verdes como el mar, te quejas;
verdes los tienen las náyades,
verdes los tuvo Minerva,
y verdes son las pupilas
de las hurís del profeta.

El verde es gala y ornato
del bosque en la primavera.
Entre sus siete colores
brillante el Iris lo ostenta.

Las esmeraldas son verdes,
verde el color del que espera,
y las ondas del océano,
y el laurel de los poetas.

Es tu mejilla temprana
rosa de escarcha cubierta,
en que el carmín de los pétalos
se ve al través de las perlas.

Y, sin embargo,
sé que te quejas,
porque tus ojos
crees que la afean;
pues no lo creas;

que parecen tus pupilas,
húmedas, verdes e inquietas,
tempranas hojas de almendro,
que al soplo del aire tiemblan.

Es tu boca de rubíes
purpúrea granada abierta,
que en el estío convida
a apagar la sed en ella.

Y, sin embargo,
sé que te quejas,
porque tus ojos
crees que la afean;
pues no lo creas;

que parecen, si enojada
tus pupilas centellean,
las olas del mar que rompen
en las cantábricas peñas.

Es tu frente que corona
chespo el oro en ancha trenza,
nevada cumbre en que el día
su postrera luz refleja.

Y, sin embargo,
sé que te quejas,
porque tus ojos
crees que la afean;
pues no lo creas;

que, entre las rubias pestañas,
junto a las sienes, semejan
broches de esmeralda y oro,
que un blanco armiño sujetan.

XIII

Tu pupila es azul, y cuando ríes,
su claridad suave me recuerda
el trémulo fulgor de la mañana
 que en el mar se refleja.

Tu pupila es azul, y cuando lloras,
las transparentes lágrimas en ella
se me figuran gotas de rocío
 sobre una violeta.

Tu pupila es azul, y si en su fondo
como un punto de luz radia una idea,
me parece en el cielo de la tarde
 ¡una perdida estrella!

XIV

Te vi un punto, y, flotando ante mis ojos,
la imagen de tus ojos se quedó,

como la mancha obscura, orlada en fuego,
que flota y ciega si se mira al sol.

Adondequiera que la vista fijo,
torno a ver sus pupilas llamear;
mas no te encuentro a ti; que es tu mirada;
unos ojos, los tuyos, nada más.

De mi alcoba en el ángulo los miro
desasidos fantásticos lucir;
cuando duermo los siento que se ciernen
de par en par abiertos sobre mí.

Yo sé que hay fuegos fatuos que en la noche
llevan al caminante a perecer;
yo me siento arrastrado por tus ojos.
Pero a dónde me arrastran, no lo sé.

XV

Cendal flotante de leve bruma,
rizada cinta de blanca espuma,
 rumor sonoro
 de arpa de oro,
beso del aura, onda de luz,
 eso eres tú.

Tú, sombra aérea que cuantas veces
voy a tocarte, te desvaneces
como la llama, como el sonido,
como la niebla, como el gemido
del lago azul.

En mar sin playas onda sonante,
en el vacío cometa errante.
 Largo lamento.
 Del ronco viento,

ansia perpetua de algo mejor,
eso soy yo.

¡Yo, que a tus ojos en mi agonía
los ojos vuelvo de noche y día;
yo, que incansable corro y demente
tras una sombra, tras la hija ardiente
de una visión!

XVI

Si al mecer las azules campanillas
de tu balcón,

crees que suspirando pasa el viento
murmurador.

Sabe que, oculto entre las verdes hojas
suspiro yo.

Si al resonar confuso a tus espaldas
vago rumor,

crees que por tu nombre te ha llamado
lejana voz,

sabe que, entre las sombras que te cercan,
te llamo yo.

Si se turba medroso en la alta noche
tu corazón,

al sentir en tus labios un aliento
abrasador,

sabe que, aunque invisible, al lado tuyo
respiro yo.

XVII

Hoy la tierra y los cielos me sonríen;
hoy llega al fondo de mi alma el sol;
hoy la he visto..., la he visto y me ha mirado.
¡Hoy creo en Dios!

XVIII

Fatigada del baile,
encendido el color, breve el aliento,
 apoyada en mi brazo,
del salón se detuvo en un extremo.

 Entre la leve gasa
que levantaba el palpitante seno,
 una flor se mecía
en compasado y dulce movimiento.

 Como en cuna de nácar
que empuja el mar y que acaricia el céfiro,
 tal vez allí dormía
al soplo de sus labios entreabiertos.

 ¡Oh! ¿Quién así —pensaba—
dejar pudiera deslizarse el tiempo?
 ¡Oh, si las flores duermen.
 qué dulcísimo sueño!

XIX

Cuando sobre el pecho inclinas
la melancólica frente,
una azucena tronchada
 me pareces.

Porque al darte la pureza,
de que es símbolo celeste,

27

como a ella te hizo Dios
de oro y nieve.

XX

Sabe, si alguna vez tus labios rojos
quema invisible atmósfera abrasada,
que el alma que hablar puede con los ojos
también puede besar con la mirada.

XXI

¿Qué es poesía? —dices mientras clavas
en mi pupila tu pupila azul—;
¿qué es poesía? ¿Y tú me lo preguntas?
 Poesía... eres tú.

XXII

¿Cómo vive esa rosa que has prendido
 junto a tu corazón?
Nunca hasta ahora contemplé en la tierra
 sobre el volcán la flor.

XXIII

Por una mirada, un mundo;
por una sonrisa, un cielo;
por un beso...; ¡yo no sé
qué te diera por un beso!

XXIV

Dos rojas lenguas de fuego
que a un mismo tronco enlazadas
se aproximan, y al besarse
forman una sola llama;

dos notas que del laúd
a un tiempo la mano arranca
y en el espacio se encuentran
y armoniosas se abrazan;

dos olas que vienen juntas
a morir sobre una playa,
y que al romper se coronan
con un penacho de plata;

dos jirones de vapor
que del lago se levantan
y al juntarse allí en el cielo
forman una nube blanca;

dos ideas que al par brotan,
dos besos que a un tiempo estallan,
dos ecos que se confunden...,
eso son nuestras dos almas.

XXV

Cuando en la noche te envuelven
las alas de tul del sueño,
y tus tendidas pestañas
semejan arcos de ébano;
por escuchar los latidos
de tu corazón inquieto,
y reclinar tu dormida
cabeza sobre mi pecho.
 diera, alma mía
 cuanto poseo;
 ¡la luz, el aire
 y el pensamiento!

Cuando se clavan tus ojos
en un invisible objeto,

y tus labios ilumina
de una sonrisa el reflejo;

por leer sobre tu frente
el callado pensamiento
que pasa como la nube
del mar sobre el ancho espejo,
 diera, alma mía
 cuanto deseo:
 ¡la fama, el oro,
 la gloria, el genio!

Cuando enmudece tu lengua
y se apresura tu aliento,
y tus mejillas se encienden,
y entornas tus ojos negros;
por ver entre sus pestañas
brillar con húmedo fuego
la ardiente chispa que brota
del volcán de los deseos,
 diera, alma mía,
 por cuanto espero,
 ¡la fe, el espíritu,
 la tierra, el cielo!

XXVI

Voy contra mi interés al confesarlo;
 pero yo, amada mía,
pienso, cual tú, que una oda sólo es buena
de un billete de Banco al dorso escrita.
No faltará algún necio que al oírlo
 se haga cruces y diga:

"Mujer al fin del siglo diecinueve,
material y prosaica..." ¡Bobería!

¡Voces que hacen correr cuatro poetas
que en invierno se embozan con la lira!
¡Ladridos de los perros a la luna!
Tú sabes y yo sé que en esta vida,
con genio, es muy contado quien la "escribe"
y con oro, cualquiera "hace" poesía.

XXVII

Despierta, tiemblo al mirarte;
dormida, me atrevo a verte;
por eso, alma de mi alma,
yo velo mientras tú duermes.

Despierta, ríes y al reír, tus labios
 inquietos me parecen
relámpagos de grana que serpean
 sobre un cielo de nieve.

Dormida, los extremos de tu boca
 pliega sonrisa leve,
suave como el rastro luminoso
 que deja un sol que muere...
 —¡Duerme!

Despierta, miras, y al mirar, tus ojos
 húmedos resplandecen
como la onda azul, en cuya cresta
 chispeando el sol hiere.

Al través de tus párpados, dormida,
 tranquilo fulgor viertes,
cual derrama de luz templado rayo
lámpara transparente...
 —¡Duerme!

Despierta, hablas y al hablar, vibrantes.
tus palabras parecen
lluvia de perlas que en dorada copa
 se derrama a torrentes.

Dormida en el murmullo de tu aliento
 acompasado y tenue,
esucho yo un poema, que mi alma
 enamorada entiende...
 —¡Duerme!

Sobre el corazón la mano
me he puesto porque no suene
su latido, y de la noche
turbe la calma solemne.

De tu balcón las persianas
cerré ya, porque no entre
el resplandor enojoso
de la aurora, y te despierte.
 —¡Duerme!

XXVIII

Cuando entre la sombra obscura
perdida una voz murmura
turbando su triste calma,
si en el fondo de mi alma
la oigo dulce rescnar;
dime: ¿es que el viento con sus giros
se queja, o que tus suspiros
me hablan de amor al pasar?

Cuando el sol en mi ventana
rojo brilla a la mañana
y mi amor tu sombra evoca,
si en mi boca de otra boca

sentir creo la impresión;
dime: ¿ese que ciego delirio,
o que un beso en un suspiro
me envía tu corazón?

Si en el luminoso día
y en la alta noche sombría;
si en todo cuanto rodea
al alma que te desea
te creo sentir y ver;
dime, ¿es que toco y respiro
soñando, o que en un suspiro
me das tu aliento a beber?

XXIX

Sobre la falda tenía
 el libro abierto;
en mi mejilla tocaban
 sus rizos negros;
no veíamos las letras
 ninguno, creo;
mas guardábamos entrambos
 hondo silencio.
¿Cuánto duró? Ni aun entonces
puede saberlo;
sólo sé que no se oía
 más que el aliento,
que apresurado escapaba
 del labio seco.
Sólo sé que nos volvimos
 los dos a un tiempo
y nuestros ojos se hallaron,
 y sonó un beso.
Creación de Dante era el libro,
 era su "Infierno".

Cuando a él bajamos los ojos,
yo dije trémulo:
—¿Comprendes ya que un poema
cabe en un verso?
Y ella respondió encendida:
¡Ya lo comprendo!

XXX

Asomaba a sus ojos una lágrima
y a mi labio una frase de perdón;
habló el orgullo y se enjugó su llanto,
y la frase en mis labios expiró.
Yo voy por un camino, ella por otro
pero al pensar en nuestro mutuo amor
yo digo aún: "¿Por qué callé aquel día?"
Y ella dirá: "¿Por qué no lloré yo?"

XXXI

Nuestra pasión fue un trágico sainete,
en cuya absurda fábula
lo cómico y lo grave confundidos
risas y llanto arrancan.
Pero fue lo peor de aquella historia
que, al fin de la jornada,
a ella tocaron lágrimas y risas,
¡y a mí sólo las lágrimas!

XXXII

Pasaba arrolladora en su hermosura,
ni aun a mirarla me volví, y no obstante
algo a mi oído murmuró: "Esa es".
¿Quién reunió la tarde a la mañana?
lo ignoro: sólo sé

que en una breve noche de verano
se unieron los crepúsculos, y... "fue".

XXXIII

Es cuestión de palabras, y no obstante
 ni tú ni yo jamás,
después de lo pasado convendremos
 en quién la culpa está.
¡Lástima que el amor un diccionario
 no tenga donde hallar
cuándo el orgullo es simplemente orgullo,
 y cuándo es dignidad!

XXXIV

Cruza callada y son sus movimientos
 silenciosa armonía;
 suenan sus pasos, y al sonar, recuerdan
 del himno alado la cadencia rítmica.

Los entreabre, aquellos ojos
 tan claros como el día,
y la tierra y el cielo, cuanto abarcan,
arden con nueva luz en sus pupilas.

Ríe, y su carcajada tiene notas
 del agua fugitiva;
llora, y es cada lágrima un poema
 de ternura infinita.

Ella tiene la luz, tiene el perfume,
 el color y la línea,
la forma engendradora de deseos,
la expresión, fuente eterna de poesía.

¿Qué estúpida?... ¡Bah!, mientras callando
 guarde obscuro el enigma,
siempre valdrá, a mi ver, lo que ella calla
más que lo que cualquiera otra me diga.

XXXV

¡No me admiró tu olvido! Aunque de un día
me admiró tu cariño mucho más;
porque lo que hay en mí, que vale algo,
eso... ¡ni lo pudiste sospechar!

XXXVI

Si de nuestros agravios en un libro
 se escribiese la historia,
y se borrase en nuestras almas cuanto
 se borrase en sus hojas;

te quiero tanto aún, dejó en mi pecho
 tu amor huellas tan hondas,
que sólo con que tú borrases, una,
 ¡Las borraba yo todas!

XXXVII

Antes que tú me moriré; escondido
 en las entrañas ya
el hierro llevo con que abrió tu mano
 la ancha herida mortal.

Antes que tú me moriré: y mi espíritu,
 en su empeño tenaz,
sentándose a las puertas de la muerte,
 allí te esperará.

Con las horas los días, con los días
 los años volarán,
y a aquella puerta llamarás al cabo,
 ¿quién deja de llamar?

Entonces, que tu culpa y tus despojos
 la tierra guardará,
lavándote en las olas de la muerte
 como en otro Jordán:

allí donde el murmullo de la vida
 temblando a morir va,
como la ola que a la playa viene
 silenciosa a expirar;

allí, donde el sepulcro que se cierra
 abre una eternidad...
¡Todo cuanto los dos hemos callado
 lo tenemos que hablar!

XXXVIII

Los suspiros son aire, y van al aire.
Las lágrimas son agua, y van al mar.
Dime, mujer: cuando el amor se olvida,
 ¿sabes tú adónde va?

XXXIX

Lo que el salvaje que con torpe mano
hace de un tronco a su capricho un dios,
y luego ante su obra se arrodilla
 eso hicimos tú y yo.

Dimos formas reales a un fantasma,
de la mente ridícula invención
y hecho el ídolo ya sacrificamos
 en su altar nuestro amor.

XL

Su mano entre mis manos,
sus ojos en mis ojos,
la amorosa cabeza
apoyada en mi hombro.

¡Dios sabe cuántas veces,
con paso perezoso,
hemos vagado juntos
bajo los altos olmos
que de su casa prestan
misterio y sombra al pórtico!

Y ayer... un año apenas,
pasado como un soplo,
con qué exquisita gracia,
con qué admirable aplomo,
me dijo al presentarnos
un amigo oficioso:

—Creo que en alguna parte
he visto a usted. —¡Ah! bobos,
que sois de los salones
comadres de buen tono,
y andáis por allá a caza
de galantes embrollos.

¡Qué historia habéis perdido!
¡Qué manjar tan sabroso
para ser devorado
"sotto voce" en un corro,
detrás del abanico
de plumas y de oro!

. .

¡Discreta y casta luna,
copudos y altos olmos,
paredes de su casa,
umbrales de su pórtico,
callad, y que el secreto
no salga de vosotros!
Callad: que por mi parte
lo he olvidado todo:

XLI

Y ella... ella..., ¡no hay máscara
semejante a su rostro!
Tú eres el huracán, y yo la alta
torre que desafía su poder:
¡Teníais que estrellarte o abatirme!
 ¡No pudo ser!

Tú eras el Océano, y yo la enhiesta
roca que firme aguarda su vaivén:
¡Tenías que romperte o que arrancarme!
 ¡No pudo ser!

Hermosa tú, yo altivo; acostumbrados
uno a arrollar, el otro a no ceder;
la senda estrecha, inevitable el choque...
 ¡No pudo ser!

XLII

Cuando me lo contaron sentí el frío
de una hoja de acero en las entrañas;
me apoyé contra el muro, y un instante
la conciencia perdí de donde estaba.

Cayó sobre mi espíritu la noche;
en ira y̌ en piedad se anegó el alma...
¡Y entonces comprendí por qué se llora,
y entonces comprendí por qué se mata!

Pasó la nube de dolor..., con pena
logré balbucear breves palabras...
¿Quién me dio la noticia?... Un fiel amigo.
¡Me hacía un gran favor!... Le di las gracias.

XLIII

Dejé la luz a un lado, y en el borde
de la revuelta cama me senté.
Mudo, sombrío, la pupila inmóvil
clavada en la pared.

¿Qué tiempo estuve así? No sé; al dejarme
la embriaguez horrible del dolor,
expiraba la luz, y en mis balcones
reía el sol.

Ni sé tampoco en tan horribles horas
en qué pensaba o qué pasó por mí
sólo recuerdo que lloré y maldije,
y que en aquella noche envejecí.

XLIV

Como en un libro abierto
leo de tus pupilas en el fondo;
¿a qué fingir el labio
risas que se desmienten con los ojos?

¡Llora! No te avergüences
de confesar que me quisiste un poco

¡llora! Nadie nos mira.
Ya ves; soy un hombre... ¡y también lloro!

XLV

En la clave del arco mal seguro,
cuyas piedras el tiempo enrojeció,
obra de cincel rudo, campeaba
 el gótico blasón.

Penacho de su yelmo de granito,
la hiedra que colgaba en derredor
daba sombra al escudo, en que una mano
 tenía un corazón.

A contemplarlo en la desierta plaza,
 nos paramos los dos:
Y "ese —me dijo— es el cabal emblema
 de constante amor".

¡Ay!, es verdad lo que me dijo entonces:
 verdad que el corazón
lo llevará en la mano... en cualquier parte...
 pero en el pecho, no.

XLVI

Tu aliento es el aliento de las flores,
tu voz es de los cisnes la armonía;
es tu mirada el esplendor del día,
y el color de la rosa es tu color.

Tú prestas nueva vida y esperanza
a un corazón para el amor ya muerto:
Tú creces de mi vida en el desierto
como crece en un páramo la flor.

XLVII

Yo me he asomado a las profundas simas
　　de la tierra y del cielo,
y les he visto el fin o con los ojos
　　o con el pensamiento.

Mas, ¡ay!, de un corazón llegué al abismo,
　　y me incliné por verlo,
y mi alma y mis ojos se turbaron:
　　¡Tan hondo era y tan negro!

XLVIII

Alguna vez la encuentro por el mundo
　　y pasa junto a mí;
y pasa sonriéndose, y yo digo:
　　—¿Cómo puede reír?

Luego asoma a mi labio otra sonrisa,
　　máscara del dolor,
y entonces pienso: ¡Acaso ella se ríe
　　como me río yo!

XLIX

¿A qué me lo decís? Lo sé: es mudable,
es altanera y vana y caprichosa;
antes que el sentimiento de su alma
brotará el agua de la estéril roca.

Sé que en su corazón, nido de sierpes,
no hay una fibra que al amor responda;
que es una estatua inanimada...; pero...
　　¡es tan hermosa!

L

De lo poco de vida que me resta
diera con gusto los mejores años,
por saber lo que a otros
 de mí has hablado.

Y esta vida mortal... y de la eterna
lo que me toque, si me toca algo,
por saber lo que a solas
 de mí has pensado.

LI

Olas gigantes, que os rompéis bramando
en las playas desiertas y remotas
envuelto entre las sábanas de espuma,
 ¡llevadme con vosotras!

Ráfagas de huracán que arrebatáis
 del alto bosque las marchitas hojas,
arrastrado en el ciego torbellino,
 ¡llevadme con vosotras!

Nubes de tempestad, que rompe el rayo
y en fuego ornáis las desprendidas orlas,
arrebatado entre la niebla oscura,
 ¡llevadme con vosotras!

Llevadme, por piedad, adonde el vértigo
con la razón me arranque la memoria.
¡Por piedad! ¡Tengo miedo de quedarme
con mi dolor a solas!

LII

Volverán las obscuras golondrinas
en tu balcón sus nidos a colgar,
y otra vez con el ala a sus cristales
 jugando llamarán;

pero aquellas que el vuelo refrenaban
tu hermosura y mi dicha al contemplar,
aquellas que aprendieron nuestros nombres,
 esas... ¡no volverán!

Volverán las tupidas madreselvas
de tu jardín las tapias a escalar,
y otra vez a la tarde, aun más hermosas.
 sus flores se abrirán;

pero aquellas cuajadas de rocío,
cuyas gotas mirábamos temblar
y caer, como lágrimas del día...
 esas... ¡no volverán!

Volverán del amor en tus oídos
las palabras ardientes a sonar;
tu corazón de su profundo sueño
 tal vez despertará;

pero mudo y absorto y de rodillas,
como se adora a Dios ante su altar,
como yo te he querido..., desengáñate,
 ¡así no te querrán!

LIII

Cuando volvemos las fugaces horas
 del pasado a evocar,

temblando brilla en sus pestañas negras
una lágrima pronta a resbalar.

Y al fin resbala, y cae como una gota
 de rocío, al pensar
que, cual hoy por ayer, por hoy mañana,
volveremos los dos a suspirar.

LIV

Entre el discorde estruendo de la orgía
acarició mi oído,
como nota de música lejana,
 el eco de un suspiro.

El eco de un suspiro que conozco
formado de un aliento que he bebido,
perfume de una flor, que oculta crece
 en un claustro sombrío.

Mi adorada de un día, cariñosa,
—¿En qué piensas —me dijo.
—En nada... —¿En nada, y lloras? —es que tienes
alegre la tristeza y triste el vino.

LV

Hoy, como ayer, mañana como hoy,
 y ¡siempre igual!
Un cielo gris, un horizonte eterno,
 y ¡andar..., andar!

Moviéndose a compás, como una estúpida
 máquina, el corazón;
la torpe inteligencia, del cerebro
 dormida en un rincón.

El alma, que ambiciona un paraíso,
 buscándolo sin fe:
Fatiga sin objeto, ola que rueda
 ignorando por qué.

Voz que incesante con el mismo tono
 canta el mismo cantar;
gota de agua monótona que cae,
 y cae sin cesar.

Así van deslizándose los días
 unos de otros en pos,
hoy lo mismo que ayer..., y todos ellos
 sin goce ni dolor.

¡Ay!, a veces me acuerdo suspirando
 del antiguo sufrir...
Amargo es el dolor; ¡pero siquiera
 padecer es vivir!

LVI

¿Quieres que de ese néctar delicioso
 no te embargue la hez?
pues aspírale, acércale a tus labios,
 y déjale después.

¿Quieres que conservemos una dulce
 memoria de este amor?
pues amémonos hoy mucho, y mañana
 digámonos ¡adiós!

LVII

Yo sé cual el objeto
de tus suspiros es:

yo conozco la causa de tu dulce
secreta languidez.
¿Te ríes?... Algún día
sabrás, niña, por qué:
tú acaso lo sospechas,
 Y yo lo sé,

yo sé lo que tú sueñas
y lo que en sueño ves;
como en un libro puedo lo que callas
en tu frente leer.
¿Te ríes?... Algún día
sabrás, niña, por qué:
tú acaso lo sospechas,
 y yo lo sé.

Yo sé por qué sonríes
y lloras a la vez;
yo penetro en los senos misteriosos
de tu alma de mujer.
¿Te ríes?... Algún día
sabrás, niña, por qué:
mientras tú sientes mucho y nada sabes
yo, que no siento ya, todo lo sé.

LVIII

Al ver mis horas de fiebre
e insomnio lentas pasar,
a la orilla de mi lecho,
 ¿quién se sentará?

Cuando la trémula mano
tienda, próxima a expirar,
buscando una mano amiga,
 ¿quién la estrechará?

Cuando la muerte vidrie
de mis ojos el cristal,
mis párpados, aun abiertos,
 ¿quién los cerrará?

Cuando la campana suene
(si suena en mi funeral)
una oración, al oírla,
 ¿quién murmurará?

Cuando mis pálidos restos
oprima la tierra ya,
sobre la olvidada fosa,
 ¿quién vendrá a llorar?

Quien, en fin, al otro día,
cuando el sol vuelva a brillar,
de que pasé por el mundo,
 ¿quién se acordará?

LIX

Me ha herido recatándose en las sombras
sellando con un beso su traición.
Los brazos me echó al cuello y por la espalda
partióme a sangre fría el corazón.

Y ella prosigue alegre su camino,
feliz, risueña, impávida; ¿y por qué?
porque no brota sangre de la herida...
 ¡porque el muerto está de pie!

LX

Como se arranca el hierro de una herida,
su amor de las entrañas me arranqué,

aunque sentí al hacerlo que la vida
me arrancaba con él.

Del altar que le alcé en el alma mía
la voluntad su imagen arrojó,
y la luz de la fe que en ella ardía
ante el ara desierta se apagó.

Aun para combatir mi firme empeño
viene a mi mente su visión tenaz...
¡Cuándo podré dormir con ese sueño
en que acaba el soñar!

LXI

Este armazón de huesos y pellejo,
de pasear una cabeza loca
cansado se halla al fin, y no lo extraño;
pues, aunque es la verdad que no soy viejo,

de la parte de vida que me toca
en la vida del mundo, por mi daño
he hecho un uso tal, que juraría
que he condensado un siglo en cada día.

Así, aunque ahora muriera,
no podría decir que no he vivido;
que el sayo, al parecer nuevo por fuera,
conozco que por dentro ha envejecido.

que hay dolor que, al pasar, su horrible huella
harto lo dice ya mi afán doliente;
que hay dolor que, al pasar, su horrible huella
graba en el corazón, si no en la frente.

LXII

Primero es un albor trémulo y vago
raya de inquieta luz que corta el mar;
luego chispea y crece y se dilata
en ardiente explosión de claridad.

La brilladora luz es la alegría;
la temerosa sombra es el pesar:
¡Ay!, en la oscura noche de mi alma,
· ¿cuándo amanecerá?

LXIII

Como enjambre de abejas irritadas,
de un obscuro rincón de la memoria
salen a perseguirnos los recuerdos
de las pasadas horas.

Yo los quiero ahuyentar. ¡Esfuerzo inútil!
me rodean, me acosan,
y unos tras otros a clavarme vienen
el agudo aguijón que el alma encona.

LXIV

Como guarda el avaro su tesoro,
 guardaba mi dolor;
yo quería probar que hay algo eterno
a la que eterno me juró su amor.

Mas hoy le llamo en vano, y oigo al tiempo
 que le agotó, decir:
—¡Ah, barro miserable, eternamente
 no podrás ni aun sufrir!

LXV

Llegó la noche y no encontré asilo;
 ¡y tuve sed!... Mis lágrimas bebí;
¡y tuve hambre! ¡Los hinchados ojos
 cerré para morir!

¡Estaba en un desierto! Aunque a mi oído
de las turbas llegaba el ronco hervir,
yo era huérfano y pobre... ¡El mundo estaba
 desierto... para mí!

LXVI

¿De dónde vengo?... El más horrible y áspero
 de los senderos busca;
las huellas de unos pies ensangrentados
 sobre la roca dura;
los despojos de un alma hecha jirones
 en las zarzas agudas
 te dirán el camino
 que conduce a mi cuna.

¿Adónde voy? El más sombrío y triste
 de los páramos cruza;
valle de eternas nieves y de éternas
 melancólicas brumas.
En donde esté una piedra solitaria
 sin inscripción alguna,
 donde habite el olvido,
 allí estará mi tumba.

LXVII

¡Qué hermoso es ver el día
coronado de fuego levantarse,

y a su beso de lumbre
brillar las olas y encenderse el aire!

¡Qué hermoso es, tras la lluvia
del triste otoño en la azulada tarde,
 de las húmedas flores
el perfume aspirar hasta saciarse!

¡Qué hermso es, cuando en copos
la blanca nieve silenciosa cae,
 de las inquietas llamas
ver las rojizas lenguas agitarse!

¡Qué hermoso es, cuando hay sueño,
dormir bien... y roncar como un sochantre...
Y comer... y engondar!... ¡qué desgracia
 que esto solo no baste!

LXVIII

No sé lo que he soñado
 en la noche pasada;
triste, muy triste debió de ser el sueño,
pues, despierto, la angustia me duraba.

Noté al incorporarme
 húmeda la almohada,
y por primera vez sentí, al notarlo,
de un amargo placer henchirse el alma.

Triste cosa es el sueño
 que llanto nos arranca;
mas tengo en mi tristeza una alegría..
¡Sé que aún me quedan lágrimas!

LXIX

Al brillar un relámpago nacemos
y aun dura su fulgor cuando morimos:
 ¡Tan corto es el vivir!
La gloria y el amor tras que corremos
sombras de un sueño son que perseguimos:
 ¡Despertar es morir!

LXX

¡Cuántas veces, al pie de las musgosas
 paredes que la guardan,
oí la esquila que al mediar la noche
 a los maitines llama!

¡Cuántas veces trazó mi triste sombra
 la luna plateada
junto a la del ciprés que de su huerto
 se asoma por las tapias!

Cuando en sombras la iglesia se envolvía,
 de su ojiva calada
¡cuántas veces temblar sobre los vidrios
 vi el fulgor de la lámpara!

Aunque el viento en los ángulos obscuros
 de la torre silbara,
del coro entre las voces percibía
 su voz vibrante y clara.

En las noches de invierno, si un medroso
 por la desierta plaza
se atrevía a cruzar, al divisarme
 el paso aceleraba.

Y no faltó una vieja que en el turno
 dijese, a la mañana,
que de algún sacristán muerto en pecado
acaso era yo el alma.

A obscuras conocía los rincones
 del atrio y la portada;
de mis pies las ortigas que allí crecen
las huellas tal vez guardan.

Los búhos que espantados me seguían
 con sus ojos de llamas,
llegaron a mirarme con el tiempo
 como a un buen camarada.

A mi lado sin miedo los reptiles
 se movían a rastras:
¡Hasta los muros santos de granito
 vi que me saludaban!

LXXI

No dormía; vagaba en ese limbo
en que cambian de forma los objetos,
misteriosos espacios que separan
 la vigilia del sueño.

Las ideas, que en ronda silenciosa
daban vueltas en torno a mi cerebro,
poco a poco en su danza se movían
 con un compás más lento.

De la luz que entra al alma por los ojos
los párpados velaban el reflejo;
mas otra luz en el mundo de visiones
 alumbraba por dentro.

En este punto resonó en mi oído
un rumor semejante al que en el templo
vago, confuso, al terminar los fieles
 con un "amén" sus rezos.

Y oí como una voz delgada y triste
que por mi nombre me llamó a lo lejos,
y sentí olor de cirios apagados,
 de humedad y de incienso.

. .

Entró la noche, y del olvido en brazos
caí, cual piedra, en su profundo seno.
Dormí, y al despertar exclamé: "¡Alguno
 que yo quería ha muerto!"

LXXII

PRIMERA VOZ

Las ondas tienen vaga armonía,
las violetas, suave olor,
Brumas de plata la noche fría,
 luz y oro el día;
 yo, algo mejor:
 ¡yo tengo "Amor"!

SEGUNDA VOZ

—Aura de aplausos, nube rabiosa,
ola de envidia que besa el pie,
isla de sueños donde reposa
 el alma ansiosa,
 ¡dulce embriaguez
 la "Gloria" es!

Ascua encendida es el tesoro,
sombra que huye la vanidad,
todo es mentira: la gloria, el oro.
 Lo que yo adoro
 sólo es verdad:
 ¡la "Libertad"!

Así los barqueros pasaban cantando
 la eterna canción,
y al golpe del remo saltaba la espuma
 y heríala el sol.

—¿Te embarcas? —gritaban; y yo, sonriendo,
 les dije al pasar:
—Ha tiempo lo hice; por cierto que aún tengo
 la ropa en la playa tendida a secar.

LXXIII

Cerraron los ojos
que aún tenía abiertos;
taparon su cara
con un blanco lienzo;
y unos sollozando,
otros en silencio,
de la triste alcoba
todos se salieron.

La luz, que de un vaso
ardía en el suelo,
al muro arrojaba
la sombra del lecho;
y entre aquella sombra
veíase, a intervalos,

dibujarse rígida
la forma del cuerpo.

Despertaba el día,
y a su albor primero.
con sus mil ruidos
despertaba el pueblo.
Ante aquel contraste
de vida y misterios,
de luz y tinieblas,
medité un momento:
"¡Dios mío, qué solos
se quedan los muertos!"

De la casa en hombros
lleváronla al templo,
y en una capilla
dejaron al féretro.
Allí rodearon
sus pálidos restos
de amarillas velas
y de paños negros.

Al dar de las ánimas
el toque postrero,
acabó una vieja
sus últimos rezos;
cruzó la ancha nave,
las puertas gimieron,
y el santo recinto
quedóse desierto.

De un reloj se oía
compasado el péndulo
y de algunos cirios

el chisporroteo.
Tan medroso y triste,
tan obscuro y yerto
todo se encontraba...
que pensé un momento:
"¡Dios mío, qué solos
se quedan los muertos!"

De la alta campana
la lengua de hierro
le dio volteando
su adiós lastimero.
El luto en las ropas,
amigos y deudos
cruzaron en fila,
formando el cortejo.

Del último asilo,
obscuro y estrecho,
abrió la piqueta
el nicho a un extremo.
Allí la acostaron,
tapiáronla luego,
y con un saludo,
despidióse el duelo.

La piqueta al hombro,
el sepulturero
cantando entre dientes
se perdió a lo lejos.
La noche se entraba,
reinaba el silencio;
perdido en la sombra,
medité un momento:
"¡Dios mío, qué solos
se quedan los muertos!"

En las largas noches
del helado invierno,
cuando las maderas
crujir hace el viento
y azota los vidrios
el fuerte aguacero,
de la pobre niña
a solas me acuerdo.

Allí cae la lluvia
con un son eterno;
allí la combate
el soplo del cierzo,
del húmedo muro
tendida en el hueco,
¡acaso de frío
se hielan sus huesos!...

. .

¿Vuelve el polvo al polvo?
¿Vuela el alma al cielo?
¿Todo es vil materia,
podredumbre y cieno?
¡No sé; pero hay algo
que explicar no puedo,
que al par nos infunde
repugnancia y duelo,
al dejar tan tristes,
tan solos, los muertos!

LXXIV

Las ropas desceñidas,
desnudas las espaldas,
en el dintel de oro de la puerta
dos ángeles velaban.

Me aproximé a los hierros
que defienden la entrada.
Y de las dobles rejas en el fondo
 la vi confusa y blanca.

 La vi como la imagen
que en leve ensueño pasa.
Como rayo de luz tenue y difuso
 que entre tinieblas nada.

 Me sentí de un ardiente
deseo llena el alma:
¡Como atrae un abismo, aquel misterio
 hacia sí me arrastraba!

 Mas, ¡ay! que de los ángeles
parecían decirme las miradas:
 —¡El umbral de esta puerta
sólo Dios lo traspasa!

LXXV

¿Será verdad que, cuando toca el sueño
con sus dedos de rosa nuestros ojos,
de la cárcel que habita huye el espíritu
 en vuelo presuroso?

¿Será verdad que, huéspeda de las nieblas,
De la brisa nocturna el tenue soplo,
Alado sube a la región vacía
 a encontrarse con otros?

¿Y allí, desnudo de la humana forma;
allí, los lazos terrenales rotos,
breves horas habita de la idea
 el mundo silencioso?

¿Y ríe y llora, aborrece y ama.
y guarda un rastro de dolor y gozo,
semejante al que deja cuando cruza
 el cielo un meteoro?

¡Yo no sé si ese mundo de visiones
vive fuera o va dentro de nosotros:
pero sé que conozco a muchas gentes
 a quienes no conozco!

LXXVI

En la imponente nave
del templo bizantino
vi la gótica tumba, a la indecisa
luz que temblaba en los pintados vidrios.

 Las manos sobre el pecho
 y en las manos un libro,
una mujer hermosa reposaba
sobre la urna, del cincel prodigio.

 Del cuerpo abandonado
 al dulce paso hundido,
cual si de blanda pluma y raso fuera,
se plegaba su lecho de granito.

 De la postrer sonrisa
 el resplandor divino
guardaba el rostro oomo el cielo guarda
del sol que muere el rayo fugitivo.

 Del cabezal de piedra
 sentados en el filo,
dos ángeles, el dedo sobre el labio,
imponían silencio en el recinto.

No parecía muerta;
de los arcos macizos
parecía dormir en la penumbra,
y que en sueño veía el paraíso.

Me acerqué de la nave
al ángulo sombrío,
como quien llega con callada planta
junto a la cuna donde duerme un niño.

La contemplé un momento
y aquel resplandor tibio,
aquel lecho de piedra que ofrecía,
próximo al muro, otro lugar vacío.

En el alma avivaron
la sed de lo infinito,
el ansia de esa vida de la muerte,
para la que un instante son los siglos.

. .

Cansado del combate
en que luchando vivo,
alguna vez recuerdo con envidia
aquel rincón obscuro y escondido.

De aquella muda y pálida
mujer me acuerdo y digo:
¡Oh, qué amor tan callado el de la muerte!
¡Qué sueño el del sepulcro tan tranquilo!

LXXVII

Es un sueño la vida,
pero un sueño febril que dura un punto.

Cuando de él se despierta,
se ve que todo es vanidad y humo...

¡Ojalá que fuera un sueño
muy largo y muy profundo;
un sueño que durara hasta la muerte!...
Yo soñaría con mi amor y el tuyo.

LXXVIII

Podrá nublarse el sol eternamente;
podrá secarse en un instante el mar;
podrá romperse el eje de la tierra
 como un débil cristal.

¡Todo sucederá! Podrá la muerte
cubrirme con su fúnebre crespón;
pero jamás en mí podrá apagarse
 la llama de tu amor.

LXXIX

Mi vida es un erial:
Flor que toco se deshoja;
que en mi camino fatal
alguien va sembrando el mal
para que yo lo recoja.

LXXX

Patriarcas que fuisteis la semilla
del árbol de la fe en siglos remotos
al vencedor divino de la muerte
 rogadle por nosotros.

Profetas que rasgasteis inspirados
del porvenir el velo misterioso:
al que sacó la luz de las tinieblas
 rogadle por nosotros.

Almas cándidas, Santos Inocentes
que aumentáis de los ángeles el coro:
al que llamó a los niños a su lado
 rogadle por nosotros.

Apóstoles que echasteis en el mundo
de la Iglesia del cimiento poderoso
al que es de verdad depositario
 rogadle por nosotros.

Mártires que ganasteis vuestra palma
en la arena del circo, en sangre roja:
al que os dio fortaleza en los combates
 rogadle por nosotros.

Vírgenes semejantes a azucenas,
que el verano vistió de nieve y oro:
al que es fuente de vida y hermosura
 rogadle por nosotros.

Monjes que de la vida en el combate
pedisteis paz al claustro silencioso:
al que es iris de calma en las tormentas
 rogadle por nosotros.

Doctores cuyas plumas nos legaron
de virtud y saber rico tesoro:
al que es raudal de ciencia inextinguible
 rogadle por nosotros.

Soldados del ejército de Cristo.
Santos y Santos todos:

rogadle que perdone nuestras culpas
a Aquel que vive y reina entre vosotros.

LXXXI

Dices que tienes corazón, y sólo
lo dices porque sientes sus latidos,
eso no es corazón... es una máquina
que al compás que se mueve hace ruido.

LXXXII

Fingiendo realidades
con sombra vana,
delante del Deseo
va la esperanza,
y sus mentiras,
como el Fénix, renacen
de sus cenizas.

LXXXIII

Una mujer me ha envenenado el alma
otra mujer me ha envenenado el cuerpo;
ninguna de las dos vino a buscarme:
yo de ninguna de las dos me quejo.

Como el mundo es redondo, el mundo rueda;
si mañana, rodando, este veneno
envenena a su vez: ¿por qué acusarme?
¿puedo dar más de lo que a mí me dieron,

LXXXIV A CASTA

Tu voz es el aliento de las flores
tu voz es de los cisnes la armonía;

es tu mirada el esplendor del día,
y el color de la rosa es tu color.

Tú prestas nueva vida y esperanza
a un corazón para el amor ya muerto,
tú creces de mi vida en el desierto
como crece en un páramo la flor.

LXXXV

Para que los leas con tus ojos grises,
para que los cantes con tu clara voz,
para que llenen de emoción tu pecho
 hice mis versos yo.

Para que encuentren en tu pecho asilo
y les des juventud, vida, calor,
tres cosas que yo ya no puedo darles,
 hice mis versos yo.

Para hacerte gozar con mi alegría,
para que sufras tú con mi dolor
para que sientas palpitar mi vida,
 hice mis versos yo.

Para poder poner ante tus palmas
la ofrenda de mi vida y de mi amor,
con alma, sueños rotos, risas, lágrimas,
 hice mis versos yo.

LXXXVI A ELISA

Flores tronchadas, marchitas hojas
 arrastra el viento;
en los espacios, tristes gemidos
 repite el eco.

. .

Entre las nieblas de lo pasado,
en las regiones del pensamiento,
gemidos tristes, marchitas galas
 son mis recuerdos.

LXXXVII

Es el alba una sombra
 de tu sonrisa,
y un rayo de tus ojos
 la luz del día;
 pero tu alma
 es la noche de invierno
 negra y helada.

LXXXVIII

Errante por el mundo fui gritando:
 —La gloria, ¿dónde está?
Y una voz misteriosa contestóme:
 más allá... más allá...

En pos de ella seguí por el camino
 que la voz me marcó;
halléla al fin, pero en aquel instante
 en humo se trocó.

Mas el humo, formando denso velo,
 se empezó a remontar.
Y penetrando en la azulada esfera
 al cielo fue a parar.

LXXXIX

Negros fantasmas,

nubes sombrías,
huyen ante el destello
 de luz divina.
 Esa luz santa,
niña de negros ojos,
 es la esperanza.

Al calor de sus rayos
 mi fe gigante
contra desdenes lucha
 sin amenguarse.
 En este empeño
 es, si grande el martirio,
 mayor el premio.

Y si aún muestras esquiva
 alma de nieve,
si aún no me quisieras,
 yo no he de quererte.

 Mi amor es roca
donde se estrellan tímidas
 del mar las olas.

XC

Yo soy el rayo, la dulce brisa;
lágrima ardiente, fresca sonrisa;
flor peregrina, rama tronchada
yo soy quien vibra, flecha acerada.

Hay en mi esencia, como en las flores,
de mil perfumes suaves vapores,
y su fragancia fascinadora
trastorna el alma de quien adora.

Yo mis aromas doquier prodigo
y el más horrible dolor mitigo
y en grato, dulce, tierno delirio
cambio el más duro, cruel martirio.

¡Ay!, yo encadeno los corazones
mas son de flores los eslabones;
 navego por los mares,
 voy por el viento;
 alejo los pesares
 del pensamiento.

 Yo dicha o pena
 reparto a los mortales
 con faz serena.

Poder terrible que en mis antojos
brota sonrisas o brota enojos,
poder que abrasa un alma helada,
si airado vibro flecha acerada.

 Doy las dulces sonrisas
 a las hermosas,
 coloro sus mejillas
 de nieve y rosas;
 humedezco sus labios,
 y sus miradas
 hago prometer dichas
 no imaginadas.

 Yo hago amable el reposo,
 grato, halagüeño,
 o alejo de los seres
 el dulce sueño.
 Todo a mi poderío

rinde homenaje,
todos a mi corona
dan vasallaje.

Soy amor, rey del mundo,
niña tirana:
ámame, y tú la reina
serás mañana.

XCI

¿No has sentido en la noche,
cuando reina la sombra,
una voz apagada que canta
y una inmensa tristeza que llora?

¿No sentiste en tu oído de virgen
las silentes y trágicas notas
que mis dedos de muerto arrancaban
a la lira rota?

¿No sentiste una lágrima mía
deslizarse en tu boca,
ni sentiste mi mano de nieve
estrechar a la tuya de rosa?

¿No viste entre sueños
por el aire vagar una sombra,
ni sintieron tus labios un beso
que estalló misterioso en la alcoba?

Pues yo juro por ti, vida mía,
que te vi entre mis brazos, miedosa;
que sentí tu aliento de jazmín y nardo,
y tu boca pegada a mi boca.

XCII

Apoyando mi frente calurosa
en el frío cristal de la ventana,
en el silencio de la obscura noche
de su balcón mis ojos no apartaba.

En medio de la sombra misteriosa
su vidriera lucía iluminada,
dejando que mi vista penetrase
en el puro santuario de su estancia.

Pálido como el mármol el semblante.
La blanda cabellera destrenzada,
acariciando sus sedosas ondas
sus hombros de alabastro y su garganta,
mis ojos la veían y mis ojos,
al verla tan hermosa, se turbaban.

Mirábase al espejo: dulcemente
sonreía a su bella imagen lánguida,
y sus mudas lisonjas al espejo
con un beso dulcísimo pagaba...

Mas la luz se apagó; la visión pura
desvaneciéndose como sombra vana,
y dormido quedé, dándome celos
el cristal que su boca acariciara.

XCIII

Si copia tu frente
del río cercano la pura corriente
y miras tu rostro de amor encendido,
soy yo, que me escondo
del agua en el fondo
y loco de amores a amar te convido;

soy yo, que, en tu pecho buscando morada,
envío a tus ojos mi ardiente mirada,
 mi blanca divina...
y el fuego que siento la faz te ilumina.

 Si en medio del valle
en tardo se trueca tu amor animado,
vacila tu planta, se pliega tu talle...
 Soy yo, dueño amado,
 que, en no vistos lazos
de amor anhelante, te estrecho en mis brazos

soy yo quien te teje la alfombra florida
que vuelve a tu cuerpo la fuerza y la vida;
 soy yo, que te sigo
en alas del viento soñando contigo.

 Si estando en tu lecho
escuchas acaso celeste armonía
que llena de goce, tu cándido pecho,
 soy yo, vida mía...
 soy yo, que levanto
al cielo tranquilo mi férvido canto
soy yo, que, los aires cruzando ligero
por un ignorado, movible sendero,
 ansioso de calma
sediento de amores, penetro en tu alma.

XCIV

¡Quién fuera luna,
quién fuera brisa,
quién fuera sol!

.

¡Quién del crepúsculo

78

fuera la hora,
quién el instante
de tu corazón!

¡Quién fuera parte
de la plegaria
que solitaria
mandas a Dios!

¡Quién fuera luna,
quién fuera brisa,
quién fuera sol!...

XCV

Yo me cogí, como perdido nauta,
a una mujer, para pedirle amor,
y fue su amor cansancio a mis sentidos
hielo a mi corazón.

Y quedé, de mi vida en la carrera,
que un mundo de esperanza ayer pobló,
como queda un viandante en el desierto:
¡A solas con su Dios!

XCVI

Para encontrar tu rostro
miraba al cielo,
que no es bien que tu imagen
se halle en el suelo;
si de allí vino,
el buscarla es su origen
no es desvarío.

XCVII

Esas quejas del piano
a intervalos desprendidas,
sirenas adormecidas
que evoca tu blanca mano,
no esparcen al aire en vano
el melancólico son;
pues de la oculta mansión
en que mi pasión se esconde
a cada nota responde
un eco en mi corazón.

XCVIII

Nave que surca los mares,
y que empuja el vendaval
y que acaricia la espuma,
de los hombres es la vida;
su puerto, la eternidad.

LEYENDAS

LA CORZA BLANCA

I

En un pequeño lugar de Aragón, y allá por los años de mil trescientos y pico, vivía retirado en su torre señorial un famoso caballero llamado don Dionís, el cual, después de haber servido a su rey en la guerra contra infieles, descansaba a la sazón, entregado al alegre ejercicio de la caza, de las rudas fatigas de los combates.

Aconteció una vez a este caballero, hallándose en su favorita diversión acompañado de su hija, cuya belleza singular y extraordinaria blancura le habían granjeado el sobrenombre de la Azucena, que como se les entrase a más andar el día engolfados en perseguir a una res en el monte de su feudo, tuvo que acogerse, durante las horas de la siesta, a una cañada por donde corría un riachuelo, saltando de roca en roca con ruido manso y agradable.

Haría cosa de unas dos horas que don Dionís se encontraba en aquel delicioso lugar, recostado sobre la menuda grama a la sombra de una chopera, departiendo amigablemente con sus monteros sobre

las peripecias del día, y refiriéndose unos a otros las aventuras más o menos curiosas que en su vida de cazadores les habían acontecido, cuando por lo alto de la más empinada ladera y a través de los alternados murmullos del viento que agitaba las hojas de los árboles, comenzó a percibirse, cada vez más cerca, el sonido de una esquililla semejante a la del guión de un rebaño.

En efecto, era así, pues a poco de haberse oído la esquililla empezaron a saltar por entre las apiñadas matas de cantueso y tomillo, y a descender a la orilla opuesta del riachuelo, hasta unos cien corderos blancos como la nieve, detrás de los cuales, con su caperuza calada para libertarse la cabeza de los perpendiculares rayos del sol, apareció el zagal que los conducía.

—A propósito de aventuras extraordinarias —exclamó al verle uno de los monteros de don Dionís, dirigiéndose a su señor—: ahí tenéis a Esteban el zagal, que de algún tiempo a esta parte anda más tonto que lo que naturalmente lo hizo Dios, que no es poco, y el cual puede haceros pasar un rato divertido refiriendo la causa de sus continuos sustos.

—¿Pues qué le acontece a ese pobre diablo? —exclamó don Dionís con aire de curiosidad picada.

—¡Friolera! —añadió el montero en tono de zumba—: es el caso que, sin haber nacido en Viernes Santo, ni estar señalado con la cruz, ni hallarse en relaciones con el demonio, a lo que se puede colegir de sus hábitos de cristiano viejo, se encuentra, sin saber cómo ni por dónde, dotado de la facultad más maravillosa que ha poseído hombre alguno, a no ser Salomón, de quien se dice que sabía hasta el lenguaje de los pájaros.

—¿Y a qué se refiere esa facultad maravillosa?

—Se refiere —prosiguió el montero— a que según él afirma, y lo jura y perjura por todo lo más

sagrado del mundo, los ciervos que discurren por estos montes se han dado de ojo para no dejarle en paz, siendo lo más gracioso del caso que en más de una ocasión los ha sorprendido concertando entre sí las burlas que han de hacerle, y después que estas burlas se han llevado a término, ha oído las ruidosas carcajadas con que las celebran.

Mientras esto decía el montero, Constanza, que así se llamaba la hermosa hija de don Dionís, se había aproximado al grupo de cazadores, y como demostrase curiosidad por conocer la extraordinaria historia de Esteban, uno de éstos se adelantó hasta el sitio en donde el zagal daba de beber a su ganado, y le condujo a presencia de su señor, que, para disipar la turbación y el visible encogimiento del pobre mozo, se apresuró a saludarle por su nombre, acompañando el saludo con una bondadosa sonrisa.

Era Esteban un muchacho de diecinueve a veinte años, fornido, con la cabeza pequeña y hundida entre los hombros, los ojos pequeños y azules, la mirada incierta y torpe como la de los albinos, la nariz roma, los labios gruesos y entreabiertos, la frente calzada, la tez blanca, pero ennegrecida por el sol, y el cabello, que le caía parte sobre los ojos y parte alrededor de la cara, en guedejas ásperas y rojas semejantes a las crines de un rocín colorado.

Esto, sobre poco más o menos, era Esteban en cuanto al físico; respecto a su moral, podía asegurarse, sin temor a ser desmentido ni por él ni por ninguna de las personas que le conocían, que era perfectamente simple, aunque un tanto suspicaz y malicioso como buen rústico.

Una vez el zagal repuesto de su turbación, le dirigió de nuevo la palabra don Dionís, y con el tono más serio del mundo, y fingiendo un extraordinario interés por conocer los detalles del suceso a que su montero se había referido, le hizo una multitud de

preguntas, a las que Esteban comenzó a contestar de una manera evasiva, como deseando evitar explicaciones sobre el asunto.

Estrechado, sin embargo, por las interrogaciones de su señor, y por los ruegos de Constanza, que parecía la más curiosa e interesada en que el pastor refiriese sus estupendas aventuras, decidióse éste a hablar, mas no sin que antes dirigiese a su alrededor una mirada de desconfianza, como temiendo ser oído por otras personas que las que allí estaban presentes, y de rascarse tres o cuatro veces la cabeza tratando de reunir sus recuerdos o hilvanar su discurso, que al fin comenzó de esta manera:

—Es el caso, señor, que según me dijo un preste de Tarazona, al que acudí no ha mucho para consultar mis dudas, con el diablo no sirven juegos, sino punto en boca, buenas y muchas oraciones a San Bartolomé, que es quien le conoce las cosquillas, y dejarle andar; que Dios que es justo y está allí arriba, proveerá a todo.

Firme en esta idea, había decidido no volver a decir palabra sobre el asunto a nadie, ni por nada; pero lo haré hoy por satisfacer vuestra curiosidad, y a fe que después de todo, si el diablo me lo toma en cuenta y torna a molestarme en castigo de mi indiscreción, buenos evangelios llevo cosidos a la pellica y con su ayuda creo que, como otras veces, no me será inútil el garrote.

—Pero, vamos —exclamó don Dionís, impaciente al escuchar las digresiones del zagal que amenazaba no concluir nunca—, déjate de rodeos y ve derecho al asunto.

—A él voy —contestó con calma Esteban, que después de dar una gran voz acompañada de un silbido para que se agruparan los corderos, que no perdía de vista y comenzaban a desparramarse por e

monte, tornó a rascarse la cabeza y prosiguió así:

—Por una parte vuestras continuas excursiones, y por otra el dale que le das de los cazadores furtivos, que ya con trampa o con ballesta no dejan res a vida en veinte jornadas al contorno, habían no hace mucho agotado la caza en estos momentos, hasta el extremo de no encontrarse un venado en ellos ni por un ojo de la cara.

Hablaba yo de esto mismo en el lugar, sentado en el porche de la iglesia, donde después de acabada la misa del domingo solía reunirme con algunos peones de los que labran la tierra de Veratón, cuando algunos de ellos me dijeron:

—Pues, hombre, no sé en qué consiste el que tú no los topes, pues de nosotros podemos asegurarte que no bajamos una vez a las hazas que no nos encontremos rastro, y hace tres o cuatro días, sin ir más lejos una manada, que a juzgar por las huellas debía de componerse de más de veinte, le segaron antes de tiempo una pieza de trigo al santero de la Virgen del Romeral.

—¿Y hacia qué sitio seguía el rastro? —pregunté a los peones, con ánimo de ver si topaba con la tropa.

"—Hacia la cañada de los cantuesos —me contestaron.

No eché en saco roto la advertencia, y aquella noche misma fui a apostarme entre los chopos. Durante toda ella estuve oyendo por acá y por allá, tan pronto lejos como cerca, el bramido de los ciervos que se llamaban unos a otros, y de vez en cuando sentía moverse el ramaje a mis espaldas; pero por más que me hice todo ojos, la verdad es que no pude distinguir a ninguno.

No obstante, al romper el día, cuando llevé los corderos al agua, a la orilla de este río, como obra

de dos tiros de honda del sitio en que nos hallamos, y en una umbría de chopos, donde ni a la hora de siesta se desliza un rayo de sol, encontré huellas recientes de los ciervos, algunas ramas desgajadas, la corriente un poco turbia, y, lo que es más particular, entre el rastro de las reses las breves huellas de unos pies pequeñitos como la mitad de la palma de mi mano, sin ponderación alguna.

Al decir esto, el mozo, instintivamente y al parecer hacia el pie de Constanza que asomaba por debajo del brial, calzado de un precioso chapín de tafilete amarillo; pero como al par que Esteban bajasen también los ojos don Dionís y algunos de los monteros que le rodeaban, la hermosa niña se apresuró a esconderlo, exclamando con el tono más natural del mundo:

—¡Oh, no!; por desgracia, no los tengo yo tan pequeñitos, pues de ese tamaño sólo se encuentran en las hadas, cuya historia nos refieren los trovadores.

—Pues no paró aquí la cosa —continuó el zagal cuando Constanza hubo concluido—, sino que otra vez, habiéndome colocado en otro escondite por donde indudablemente habían de pasar los ciervos para dirigirse a la cañada allá al filo de la media noche me rindió un poco el sueño, aunque no tanto que no abriese los ojos en el mismo punto en que creí percibir que las ramas se movían a mi alrededor. Abrí los ojos, según dejo dicho; me incorporé con sumo cuidado, y poniendo atención a aquel confuso murmullo que cada vez sonaba más próximo, oí en las ráfagas del aire como gritos y cantares extraños, carcajadas y tres o cuatro voces distintas que hablaban entre sí, con un ruido y algarabía semejante al de las muchachas del lugar, cuando riendo y bromeando por el camino vuelven en bandadas de la

fuente con sus cántaros a la cabeza.

Según colegía de la proximidad de las voces y del cercano chasquido de las ramas que crujían al romperse para dar paso a aquella turba de locuelas, iban a salir de la espesura a un pequeño rellano que formaba el monte en el sitio donde yo estaba oculto, cuando enteramente a mis espaldas, tan cerca o más que me encuentro de vosotros oí una nueva voz fresca, delgada y vibrante, que dijo... creedlo, señores, esto es tan seguro como que me he de morir... dijo... claro y distintamente estas propias palabras:

¡Por aquí, por aquí, compañeras,
que está ahí el bruto de Esteban!

Al llegar a este punto de la relación del zagal, los circunstantes no pudieron ya contener por más tiempo la risa que hace largo rato les retozaba en los ojos, y dando rienda a su buen humor, prorrumpieron en una carcajada estrepitosa. De los primeros en comenzar a reír y de los últimos en dejarlo, fueron don Dionís, que a pesar de su fingida circunspección no pudo menos de tomar parte en el general regocijo, y su hija Constanza, la cual cada vez que miraba a Esteban, todo suspenso y confuso, tornaba a reírse como una loca hasta el punto de saltarle las lágrimas de los ojos.

El zagal, por su parte, aunque sin atender al efecto que su narración había producido, parecía todo turbado e inquieto; y mientras los señores reían a sabor de sus inocentadas, él tornaba la vista de un lado a otro con visibles muestras de temor y como queriendo descubrir algo a través de los cruzados troncos de los árboles.

—¿Qué es eso, Esteban, qué te sucede? —le preguntó uno de los monteros notando la creciente in-

quietud del pobre mozo, que ya fijaba sus espantadas pupilas en la hija risueña de don Dionís, ya las volvía a su alrededor con una expresión asombrada y estúpida.

—Me sucede una cosa muy extraña —exclamó Esteban—. Cuando, después de escuchar las palabras que dejo referidas, me incorporé con prontitud para sorprender a la persona que las había pronunciado una corza blanca como la nieve salió de entre las mismas matas en donde yo estaba oculto, y dando unos saltos enormes por encima de los carrascales y los lentiscos, se alejó seguida de una tropa de corzas de su color natural, y así éstas como la blanca que las iba guiando, no arrojaban bramidos al huir, sino que se reían con unas carcajadas cuyo eco juraría que aún me está sonando en los oídos en este momento.

—¡Bah!... ¡bah!... Esteban —exclamó don Dionís con aire burlón—, sigue los consejos del preste de Tarazona; no hables de tus encuentros con los corzos amigos de burlas, no sea que haga el diablo que al fin pierdas el poco juicio que tienes; y pues ya estás provisto de los Evangelios y sabes las oraciones de San Bartolomé, vuélvete a tus corderos, que comienzan a desbandarse por la cañada. Si los espíritus malignos tornan a incomodarse, ya sabes el remedio: "Páter nóster" y garrotazo.

El zagal, después de guardarse en el zurrón un medio pan blanco y un trozo de carne de jabalí, y en el estómago un valiente trago de vino que le dio por orden de su señor uno de los palafreneros, despidióse de don Dionís y su hija y apenas anduvo cuatro pasos, comenzó a volear la honda para reunir a pedradas los corderos.

Como a esta sazón notase don Dionís que entre unas y otras las horas del calor eran ya pasadas y el vientecillo de la tarde comenzaba a mover las hojas

de los chopos y a refrescar los campos, dio orden a su comitiva para que aderezasen las caballerías que andaban paciendo sueltas. por el inmediato soto; y cuando todo estuvo a punto, hizo seña a los unos para que soltasen las traíllas, y a los otros para que tocasen las trompas, y saliendo en tropel de la chopera, prosiguió adelante la interrumpida caza.

II

Entre los monteros de don Dionís había uno llamado Garcés, hijo de un antiguo servidor de la familia, y por tanto el más querido de sus señores.

Garcés tenía poco más o menos la edad de Constanza, y desde muy niño habíase acostumbrado a prevenir al menor de sus deseos y a adivinar y satisfacer el más leve de sus antojos.

Por su mano se entretenía en afilar en los ratos de ocio las agudas saetas de su ballesta de marfil; él domaba los potros que había de montar su señora; él ejercitaba en los ardides de la caza a sus lebreles favoritos y amaestraba a sus halcones, a los cuales compraba en las ferias de Castilla caperuzas rojas bordadas de oro.

Para con los otros monteros, los pajes y la gente menuda del servicio de don Dionís la exquisita solicitud de Garcés y el aprecio con que sus señores le distinguían, habíanle valido una especie de general animadversión, y al decir de los envidiosos, en todos aquellos cuidados con que se adelantaba a prevenir los caprichos de su señora, revelábase su carácter adulador y rastrero. No faltaban, sin embargo, algunos, que, más avisados o maliciosos, creyeron sorprender en la asiduidad del solícito mancebo algunas señales de mal disimulado amor.

Si en efecto era así, el oculto cariño de Garcés

tenía más que sobrada disculpa en la incomparable hermosura de Constanza. Hubiérase necesitado un pecho de roca y un corazón de hielo para permanecer impasible un día y otro al lado de aquella mujer singular por su belleza y sus raros atractivos.

La "Azucena del Moncayo" llamábanla en veinte leguas a la redonda, y bien merecía este sobrenombre, porque era tan airosa, tan blanca y tan rubia, que, como a las azucenas, parecía que Dios la había hecho de nieve y oro.

Y, sin embargo, entre los señores comarcanos murmurábase que la hermosa castellana de Veratón no era tan limpia de sangre como bella y que, a pesar de sus trenzas rubias y su tez de alabastro, había tenido por madre una gitana. Lo de cierto que pudiera haber en estas murmuraciones nadie pudo nunca decirlo, porque la verdad era que don Dionís tuvo una vida bastante azarosa en su juventud, y después de combatir largo tiempo bajo la conducta del monarca aragonés, del cual recabó entre otras mercedes el feudo del Moncayo, marchóse a Palestina, en donde anduvo errante algunos años, para volver por último a encerrarse en su castillo de Veratón con una hija pequeña, nacida sin duda en aquellos países remotos. El único que hubiera podido decir algo acerca del misterioso origen de Constanza, pues acompañó a don Dionís en sus lejanas peregrinaciones, era el padre de Garcés, y éste había ya muerto hacía bastante tiempo, sin decir una palabra sobre el asunto ni a su propio hijo, que varias veces y con muestras de gran interés se lo había preguntado.

El carácter, tan pronto retraído y melancólico como bullicioso y alegre, de Constanza, la extraña exaltación de sus ideas, sus extravagantes caprichos, sus nunca vistas costumbres, hasta la particularidad de tener los ojos y las cejas negros como la noche,

siendo blanca y rubia, como el oro, habían contribui-
do a dar pábulo a las hablillas de sus convecinos, y
aun el mismo Garcés, que tan íntimamente la trata-
ba, había llegado a persuadirse que su señora era al-
go especial, y no se parecía a las demás mujeres.

Presente a la relación de Esteban, como los otros
monteros, Garcés fue acaso el único que oyó con ver-
dadera curiosidad los pormenores de su increíble
aventura, y si bien no pudo menos de sonreír cuan-
do el zagal repitió las palabras de la corza blanca,
desde que abandonó el soto en que había sesteado
comenzó a revolver en su mente las más absurdas
imaginaciones.

—No cabe duda que todo eso del hablar de las
corzas es pura aprensión de Esteban, que es un com-
pleto mentecato —decía entre sí el joven montero
mientras que, jinete en un poderoso alazán, seguía
paso a paso el palafrén de Constanza, la cual también
parecía mostrarse un tanto distraída y silenciosa, y
retirada del tropel de los cazadores, apenas tomaba
parte en la fiesta—. Pero ¿quién dice que en lo que
refiere ese simple no existirá algo de verdad? —pro-
siguió pensando el mancebo—. Cosas más extrañas
hemos visto en el mundo, y una corza blanca bien
puede haberla, puesto que, si se ha de dar crédito a
las cantigas del país, San Humberto, patrón de los
cazadores, tenía una. ¡Oh, si yo pudiese coger viva
una corza blanca para ofrecérsela a mi señora!

Así pensando y discurriendo pasó Garcés la tarde,
y cuando ya el sol comenzó a esconderse por detrás
de las vecinas lomas don Dionís mandó volver gru-
pas a su gente para tornar al castillo, separóse sin
ser notado de la comitiva y echó en busca del zagal
por lo más espeso e intrincado del monte.

La noche había cerrado casi por completo cuan-

do don Dionís llegaba a las puertas de su castillo. Acto continuo dispusiéronle una frugal colación y sentóse con su hija a la mesa.

—Y Garcés ¿dónde está? —preguntó Constanza, notando que su montero no se encontraba allí para servirla como tenía costumbre.

—No sabemos —se apresuraron a contestar, los otros servidores—; desapareció de entre nosotros cerca de la cañada y esta es la hora en que todavía no le hemos visto.

En este punto llegó Garcés todo sofocado, cubierta aún de sudor la frente, pero con la cara más regocijada y satisfecha que pudiera imaginarse.

—Perdóneme señora —exclamó dirigiéndose a Constanza—, perdonadme si he faltado un momento a mi obligación; pero allá de donde vengo a todo correr de mi caballo, como aquí, sólo me ocupaba en serviros.

—¿En servirme? —repitió Constanza—; no comprendo lo que quieres decir.

—Sí, señora, en serviros —repitió el joven—, pues he averiguado que es verdad que la corza blanca existe. A más de Esteban, lo dan por seguro otros varios pastores, que juran haberla visto más de una vez, y con ayuda de los cuales espero en Dios y en mi patrón San Humberto que antes de tres días, viva o muerta, os la traeré al castillo.

—¡Bah!... ¡Bah!... —exclamó Constanza con aire de zumba, mientras hacían coro a sus palabras las risas más o menos disimuladas de los circunstantes—, déjate de cacerías nocturnas y de corzas blancas; mira que el diablo ha dado en la flor de tentar a los simples, y si te empeñas en andarle a los talones, va a dar que reír contigo como con el pobre Esteban.

—Señora —interrumpió Garcés con voz entrecortada y disimulando en lo posible la cólera que le

producía el burlón regocijo de sus compañeros—, yo no me he visto nunca con el diablo, y, por consiguiente, no sé todavía cómo las gasta; pero conmigo os juro que todo podrá hacer menos dar que reír, porque el uso de ese privilegio sólo en vos sé tolerarlo.

Constanza conoció el efecto que su burla había producido en el enamorado joven; pero deseando apurar su paciencia hasta lo último, tornó a decir en el mismo tono:

—¿Y si al dispararle te saluda con alguna risa del género de la que oyó Esteban, o se te ríe en la nariz, y al escuchar sus sobrenaturales carcajadas se te cae la ballesta de las manos, y antes de reponerte del susto ya ha desaparecido la corza blanca más ligera que un relámpago?

—¡Oh! —exclamó Garcés—, en cuanto a eso estad segura que como yo la topase a tiro de ballesta, aunque me hiciese más monos que un juglar, aunque me hablara, no ya en romance, sino en latín, como el abad de Munila, no se iba sin un arpón en el cuerpo.

En este punto del diálogo terció don Dionís, y con una desesperante gravedad a través de la que se adivinaba toda la ironía de sus palabras, comenzó a darle al ya sendereado mozo los consejos más originales del mundo, para el caso de que se encontrase de manos a boca con el demonio convertido en corza blanca. A cada nueva ocurrencia de su padre, Constanza fijaba sus ojos en el atribulado Garcés y rompía a reír como una loca, en tanto que los otros servidores esforzaban las burlas con sus miradas de inteligencia y su mal encubierto gozo.

Mientras duró la colación prolongóse esta escena, en que la credulidad del joven montero fue por decirlo así, el tema obligado del general regocijo; de modo que cuando se levantaron los paños, y don Dionís y Constanza se retiraron a sus habitaciones, y to-

da la gente del castillo se entregó al reposo, Garcés permaneció un largo espacio de tiempo irresoluto, dudando, si a pesar de las burlas de sus señores, proseguiría firme en su propósito o desistiría completamente de la empresa.

—¡Qué diantre! —exclamó saliendo del estado de incertidumbre en que se encontraba—: mayor mal del que me ha sucedido no puede sucederme, y si, por el contrario, es verdad lo que nos ha contado Esteban... ¡oh, entonces, cómo he de saborear mi triunfo!

Esto diciendo, armó su ballesta, no sin haberle hecho antes la señal de la cruz en la punta de la vira, y colocándosela a la espalda se dirigió a la poterna del castillo para tomar la vereda del monte.

Cuando Garcés llegó a la cañada y al punto en que, según las instrucciones de Esteban, debía aguardar la aparición de las corzas, la luna comenzaba a remontarse con lentitud por detrás de los cercanos montes.

A fuer de buen cazador y práctico en el oficio antes de elegir un punto a propósito para colocarse al acecho de las reses, anduvo un gran rato de acá para allá examinando las trochas y las veredas vecinas, la disposición de los árboles, los accidentes del terreno, las curvas del río y la profundidad de sus aguas.

Por último, después de terminar este minucioso reconocimiento del lugar en que se encontraba, agazapóse en un ribazo junto a unos chopos de copas elevadas y oscuras, a cuyo pie crecían unas matas de lentisco, altas lo bastante para ocultar a un hombre echado en tierra.

El río, que desde las mugrosas rocas donde tenía su nacimiento venía, siguiendo las sinuosidades del Moncayo, a entrar en la cañada por una vertiente, deslizábase desde allí bañando el pie de los sau-

ces que sombreaban sus orillas, o jugueteando con alegre murmullo entre las piedras rodadas del monte, hasta caer en una hondura próxima al lugar que servía de escondrijo al montero.

Los álamos, cuyas plateadas hojas movía el aire con un rumor dulcísimo, los sauces que inclinados sobre la limpia corriente humedecían en ellas las puntas de sus desmayadas ramas, y los apretados carrascales por cuyos troncos subían y se enredaban las madreselvas y las campanillas azules, formaban un espeso muro de follaje alrededor del remanso del río.

El viento, agitando los frondosos pabellones de verdura que derramaban en torno su flotante sombra, dejaban penetrar a intervalos un furtivo rayo de luz, que brillaba como un relámpago de plata sobre la superficie de las aguas inmóviles y profundas.

Oculto tras los matojos, con el oído atento al más leve rumor y la vista clavada en el punto en donde según sus cálculos debían aparecer las corzas, Garcés esperó inútilmente un gran espacio de tiempo.

Todo permanecía a su alrededor sumido en una profunda calma.

Poco a poco, y bien fuese que el peso de la noche, que ya había pasado de la mitad, comenzaba a dejarse sentir, bien el lejano murmullo del agua, el penetrante aroma de las flores silvestres y las caricias del viento comunicaron a sus sentidos el dulce sopor en que parecía estar impregnada la Naturaleza toda, el enamorado mozo, que hasta aquel punto había estado entretenido resolviendo en su mente las más halagüeñas imaginaciones, comenzó a sentir que sus ideas se elaboraban con más lentitud y sus pensamientos tomaban formas más leves e indecisas.

Después de mecerse un instante en ese vago espacio que media entre la vigilia y el sueño, entornó al fin los ojos, dejó escapar la ballesta de sus manos y se quedó profundamente dormido...

Cosa de dos horas o tres haría ya que el joven montero roncaba a pierna suelta, disfrutando a todo sabor de uno de los sueños más apacibles de su vida, cuando de repente entreabrió los ojos sobresaltado, e incorporándose a medias lleno aún de ese estupor del que se vuelve en sí de improviso después de un sueño profundo.

En las ráfagas del aire y confundido con los leves rumores de la noche, creyó percibir un extraño rumor de voces delgadas y dulces y misteriosas que hablaban entre sí, reían o cantaban cada cual por su parte y una cosa diferente, formando una algarabía tan ruidosa y confusa como la de los pájaros que despiertan al primer rayo del sol entre las frondas de una alameda.

Este extraño rumor sólo se dejó oír un instante, y después todo volvió a quedar en silencio.

—Sin duda soñaba con las majaderías que nos refirió el zagal —exclamó Garcés restregándose los ojos con mucha calma, y en la firme persuasión de que cuanto había creído oír no era más que esa vaga huella del ensueño que queda, al despertar, en la imaginación, como queda en el oído la última cadencia de una melodía después que ha expirado temblando la última nota. Y dominado por la invencible languidez que embargaba sus miembros, iba a reclinar de nuevo la cabeza sobre el césped, cuando tornó a oír el eco distante de aquellas misteriosas voces, que acompañándose del rumor del aire, del agua y de las hojas cantaba así:

"El arquero que velaba en lo alto de la torre ha reclinado su pesada cabeza en el muro.

"Al cazador furtivo que esperaba sorprender la res, lo ha sorprendido el sueño.

"El pastor que aguarda el día consultando las

estrellas, duerme ahora y dormirá hasta el amanecer.

"Reina de las ondinas, sigue nuestros pasos.

"Ven a mecerte en las ramas de los sauces sobre el haz del agua.

"Ven a embriagarte con el perfume de las violetas que se abren entre las sombras.

"Ven a gozar de la noche, que es el día de los espíritus".

Mientras flotaban en el aire las suaves notas de aquella deliciosa música, Garcés se mantuvo inmóvil. Después que se hubo desvanecido, con mucha precaución apartó un poco las ramas, y no sin experimentar algún sobresalto vio aparecer las corzas que en tropel y salvando los matorrales con ligereza increíble unas veces, deteniéndose como a escuchar, otras jugueteando entre sí, ya escondiéndose entre la espesura, ya saliendo nuevamente a la senda, bajaban del monte con dirección al remanso del río.

Delante de sus compañeras, más ágil, más linda, más juguetona y alegre que todas, saltando, corriendo, parándose y tornando a correr, de modo que parecía no tocar el suelo con los pies, iba la corza blanca, cuyo extraño color destacaba como una fantástica luz sobre el oscuro fondo de los árboles.

Aunque el joven se sentía dispuesto a ver en cuanto le rodeaba algo de sobrenatural y maravilloso, la verdad del caso era que, prescindiendo de la momentánea alucinación que turbó un instante sus sentidos, fingiéndole música, rumores y palabras, ni en la forma de las corzas, ni en sus movimientos, ni en los cortos bramidos con que parecían llamarse, había nada con que no debiese estar ya muy familiarizado un cazador práctico en esta clase de expediciones nocturnas.

A medida que desechaba la primera impresión, Garcés comenzó a comprenderlo así, y riéndose interiormente de su credulidad y su miedo, desde aquel

instante sólo se ocupó en averiguar, teniendo en cuenta la dirección que seguían, el punto donde se hallaban las corzas.

Hecho el cálculo, cogió la ballesta entre los dientes, y arrastrándose como una culebra por detrás de los lentiscos, fue a situarse obra de unos cuarenta pasos más lejos del lugar en que antes se encontraba. Una vez acomodado en su nuevo escondite, esperó el tiempo suficiente para que las corzas estuvieran ya dentro del río, a fin de hacer el tiro más seguro. Apenas empezó a escucharse ese ruido particular que produce el agua que se bate a golpes o se agita con violencia, Garcés comenzó a levantarse poquito a poco y con las mayores precauciones, apoyándose en la tierra primero sobre la punta de los dedos, y después con una de las rodillas.

Ya de pie, y cerciorándose a tientas de que el arma estaba preparada, dio un paso hacia adelante, alargó el cuello por encima de los arbustos para dominar el remanso, y tendió la ballesta; pero en el mismo punto en que, a par de la ballesta, tendió la vista buscando el objeto que había de herir, se escapó de sus labios un imperceptible e involuntario grito de asombro.

La luna, que había ido remontándose con lentitud por el ancho horizonte, estaba inmóvil y como suspendida en la mitad del cielo. Su dulce claridad inundaba el soto, abrillantaba la intranquila superficie del río y hacía ver los objetos como a través de una gasa azul.

Las corzas habían desaparecido.

En su lugar, lleno de estupor y casi de miedo, vio Garcés un grupo de bellísimas mujeres, de las cuales unas entraban en el agua jugueteando, mientras las otras acababan de despojarse de las ligeras túnicas que aún ocultaban a la codiciosa vista el tesoro de sus formas.

En esos ligeros y cortados sueños de la mañana, ricos en imágenes risueñas y voluptuosas, sueños diáfanos y celestes como la luz que entonces comienza a transparentarse a través de las blancas cortinas del lecho, no ha habido nunca imaginación de veinte años que bosquejase con los colores de la fantasía una escena semejante a la que se ofrecía en aquel punto a los ojos del atónito Garcés.

Despojadas ya de sus túnicas y sus velos de mil colores, que destacaban sobre el fondo suspendido de los árboles o arrojados con descuido sobre la alfombra del césped, las muchachas discurrían a su placer por el soto, formando grupos pintorescos, y entraban y salían en el agua, haciéndola saltar en chispas luminosas sobre las flores de la margen como una menuda lluvia de rocío.

Aquí una de ellas blanca como el vellón de un cordero, sacaba su cabeza rubia entre las verdes y flotantes hojas de una planta acuática, de la cual parecía una flor a medio abrir cuyo flexible tallo más bien se adivinaba que se veía temblar debajo de los infinitos círculos de luz de las ondas.

Otra allá, con el cabello suelto sobre los hombros, mecíase suspendida de la rama de un sauce sobre la corriente del río, y sus pequeños pies, color de rosa, hacían una raya de plata al pasar rozando la tersa superficie. En tanto que éstas permanecían recostadas aún al borde del agua con los ojos azules adormidos, aspirando con voluptuosidad el perfume de las flores y estremeciéndose ligeramente al contacto de la fresca brisa, aquéllas danzaban en vertiginosa ronda, entrelazando caprichosamente sus manos, dejando caer atrás la cabeza con delicioso abandono, e hiriendo el suelo con el pie en alternada cadencia.

Era imposible, abarcar con una mirada los infinitos detalles del cuadro que formaban, unas corrien-

do, jugando y persiguiéndose con alegres risas por entre el laberinto de los árboles; otras surcando el agua como un cisne y rompiendo la corriente con el levantado seno; otras, en fin, sumergiéndose en el fondo, donde permanecían largo rato para volver a la superficie, trayendo una de esas flores extrañas que nacen escondidas en el lecho de las aguas profundas.

La mirada del atónito montero vagaba absorta de un lado a otro, sin saber dónde fijarse, hasta que, sentado bajo un pabellón de verdura que parecía servirle de dosel, y rodeado de un grupo de mujeres todas a cual más bellas, que la ayudaban a despojarse de sus ligerísimas vestiduras, creyó ver el objeto de sus ocultas adoraciones: la hija del noble don Dionís, la incomparable Constanza.

Marchando de sorpresa en sorpresa, el enamorado joven no se atrevía ya a dar crédito ni al testimonio de sus sentidos, y creíase bajo la influencia de un sueño fascinador y engañoso.

No obstante, pugnaba en vano por persuadirse de que todo cuanto veía era efecto del desarreglo de su imaginación; porque mientras más la miraba, y más despacio, más se convencía de que aquella mujer era Constanza.

No podía caber duda, no; suyos eran aquellos ojos oscuros y sombreados de largas pestañas, que apenas bastaban a amortiguar la luz de sus pupilas; suya aquella rubia y abundante cabellera que, después de coronar su frente, se derramaba por su blanco seno y sus redondas espaldas como una cascada de oro; suyos, en fin, aquel cuello airoso, que sostenían su lánguida cabeza, ligeramente inclinada como una flor que se rinde al peso de las gotas de rocío, y aquellas voluptuosas formas que él había soñado tal vez, y aquellas manos semejantes a manojos de jaz-

mines, y aquellos pies diminutos, comparables sólo con dos pedazos de nieve que el sol no ha podido derretir y que a la mañana blanquean entre la verdura.

En el momento en que Constanza salió del bosquecillo, sin velo alguno que ocultase a los ojos de su amante los escondidos tesoros de su hermosura, sus compañeras comenzaron nuevamente a cantar estas palabras con una melodía dulcísima:

CORO

"Genios del aire, habitantes del luminoso éter, venid envueltos en un jirón de niebla plateada.

"Silfos invisibles, dejad el cáliz de los entreabiertos lirios, y venid en vuestros carros de nácar, a los que vuelan uncidas las mariposas.

"Larvas de las fuentes, abandonad el lecho de musgo y caed sobre nosotras en menuda lluvia de perlas.

"Escarabajos de esmeralda, luciérnagas de fuego, mariposas negras, ¡venid!

"Y venid vosotros todos, espíritus de la noche, venid zumbando como un enjambre de insectos de luz y de oro.

"Venid, que ya el astro protector de los misterios brilla en la plenitud de su hermosura.

"Venid, que ha llegado el momento de las transformaciones maravillosas.

"Venid, que las que os aman os esperan impacientes".

Garcés que permanecía inmóvil, sintió al oír aquellos cantares misteriosos que el áspid de los celos le mordía el corazón, y obedeciendo a un impulso más poderoso que su voluntad, deseando romper de una vez el encanto que fascinaba sus sentidos, se-

paró con mano trémula y convulsa el ramaje que le ocultaba, y de un solo salto se puso en la margen del río. El encanto se rompió, desvaneciéndose todo como el humo, y al tender en torno suyo la vista, no vio ni oyó más que el bullicioso tropel con que las tímidas corzas, sorprendidas en lo mejor de sus nocturnos juegos, huían espantadas de su presencia, una por aquí, otra por allá, cual salvando de un salto los matorrales, cual ganando a todo correr la trocha del monte.

—¡Oh!, bien dije yo que todas estas cosas no eran más que fantasmagorías del diablo —exclamó entonces el montero—; pero por fortuna esta vez ha andado un poco torpe dejándome entre las manos la mejor presa.

Y, en efecto, era así; la corza blanca, deseando escapar por el soto, se había lanzado entre el laberinto de sus árboles y enredándose en una red de madreselvas, pugnaba en vano por desasirse. Garcés le encaró la ballesta; pero en el mismo punto en que iba a herirla, la corza se volvió hacia el montero, y con voz clara y aguda detuvo su acción con un grito, diciéndole:

—Garcés, ¿qué haces?

El joven vaciló, y después de un instante de duda, dejó caer al suelo el arma, espantado a la sola idea de haber podido herir a su amante. Una sonora y estridente carcajada vino a sacarle al fin de su estupor; la corza blanca había aprovechado aquellos cortos instantes para acabarse de desenredar y huir ligera como un relámpago, riéndose de la burla hecha al montero.

—¡Ah!, condenado engendro de Satanás —dijo éste con voz espantosa, recogiendo la ballesta con una rapidez indecible—; pronto has cantado victoria, pronto te has creído fuera de mi alcance—; y esto

diciendo, dejó volar la saeta que partió silbando y fue a perderse en la oscuridad del soto, en el fondo del cual sonó al mismo tiempo un grito, al que siguieron después unos gemidos.

—¡Dios mío! —exclamó al percibir aquellos lamentos angustiosos—. ¡Dios mío, si será verdad! —Y fuera de sí, como loco, sin darse cuenta apenas de lo que pasaba, corrió en la dirección en que había disparado la saeta, que era la misma en que sonaban los gemidos. Llegó al fin; pero al llegar, sus cabellos se erizaron de horror, las palabras se anudaron en su garganta, y tuvo que agarrarse al tronco de un árbol para no caer a tierra.

Constanza, herida por su mano, expiraba allí a su vista revolcándose en su propia sangre entre las agudas zarzas del monte.

EL CRISTO DE LA CALAVERA

I

El rey de Castilla marchaba a la guerra de moros, y para combatir con los enemigos de la religión había apellidado en son de guerra a todo lo más florido de la nobleza de sus reinos. Las silenciosas calles de Toledo resonaban noche y día con el marcial rumor de los atabales y los clarinetes, ya en la morisca puerta de Visagra, ya en la del Cambrón, o en la embocadura del antiguo puente de San Martín, no pasaba hora sin que se oyese el ronco grito de los centinelas, anunciando la llegada de algún caballero que, precedido de su pendón señorial y seguido de jinetes y peones, venía a reunirse al grueso del ejército castellano.

El tiempo que faltaba para emprender el cami-

no de la frontera y concluir de ordenar las huestes reales, discurría en medio de fiestas públicas, lujosos convites y lucidos torneos, hasta que, llegada al fin la víspera del día señalado de antemano por su S. A. para la salida del ejército, se dispuso un postrer sarao, en el que debieran terminar los regocijos.

La noche del sarao, el alcázar de los reyes, ofrecía un aspecto singular. En los anchurosos patios, alrededor de inmensas hogueras, y diseminados sin orden ni concierto, se veía una abigarrada multitud de pajes, soldados, ballesteros y gente menuda, quienes éstos aderezando sus corceles y sus armas y disponiéndolos para el combate; aquéllos saludando con gritos o blasfemias las inesperadas vueltas de la fortuna, personificada en los dados del cubilete; los otros repitiendo en coro el refrán de un romance de guerra, que entonaba un juglar acompañado de la guzla; los de más allá comprando a un romero conchas, cruces y cintas tocadas en el Sepulcro de Santiago, o riendo con locas carcajadas de los chistes de un bufón, o ensayando en los clarines el aire bélico para entrar en la pelea, propio de sus señores, o refiriendo antiguas historias de caballerías o aventuras de amor, o milagros recientemente acaecidos, formaban un infernal y atronador conjunto imposible de pintar con palabras.

Sobre aquel revuelto océano de cantares de guerra, el rumor de martillos que golpeaban los yunques, chirridos de limas que mordían el acero, piafar de corceles, voces descompuestas, risas inextinguibles, gritos desaforados, notas destempladas, juramentos y sonidos extraños y discordes, flotaban a intervalos, como un soplo de brisa armoniosa, los lejanos acordes de la música del sarao.

Este, que tenía lugar en los salones que formaban el segundo cuerpo del alcázar, ofrecía a su vez

un cuadro, si no tan fantástico y caprichoso, más deslumbrador y magnífico.

Por las extensas galerías que se prolongaban a lo lejos formando un intrincado laberinto de pilastras esbeltas y ojivas caladas y ligeras como el encaje; por los espaciosos salones vestidos de tapices, donde la seda y el oro habían representado, con mil colores diversos. escenas de amor, de caza y de guerra, y adornados con trofeos de armas y escudos, sobre los cuales vertían un mar de chispeante luz un sinnúmero de lámparas y candelabros de bronce, plata y oro, colgadas aquéllas de las altísimas bóvedas y enclavados éstos en los gruesos sillares de los muros; por toda parte adonde se volvían los ojos, se veía oscilar y agitarse en distintas direcciones una nube de damas hermosas con ricas vestiduras chapadas en oro, redes de perlas aprisionando sus rizos, joyas de rubíes llameando sobre su seno, plumas sujetas en vaporoso cerco a un mango de marfil, colgadas de puño y rostrillos de blancos encajes que acariciaban sus mejillas, o alegres turbas de galanes con talabartes de terciopelo, justillos de brocado y calzas de seda, borceguíes de tafilete, capotillos de mangas perdidas y caperuza, puñales con pomo de filigrana y estoques de corte bruñidos, delgados y ligeros.

Pero entre esta juventud brillante y deslumbradora, que los ancianos miraban desfilar con una sonrisa de gozo, sentados en los altos sitiales de alerce que rodeaban el estrado real, llamaba la atención, por su belleza incomparable, una mujer aclamada reina de la hermosura en todos los torneos y las cortes de amor de la época, cuyos colores habían adoptado por emblema los caballeros más valientes, cuyos encantos eran asunto de las coplas de los trovadores más versados en la ciencia del gay saber; a la que suspiraban en secreto todos los corazones; alrededor de la cual se veían agruparse con afán, como

vasallos humildes en torno de su señora, los más ilustres vástagos de la nobleza toledana, reunida en el sarao de aquella noche.

Los que asistían de continuo a formar el séquito de presuntos galanes de doña Inés de Tordesillas, que tal era el nombre de esta celebrada hermosura, a pesar de su carácter altivo y desdeñoso, no desmayaban jamás en sus pretensiones; y éste, animado, con una sonrisa que había creído adivinar en sus labios; aquél, con una mirada benévola que juzgaba haber sorprendido en sus ojos; el otro, con una palabra lisonjera, un ligerísimo favor o una promesa remota, cada cual esperaba en silencio ser el preferido. Sin embargo, entre todos ellos había dos que más particularmente se distinguían por su asiduidad y rendimiento, dos que al parecer, si no los predilectos de la hermosa, podrían calificarse de los más adelantados en el camino de su corazón. Estos dos caballeros, iguales en cuna, valor y nobles prendas, servidores de un mismo rey y pretendientes de una misma dama, llamábanse Alonso de Carrillo el uno, y el otro Lope de Sandoval.

Ambos habían nacido en Toledo; juntos habían hecho sus primeras armas, y en un mismo día, al encontrarse sus ojos con los de doña Inés se sintieron poseídos de un secreto y ardiente amor por ella, amor que germinó algún tiempo retraído y silencioso, pero que al cabo comenzaba a descubrirse y a dar involuntarias señales de existencia en sus acciones y discursos.

En los torneos de Zocodover, en los juegos florales de la corte, siempre que se les había presentado coyuntura para rivalizar entre sí en gallardía o donaire, la habían aprovechado con afán ambos caballeros, ansiosos de distinguirse a los ojos de su dama; y aquella noche, impelidos sin duda por un mismo afán, trocando los hierros por las plumas y las

mallas por los brocados y la seda, de pie junto al sitial donde ella se reclinó un instante después de haber dado una vuelta por los salones, comenzaron una elegante lucha de frases enamoradas e ingeniosas o epigramas embozados y agudos.

Los astros menores de esta brillante constelación, formando un dorado semicírculo en torno de ambos galanes, reían y esforzaban las delicadas burlas: y la hermosa, objeto d eaquel torneo de palabras ,aprobaba con una imperceptible sonrisa los conconceptos escogidos o llenos de intención que, ora salían de labios de sus oradores como una ligera onda de perfume que halagaba su vanidad, ora partían como una saeta aguda que iba a buscar, para clavarse en él, el punto más vulnerable del contrario: su amor propio.

Ya el cortesano combate de ingenio y galanura comenzaba a hacerse cada vez más crudo; las frases eran aún corteses en la forma, pero breves y secas, y al pronunciarlas, si bien las acompañaba una ligera dilatación de los labios, semejante a una sonrisa, los ligeros relámpagos de los ojos, imposible de ocultar, demostraban que la cólera hervía comprimida en el seno de ambos rivales.

La situación era insostenible. La dama lo comprendió así, y levantándose del sitial se disponía a volver a los salones cuando un nuevo incidente vino a romper la valla del respetuoso comedimiento en que se contenían los dos enamorados. Tal vez con intención, acaso por descuido, doña Inés había dejado sobre su falda uno de los perfumados guantes, cuyos botones de oro se entretenía en arrancar uno a uno mientras duró la conversación. Al ponerse de pie, el guante resbaló por entre los anchos pliegues de seda, y cayó en la alfombra. Al verle caer, todos los caballeros que formaban su brillante comitiva se in-

clinaron presurosos a recogerle, disputándole el honor de alcanzar un leve movimiento de cabeza en premio de su galantería.

Al notar la precipitación con que todos hicieron el ademán de inclinarse, una imperceptible sonrisa de vanidad satisfecha asomó a los labios de la orgullosa doña Inés, que después de hacer un saludo general a los galanes que tanto empeño mostraban en servirla, sin mirar apenas y con la mirada alta y desdeñosa, tendió la mano para recoger el guante en la dirección en que se encontraban Lope y Alonso, los primeros que parecían haber llegado al sitio en que cayera. En efecto, ambos jóvenes habían visto caer el guante cerca de sus pies; ambos se habían inclinado con igual presteza a recogerle, y al incorporarse cada cual le tenía asido por un extremo. Al verlos inmóviles, desafiándose en silencio con la mirada, y decididos ambos a no abandonar el guante que acababan de levantar del suelo, la dama dejó escapar un grito leve e involuntario, que ahogó el murmullo de los asombrados espectadores, los cuales presentían una escena borrascosa, que en el alcázar y en presencia del rey podría calificarse de un horrible desacato.

No obstante, Lope y Alonso permanecían impasibles, mudos, midiéndose con los ojos, de la cabeza a los pies, sin que la tempestad de sus almas se revelase más que por un ligero temblor nervioso, que agitaba sus miembros como si se hallasen acometidos de una repentina fiebre.

Los murmullos y las exclamaciones iban subiendo de punto; la gente comenzaba a agruparse en torno de los actores de la escena; doña Inés, o aturdida o complaciéndose en prolongarla, daba vueltas de un lado a otro, como buscando donde refugiarse y evitar que las miradas de la gente, que cada vez acudía en mayor número. La catástrofe era ya segura;

los dos jóvenes habían ya cambiado algunas palabras en voz sorda, y mientras que con la una mano sujetaban el guante con una fuerza convulsiva, parecían ya buscar instintivamente con la otra el puño de oro de sus dagas, cuando se entreabrió respetuosamente el grupo que formaban los espectadores, y apareció el rey.

Su frente estaba serena; ni había indignación en su rostro ni cólera en su ademán.

Tendió una mirada alrededor, y esta sola mirada fue bastante para darle a conocer lo que pasaba. Con toda la galantería del doncel más cumplido, tomó el guante de las manos de los caballeros, que, como movidos por un resorte, se abrieron sin dificultad al sentir el contacto de la del monarca, y volviéndose a doña Inés de Tordesillas, que, apoyada en el brazo de una dueña, parecía próxima a desmayarse, exclamó, presentándolo, con acento, aunque templado, firme:

—Tomad, señora, y cuidad de no dejarle caer en otra ocasión, donde, al devolvéroslo, os lo devuelvan manchado de sangre.

Cuando el rey terminó de decir estas palabras, doña Inés no acertamos a decir si a impulsos de la emoción, o por salir más airosa del paso, se había desvanecido en brazos de los que la rodeaban

Alonso y Lope, el uno estrujando en silencio entre sus manos el birrete de terciopelo, cuya pluma arrastraba por la alfombra, y el otro mordiéndose los labios hasta hacerse brotar la sangre, se clavaron una mirada tenaz e intensa.

Una mirada en aquel lance equivalía a un bofetón, a un guante arrojado al rostro, a un desafío a muerte.

Al llegar la medianoche, los reyes se retiraron a su cámara. Terminó el sarao, y los curiosos de la plebe que aguardaban con impaciencia de este momento, formando grupos y corrillos en las avenidas del palacio, corrieron a estacionarse en la cuesta del alcázar, los miradores y el Zocodover.

Durante una o dos horas, en las calles inmediatas a estos puntos reinó un bullicio, una animación y un movimiento indescriptible. Por todas partes se veían cruzar escuderos caracoleando en sus corceles ricamente enjaezados, reyes de armas con lujosas casullas llenas de escudos y blasones, timbaleros vestidos de colores vistosos, soldados cubiertos de armaduras resplandecientes, pajes con capotillos de terciopelo y birretes coronados de plumas, y servidores cubiertas de ricos paños, llevando en sus manos grandes hachas encendidas, a cuyo rojizo resplandor podía verse a la multitud, que con cara atónita, labios entreabiertos y ojos espantados, miraba desfilar con asombro a todo lo mejor de la nobleza castellana, rodeada en aquella ocasión de un fausto y un esplendor fabulosos.

Luego, poco a poco fue cesando el ruido y la animación; los vidrios de colores de las altas ojivas del palacio dejaron de brillar; atravesó por entre los apiñados grupos la última cabalgata; la gente del pueblo, a su vez, comenzó a dispersarse en todas direcciones, perdiéndose entre las sombras del enmarañado laberinto de calles oscuras, estrechas y torcidas; y ya no turbaba el profundo silencio de la noche más que el grito lejano de vela de algún guerrero, el rumor de los pasos de algún curioso que se retiraba el último, o el ruido que producían las aldabas de algunas puertas al cerrarse, cuando en lo alto de la escali-

nata que conducía a la plataforma del palacio apareció un caballero, el cual, después de tender la vista por todos lados como buscando a alguien que debía esperarle, descendió lentamente hasta la cuesta del alcázar, por la que se dirigió hacia el Zocodover.

Al llegar a la plaza de este nombre se detuvo un momento y volvió a pasear la mirada a su alrededor. La noche estaba oscura; no brillaba una sola estrella en el cielo, ni en toda la plaza se veía una sola luz; no obstante, allá a lo lejos, y en la misma dirección en que comenzó a percibirse un ligero ruido como de pasos que iban aproximándose, creyó distinguir el busto de un hombre: era, sin duda, el mismo a quien parecía aguardaba con tanta impaciencia.

El caballero que acababa de abandonar el alcázar para dirigirse al Zocodover era Alonso de Carrillo, que, en razón al puesto de honor que desempeñaba cerca de la persona del rey habría tenido que acompañarle en su cámara hasta aquellas horas. El que saliendo de entre las sombras de los arcos que rodean la plaza vino a reunírsele, Lope de Sandoval. Cuando los dos caballeros se hubieron reunido cambiaron algunas frases en voz baja.

—Presumí que me aguardabas —dijo el uno.

—Esperaba que lo presumirías —contestó el otro.

—¿Y adónde iremos?

—A cualquier parte en que se puedan hallar cuatro palmos de terreno donde revolverse y un rayo de claridad que nos alumbre.

Terminado este brevísimo diálogo los dos jóvenes se internaron por una de las estrechas calles que desembocan en el Zocodover, desapareciendo en la oscuridad como esos fantasmas de la noche que, después de aterrar un instante al que los ve, se deshacen en átomos de niebla y se confunden en el seno de las sombras.

Largo rato anduvieron dando vueltas a través de las calles de Toledo, buscando un lugar a propósito para terminar sus diferencias; pero la oscuridad de la noche era tan profunda, que el duelo parecía imposible. No obstante, ambos deseaban batirse, y batirse antes que rayase el alba, pues al amanecer debían partir las huestes reales, y Alonso con ellas.

Prosiguieron, pues, cruzando al azar plazas desiertas, pasadizos sombríos, callejones estrechos y tenebrosos, hasta que, por último, vieron brillar a lo lejos una luz, una luz pequeña y moribunda, en torno de la cual la niebla formaba un cerco de claridad fantástica y dudosa.

Habían llegado a la calle del Cristo y la luz que se divisaba en uno de sus extremos parecía ser la del farolillo que alumbraba en aquella época, y alumbra aún, a la imagen que le da su nombre.

Al verla, ambos dejaron escapar una exclamación de júbilo, y apresurando el paso en su dirección, no tardaron mucho en encontrarse junto al retablo en que ardía.

Un arco rehundido en el muro, en el fondo del cual se veía la imagen del Redentor enclavado en la cruz y con una calavera al pie; un tosco cobertizo de tablas que lo defendía de la intemperie, y el pequeño farolillo colgado de una cuerda que lo iluminaba débilmente, vacilando al impulso del aire, formaban todo el retablo, alrededor del cual colgaban algunos festones de hiedra que habían crecido entre los oscuros y rotos sillares, formando una especie de pabellón de verdura.

Los caballeros, después de saludar respetuosamente la imagen de Cristo, quitándose los birretes y murmurando en voz baja una corta oración, reconocieron el terreno con una ojeada, echaron a tierra sus mantos y, apercibiéndose mutuamente para el com-

bate y dándose la señal con un leve movimiento de cabeza, cruzaron sus estoques. Pero apenas se habían tocado los aceros y antes que ninguno de los combatientes hubiese podido dar un solo paso o intentar un golpe, la luz se apagó de repente y la calle quedó sumida en la oscuridad más profunda. Como guiados de un mismo pensamiento y al verse rodeados de repentinas nieblas, los dos combatientes dieron un paso atrás, bajaron al suelo las puntas de sus espadas y levantaron los ojos hacia el farolillo, cuya luz, momentos antes apagada, volvió a brillar de nuevo al punto en que hicieron ademán de suspender la pelea.

—Sería alguna ráfaga de aire que ha abatido la llama al pasar —exclamó Carrillo volviendo a poner en guardia y previniendo con voz a Lope, que parecía preocupado.

Lope dio un paso adelante para recuperar el terreno perdido, tendió el brazo y los aceros se tocaron otra vez; mas al tocarse, la luz se tornó a apagar por sí misma permaneciendo así mientras no se separaron los estoques.

—En verdad que esto es extraño —murmuró Lope mirando al farolillo, que espontáneamente había vuelto a encenderse y se mecía con lentitud en el aire, derramando una claridad trémula y extraña sobre el amarillo cráneo de la calavera colocada a los pies de Cristo.

—¡Bah! —dijo Alonso—. Será que la beata encargada de cuidar del farol del retablo sisa a los devotos y escasea el aceite, por la cual la luz, próxima a morir, luce y se oscurece a intervalos en señal de agonía—. Y dichas estas palabras, el impetuoso joven tornó a colocarse en actitud de defensa. Su contrario le imitó; pero esta vez, no tan sólo volvió a rodearlos una sombra espesísima e impenetrable, sino que al mismo tiempo hirió sus oídos el eco profundo de una

voz misteriosa, semejante a esos largos gemidos del vendaval que parece que se queja y articula palabras al correr aprisionado por las torcidas, estrechas y tenebrosas calles de Toledo.

Qué dijo aquella voz medrosa y sobrehumana, nunca pudo saberse; pero al oírla, ambos jóvenes se sintieron poseídos de tan profundo terror, que las espadas se escaparon de sus manos, el cabello se les erizó, y por sus cuerpos, que estremecía un temblor involuntario, y por sus frentes, pálidas y descompuestas, comenzó a correr un sudor frío como el de la muerte.

La luz, por tercera vez apagada, por tercera vez volvió a resucitar, y las tinieblas se disiparon.

—¡Ah! —exclamó Lope al ver a su contrario entonces, y en otros días su mejor amigo, asombrado como él, como él pálido e inmóvil—; Dios no quiere permitir este combate, porque es una lucha fratricida; porque un combate entre nosotros ofende al cielo, ante el cual nos hemos jurado cien veces una amistad eterna. Y esto diciendo se arrojó en los brazos de Alonso, que le estrechó entre los suyos con una fuerza y una efusión indecibles.

III

Pasados algunos minutos, durante los cuales ambos jóvenes se dieron toda clase de muestras de amistad y cariño, Alonso tomó la palabra y con acento conmovido aún por la escena que acababa de referir, exclamó dirigiéndose a su amigo:

—Lope, yo sé que amas a doña Inés; ignoro si tanto como yo, pero la amas. Puesto que un duelo entre nosotros es imposible, resolvámonos a encomendar nuestra suerte en sus manos. Vamos en su

114

busca; que ella decida con libre albedrío cuál ha de ser el dichoso, cuál el infeliz. Su decisión será respetada por ambos, y el que no merezca sus favores mañana saldrá con el rey de Toledo, e irá a buscar el consuelo del olvido en la agitación de la guerra.

—Pues tú lo quieres, sea —contestó Lope.

Y el uno apoyado en el brazo del otro, los dos amigos se dirigieron hacia la catedral, en cuya plaza, y en un palacio del que ya no quedan ni aún sus restos, habitaba doña Inés de Tordesillas.

Estaba a punto de rayar el alba, y como algunos de los deudos de doña Inés, sus hermanos entre ellos, marchaban al otro día con el ejército real, no era imposible que en las primeras horas de la mañana pudiesen penetrar en su palacio.

Animados con esta esperanza llegaron, en fin, al pie de la gótica torre del templo; mas al llegar a aquel punto un ruido particular llamó su atención, y deteniéndose en uno de los ángulos, ocultos entre las sombras de los altos machones que flanquean los muros, vieron, no sin grande asombro, abrirse el balcón del palacio de su dama, aparecer en él un hombre que se deslizó hasta el suelo con la ayuda de una cuerda, y, por último, una forma blanca, doña Inés sin duda, que, inclinándose sobre el calado, antepecho, cambio algunas tiernas frases de despedida con su misterioso galán.

El primer movimiento de los dos jóvenes fue llevar las manos al puño de sus espadas pero deteniéndose como heridos de una idea súbita volvieron los ojos a mirarse, y se hubieron de encontrar con una cara de asombro tan cómica, que ambos prorrumpieron en una ruidosa carcajada que, repitiéndose de eco en eco en el silencio de la noche, resonó en toda la plaza y llegó hasta el palacio.

Al oírla, la forma blanca desapareció del balcón,

se escuchó el ruido de las puertas que se cerraron con violencia, y todo volvió a quedar en silencio.

Al día siguiente, la reina, colocada en un estrado lujosísimo, veía desfilar las huestes que marchaban a la guerra de moros, teniendo a su lado a las damas más principales de Toledo. Entre ellas estaba doña Inés de Tordesillas, en la que aquel día como siempre, se fijaban todos los ojos; pero, según a ella le parecía advertir, con diversa expresión que la de costumbre. Diríase que en todas las curiosas miradas qua a ella se volvían retozaba una sonrisa burlona.

Este descubrimiento no dejaba de inquietarla algo, sobre todo teniendo en cuenta las ruidosas carcajadas que la noche anterior había creído percibir a lo lejos y en uno de los ángulos de la plaza, cuando cerraba el balcón y despedía a su amante; pero al mirar aparecer entre las filas de los combatientes, que pasaban por debajo del estrado lanzando chispas de fuego de sus brillantes armaduras, y envueltos en una nube de polvo, los pendones reunidos de las casas de Carrillo y Sandoval; al ver la significativa sonrisa que al saludar a la reina le dirigieron los dos antiguos rivales que cabalgaban juntos, todo lo adivinó, y la púrpura de la vergüenza enrojeció su frente, y brilló en sus ojos una lágrima de despecho.

LA CRUZ DEL DIABLO

Que lo creas o no, me importa bien poco. Mi abuelo se lo narró a mi padre; mi padre me lo ha referido a mí, y yo te lo cuento ahora, siquiera no sea más que por pasar el rato.

El crepúsculo comenzaba a extender sus ligeras alas de vapor sobre las pintorescas orillas del Segre, cuando después de una fatigosa jornada llegamos a Bellver, término de nuestro viaje.

Bellver es una pequeña población situada a la falda de una colina, por detrás de la cual se ven elevarse, como las gradas de un colosal anfiteatro de granito, las empinadas y nebulosas crestas de los Pirineos.

Los blancos caseríos que la rodean, salpicados aquí y allá sobre una ondulante sábana de verdura parecen a lo lejos un bando de palomas que han abatido su vuelo para apagar su sed en las aguas de la ribera.

Una pelada roca, a cuyos pies tuercen éstas su curso, y sobre cuya cima se notan aún remotos vestigios de construcción, señala la antigua línea divisoria entre el condado de Urgel y el más importante de sus feudos.

A la derecha del tortuoso sendero que conduce a este punto, remontando la corriente del río y siguiendo sus curvas y frondosas márgenes se encuentra una cruz.

El asta y los brazos son de hierro; la redonda base en que se apoya, de mármol, la escalinata que a ella conduce, de oscuros y mal unidos fragmentos de sillería.

La destructora acción de los años que ha cubierto de orín el metal, ha roto y carcomido la piedra de este monumento, entre cuyas hendiduras crecen algunas plantas trepadoras que suben enredándose hasta coronarlo, mientras una vieja y corpulenta encina le sirve de dosel.

Yo había adelantado algunos minutos a mis

compañeros de viaje, y deteniendo mi escuálida cabalgadura, contemplaba en silencio aquella cruz, muda y sencilla expresión de las creencias y la piedad de otros siglos.

Un mundo de ideas se agolpó a mi imaginación en aquel instante. Ideas ligerísimas, sin forma determinada, que unían entre sí, como un invisible hilo de luz, la profunda soledad de aquellos lugares, el alto silencio de la naciente noche y la vaga melancolía de mi espíritu.

Impulsado de un pensamiento religioso, espontáneo e indefinible, eché maquinalmente pie a tierra, me descubrí y comencé a buscar en el fondo de mi memoria una de aquellas oraciones que me enseñaron cuando niño; una de aquellas oraciones que, cuando más tarde se escapan involuntariamente de nuestros labios, parece que aligeran el pecho oprimido, y semejantes a las lágrimas, alivian el dolor, que también toma estas formas para evaporarse.

Ya había comenzado a murmurarla, cuando de improviso sentí que me sacudían con violencia por los hombros.

Volví la cara: un hombre estaba al lado mío.

Era uno de nuestros guías, natural del país, el cual, con una indescriptible expresión de terror pintada en el rostro, pugnaba por arrastrarme consigo y cubrir mi cabeza con el fieltro que aún tenía en mis manos.

Mi primera mirada, mitad de asombro, mitad de cólera, equivalía a una interrogación enérgica, aunque muda.

El pobre hombre, sin cejar en su empeño de alejarme de aquel sitio, contestó a ella con estas palabras, que entonces no pude comprender, pero en las que había un acento de verdad que me sobrecogió:

—¡Por la memoria de su madre! ¡Por lo más sagrado que tenga en el mundo, señorito, cúbrase usted

la cabeza y aléjese más que de prisa de esta cruz! ¡Tan desesperado está usted que, no bastándole la ayuda de Dios, recurre a la del demonio!

Yo permanecí un rato mirándole en silencio. Francamente, creí que estaba loco; pero él prosiguió con igual violencia:

—Usted busca la frontera: pues bien, si delante de esa cruz le pide usted al cielo que le preste ayuda, las cumbres de los montes vecinos se levantarán en una sola noche hasta las estrellas invisibles, sólo porque no encontremos la raya en toda nuestra vida.

Yo no pude menos de sonreírme.

—¿Se burla usted?... ¿Cree acaso que es una cruz santa como la del porche de nuestra iglesia?...

—¿Quién lo duda?

—Pues se engaña usted de medio a medio; porque esa cruz, salvo lo que tiene de Dios, está maldita... esa cruz pertenece a un espíritu maligno, y por eso le llaman "La Cruz del Diablo".

—¡La cruz del diablo! —repetí cediendo a sus instancias, sin darme cuenta a mí mismo del involuntario temor que comenzó a apoderarse de mi espíritu, y que me rechazaba como una fuerza desconocida de aquel lugar—; ¡la cruz del diablo! —Nunca ha herido mi imaginación una amalgama más disparatada de dos ideas tan absolutamente enemigas!... ¡Una cruz... y del diablo! ¡Vaya, vaya! Fuerza será que en llegando a la población me expliques este monstruoso absurdo.

Durante este corto diálogo, nuestros camaradas, que habían picado sus cabalgaduras, se nos reunieron al pie de la cruz; yo les expliqué en breves palabras lo que acababa de suceder; monté nuevamente en mi rocín, y las campanas de la parroquia llamaban lentamente a la oración, cuando nos apeamos en el más escondido y lóbrego de los paradores de Bellver.

Las llamas rojas y azules se enroscaban chisporroteando a lo largo del grueso tronco de encina que ardía en el ancho hogar; nuestras sombras, que se proyectaban temblando sobre los ennegrecidos muros, se empequeñecían o tomaban formas gigantescas, según la hoguera despedía resplandores más o menos brillantes; el vaso de saúco, ora vacío, ora lleno, y no de agua, como cangilón de noria, había dado tres veces la vuelta en derredor del círculo que formábamos junto al fuego, y todos esperaban con impaciencia la historia de "La cruz del diablo", que a guisa de postres de la frugal cena que acabábamos de consumir se nos había prometido, cuando nuestro guía tosió por dos veces, se cenó un coleto un último trago de vino, limpióse con el revés de la mano la boca y comenzó de este modo:

—Hace mucho tiempo, mucho tiempo, ya no sé cuánto, pero los moros ocupaban aún la mayor parte de España, se llamaban condes nuestros reyes, y las villas y aldeas pertenecían en feudo a ciertos señores, que a su vez prestaban homenaje a otros más poderosos, cuando acaeció lo que voy a referir a ustedes.

Concluida esta breve introducción histórica, el héroe de la fiesta guardó silencio durante algunos segundos como para coordinar sus recuerdos, y prosiguió así:

—Pues es el caso que, en aquel tiempo remoto, esta villa y algunas otras formaban parte del patrimonio de un noble barón, cuyo castillo señorial se levantó por muchos siglos sobre la cresta de un peñasco que baña el Segre, del cual toma su nombre.

Aún testifican la verdad de mi relación algunas informes ruinas que, cubiertas de jaramago y

musgo, se alcanzan a ver sobre su cumbre desde el camino que conduce a este pueblo.

No sé si por ventura, o desgracia quiso la suerte que este señor, a quien por su crueldad detestaban sus vasallos y por sus malas cualidades ni el rey admitía en su corte, ni sus vecinos en el hogar, se aburriese de vivir solo con su mal humor y sus ballesteros en lo alto de la roca en que sus antepasados colgaron su nido de piedra.

Devanábase noche y día los sesos en busca de alguna distracción propia de su carácter, lo cual era bastante difícil después de haberse cansado, como ya lo estaba, de mover guerra a sus vecinos, apalear a sus servidores y ahorcar a sus súbditos.

En esta ocasión cuentan las crónicas que se les ocurrió aunque sin ejemplar, una idea feliz.

Sabiendo que los cristianos de otras poderosas naciones se aprestaban a partir juntos en una formidable armada a un país maravilloso para conquistar el sepulcro de Nuestro Señor Jesucristo, que los moros tenían en su poder, determinó a marchar en su seguimiento.

Si realizó esta idea con objeto de purgar sus culpas, que no eran pocas, derramando su sangre en tan justa empresa, o con el de trasplantarse a un punto donde sus malas mañas no se conociesen, se ignora; pero la verdad del caso es que, con gran contentamiento de grandes y chicos, de vasallos y de iguales, allegó cuanto dinero pudo, redimió sus pueblos del señorío mediante una gruesa cantidad, y no conservando de propiedad suya más que el peñón de Segre y las cuatro torres del castillo, herencia de sus padres, desapareció de la noche a la mañana.

La comarca entera respiró en libertad durante algún tiempo, como si despertara de una pesadilla.

Ya no colgaban de los árboles de sus sotos, en

vez de frutas, racimos de hombres; las muchachas del pueblo no temían al salir con cántaro en la cabeza a tomar agua del camino, ni los pastores llevaban sus rebaños al Segre por sendas impracticables, temblando encontrar a cada revuelta de la trocha a los ballesteros de su muy amado señor.

Así transcurrió el espacio de tres años; la historia del "mal caballero", que sólo por este nombre se le conocía, comenzaba a pertenecer al exclusivo dominio de las viejas, que, en las eternas veladas del invierno, las relataban con voz hueca y temerosa a los asombrados chicos; las madres asustaban a los pequeñuelos incorregibles o llorones diciéndoles: ¡Que viene el señor del Segre!, cuando he aquí que no sé si un día o una noche, si caído del cielo o abortado de los profundos, el temible señor apareció efectivamente, y, como suele decirse, en carne y hueso, en mitad de sus antiguos vasallos.

Renuncio a describir el efecto de esta desagradable sorpresa. Ustedes se lo podrán figurar mejor que yo pintarlo, sólo con decirles que tornaba reclamando sus vendidos derechos, que si malo se fue, peor volvió, y si pobre y sin crédito se encontraba antes de partir a la guerra, ya no podía contar con más recursos que su despreocupación, su lanza y una media docena de aventureros tan desalmados y perdidos como su jefe.

Como era natural, los pueblos se resistieron a pagar tributos que a tanta costa habían redimido; pero el señor puso fuego a sus heredades, a sus alquerías y a sus mieses.

Entonces apelaron a la justicia del rey; pero el señor se burló de las cartas-leyes de los condes soberanos; las clavó en el postigo de sus torres, y colgó a los farautes de una encina.

Exasperados y no encontrando otra vía de salvación, por último, se pusieron de acuerdo entre sí,

se encomendaron a la Divina Providencia y tomaron las armas; pero el señor reunió a sus secuaces, llamó en su ayuda al diablo, se encaramó a su roca y se preparó a la lucha.

Esta comenzó terrible y sangrienta. Se peleaba con todas armas, en todos sitios y a todas horas, con la espada y el fuego, en la montaña y en la llanura, en el día y durante la noche.

Aquello no era pelear para vivir; era vivir para pelear.

Al cabo triunfó la causa de la justicia. Oigan ustedes cómo.

Una noche oscura, muy oscura, en que no se oía ni un rumor en la tierra ni brillaba un solo astro en el cielo, los señores de la fortaleza, engreídos por una reciente victoria, se repartían el botín, y ebrios con el vapor de los licores, en mitad de la boca y estruendosa orgía entonaban sacrílegos cantares en loor de su infernal patrono.

Como dejo dicho, nada se oía en derredor del castillo, excepto el eco de las blasfemias, que palpitaban, perdidas en el sombrío seno de la noche, como palpitan las almas de los condenados envueltos en los pliegues del huracán de los infiernos.

Ya los descuidados centinelas habían fijado algunas veces sus ojos en la villa que reposaba silenciosa, y se habían dormido sin temor a una sorpresa, apoyados en el grueso tronco de sus lanzas, cuando he aquí que algunos aldeanos, resueltos a morir y protegidos por la sombra, comenzaron a escalar el cubierto peñón del Segre, a cuya cima tocaron a punto de la medianoche.

Una vez en la cima, lo que faltaba por hacer fue obra de poco tiempo: los centinelas salvaron de un solo salto el valladar que separa el sueño de la muerte; el fuego, aplicado con teas de resina al puen-

te y al castillo, se comunicó con la rapidez del relámpago a los muros; y los escaladores, favorecidos por la confusión y abriéndose paso entre las llamas, dieron fin con los habitantes de aquella guarida en un abrir y cerrar de ojos.

Todos perecieron.

Cuando el cercano día comenzó a blanquear las altas copas de los enebros, humeaban aún los calcinados escombros de las desplomadas torres; y a través de sus anchas brechas, chispeando al herirla la luz y colgada de uno de los negros pilares de la sala del festín, era fácil divisar la armadura del temido jefe, cuyo cadáver, cubierto de sangre y polvo, yacía entre los desgarrados tapices y las calientes cenizas, confundido con los de sus oscuros compañeros.

El tiempo pasó; comenzaron los zarzales a rastrear por los desiertos patios, la hiedra a enredarse en los oscuros machones, y las campanillas azules a mecerse colgadas de las mismas almenas. Los desiguales soplos de la brisa, el graznido de las aves nocturnas y el rumor de los reptiles, que se deslizaban entre las altas hierbas, turbaban sólo de vez en cuando el silencio de muerte de aquel lugar maldecido; los insepultos huesos de sus antiguos moradores blanqueaban al rayo de la luna, y aún podía verse el haz de armas del señor del Segre, colgado del negro pilar de la sala del festín.

Nadie osaba tocarle; pero corrían mil fábulas acerca de aquel objeto, causa incesante de hablillas y terrores para los que le miraban llamear durante el día, herido por la luz del sol, o creían percibir en las altas horas de la noche el metálico son de sus piezas, que chocaban entre sí cuando las movía el viento, con un gemido prolongado y triste.

A pesar de todos los cuentos que a propósito de la armadura se fraguaron, y que en voz baja se repe-

tían unos a otros los habitantes de los alrededores, no pasaban de cuentos, y el único más positivo que de ellos resultó, se redujo entonces a una dosis de miedo más que regular, que cada uno de por sí se esforzaba en disimular lo posible, haciendo, como suele decirse de tripas corazón.

Si de aquí no hubiera pasado la cosa, nada se habría perdido. Pero el diablo, que a lo que parece no se encontraba satisfecho de su obra, sin duda con el permiso de Dios y a fin de hacer purgar a la comarca algunas culpas, volvió a tomar cartas en el asunto.

Desde aquel momento, las fábulas que hasta aquella época no pasaron de un rumor vago y sin aviso alguno de verosimilitud, comenzaron a tomar consistencia y a hacerse de día en día más probables.

En efecto, hacía algunas noches que todo el pueblo había podido observar un extraño fenómeno.

Entre las sombras, a lo lejos, ya subiendo las retorcidas cuestas del peñón del Segre, ya vagando entre las ruinas del castillo, ya cerniéndose al parecer en los aires, se veían correr, cruzarse, esconderse y tornar a aparecer para alejarse en distintas direcciones, unas luces misteriosas y fantásticas, cuya procedencia nadie sabía explicar.

Esto se repitió por tres o cuatro noches durante el intervalo de un mes, y los confusos aldeanos esperaban inquietos el resultado de aquellos conciliábulos, que ciertamente no se hizo aguardar mucho, cuando tres o cuatro alquerías incendiadas, varias reses desaparecidas y los cadáveres de algunos caminantes despeñados en los precipicios, pusieron en alarma a todo el territorio en diez leguas a la redonda.

Ya no quedaba duda alguna. Una banda de malhechores se albergaba en los subterráneos del castillo.

Estos, que sólo se presentaban al principio muy de tarde en tarde y en determinados puntos del bosque que aún en el día se dilataba a lo largo de la ribera, concluyeron por ocupar casi todos los desfiladeros de las montañas, emboscarse en los caminos, saquear los valles y descender como un torrente a la llanura, donde a éste quiero, a éste no quiero, no dejaban títere con cabeza.

Los asesinatos se multiplicaban; las muchachas desaparecían, y los niños eran arrancados de las cunas a pesar de los lamentos de sus madres, para servirlos en diabólicos festines, en que, según la creencia general, los vasos sagrados sustraídos de las profanadas iglesias servían de copas.

El terror llegó a apoderarse de los ánimos en un grado tal que al toque de oraciones nadie se aventuraba a salir de su casa, en la que no siempre se creían seguros de los bandidos del peñón.

Mas ¿quiénes eran éstos? ¿De dónde habían venido? ¿Cuál era el nombre de su misterioso jefe? He aquí el enigma que todos querían explicar y que nadie podía resolver hasta entonces, aunque se observase desde luego que la armadura del señor feudal había desaparecido del sitio que antes ocupara, y posteriormente varios labradores hubiesen afirmado que el capitán de aquella desalmada gavilla marchaba a su frente cubierto con una que, de no ser la misma, se le asemejaba en un todo.

Cuanto queda repetido, si se le despoja de esa parte de fantasía con que el miedo abulta y complementa sus creaciones favoritas, nada tiene en sí de sobrenatural y extraño.

¿Qué cosa más corriente en unos bandidos que las ferocidades con que éstos se distinguían, ni más natural que el apoderarse su jefe de las abandonadas armas del señor del Segre?

Sin embargo, algunas revelaciones hechas antes de morir por uno de sus secuaces, prisionero en las últimas refriegas, acabaron de colmar la medida, preocupando el ánimo de los más incrédulos. Poco más o menos, el contenido de su confesión fue éste:

—Yo —dijo pertenezco a una noble familia. Los extravíos de mi juventud, mis locas prodigalidades y mis crímenes por último, atrajeron sobre mi cabeza la cólera de mis deudos y la maldición de mi padre, que me desheredó al expirar. Hallándome solo y sin recursos de ninguna especie, el diablo sin duda debió sugerirme la idea de reunir algunos jóvenes que se encontraban en una situación idéntica a la mía, los cuales, seducidos con la promesa de un porvenir de disipación, libertad y abundancia, no vacilaron un instante en suscribir mis designios.

Estos se reducían a formar una banda de jóvenes de buen humor, despreocupados y poco temerosos del peligro, que desde allí en adelante vivirían alegremente del producto de su valor y a costa del país, hasta tanto que Dios se sirviera disponer de cada uno de ellos conforme a su voluntad, según hoy a mí me sucede.

Con este objeto señalamos esta comarca para teatro de nuestras expediciones futuras y escogimos como punto el más a propósito para nuestras reuniones el abandonado castillo del Segre, lugar seguro, no tanto por su posición fuerte y ventajosa, como por hallarse defendido contra el vulgo por las supersticiones y el miedo.

Congregados una noche bajo sus ruinosas arcadas, alrededor de una hoguera que iluminaba con su rojizo resplandor las desiertas galeras, trabóse una acalorada disputa sobre cuál de nosotros había de ser elegido jefe.

Cada uno alegó sus méritos: yo expuse mis derechos; ya que los unos murmuraban entre sí con

ojeadas amenazadoras; ya los otros, con voces descompuestas por la embriaguez, habían puesto la mano sobre el pomo de sus puñales para dirimir la cuestión, cuando de repente oímos un extraño crujir de armas, acompañado de pisadas huecas y sonantes, que cada vez se hacían más distintas. Todos arrojamos a nuestro alrededor una inquieta mirada de desconfianza; nos pusimos de pie y desnudamos nuestros aceros, determinados a vender caras las vidas; pero no pudimos por menos de permanecer inmóviles al ver adelantarse con paso firme a igual a un hombre de elevada estatura completamente armado de la cabeza al pie y cubierto el rostro con la visera del casco, el cual, desnudando su montante, que dos hombres podrían apenas manejar, y poniéndose sobre uno de los carcomidos fragmentos de las rotas arcadas, exclamó con voz ronca y profunda, semejante al rumor de una caída de aguas subterráneas:

—Si alguno de vosotros se atreve a ser el primero mientras yo habite en el castillo del Segre, que tome esa espada, signo del poder.

Todos guardamos silencio, hasta que, transcurrido el primer momento de estupor, le proclamamos a grandes voces nuestro capitán, ofreciéndole una copa de nuestro vino, la cual rehusó por señas, acaso por no descubrir la faz, de las rejillas de hierro que la ocultaban a nuestros ojos.

No obstante, aquella noche pronunciamos el más formidable de los juramentos, y a la siguiente dieron principio nuestras nocturnas correrías. En ellas nuestro misterioso jefe marchaba delante de todos. Ni el fuego le ataja, ni los peligros le intimidan, ni las lágrimas le conmueven. Nunca despliega sus labios; pero cuando la sangre humea en nuestras manos, como cuando los templos se derrumban calcinados por las llamas; cuando las mujeres huyen espantadas entre las ruinas, y los niños arrojan gritos de

dolor, y los ancianos perecen a nuestros golpes, contesta con una carcajada de feroz alegría a los gemidos, a las imprecaciones y a los lamentos.

Jamás se desnuda de sus armas ni abate la visera de su casco después de la victoria, ni participa del festín, ni se entrega al sueño. Las espadas que le hieren se hunden entre las piezas de su armadura, y ni le causan la muerte, ni se retiran teñidas en sangre; el fuego enrojece su espaldar y su cota, y aún prosigue impávido entre las llamas, buscando nuevas víctimas; desprecia el oro, aborrece la hermosura y no le inquieta la ambición.

Entre nosotros, unos le creen un extravagante; otros un noble arruinado, que por un resto de pudor se tapa la cara; y no falta quien se encuentra convencido de que es el mismo diablo en persona.

El autor de esas revelaciones murió con la sonrisa de mofa en los labios y sin arrepentirse de sus culpas; varios de sus iguales le siguieron en diversas épocas al suplicio; pero el temible jefe, a quien continuamente se unían nuevos prosélitos, no cesaba en sus desastrosas empresas.

Los infelices habitantes de la comarca, cada vez más aburridos y desesperados, no acertaban ya con la determinación que debería tomarse para concluir de un todo con aquel orden de cosas, cada día más insoportable y triste.

Inmediato a la villa, y oculto en el fondo de un espeso bosque, vivía a esta razón, en una pequeña ermita dedicada a San Bartolomé, un santo hombre de costumbres piadosas y ejemplares, a quien el pueblo tuvo siempre en olor de santidad, merced a sus saludables consejos y acertadas predicciones.

Este venerable ermitaño, a cuya prudencia y proverbial sabiduría encomendaron los vecinos de Bellver la resolución de este difícil problema, después de implorar la misericordia divina por medio de su

santo Patrono, que, como ustedes no ignoran, cono-
ce al diablo muy de cerca y en más de una ocasión
le ha atado bien corto, les aconsejó que se emboscá-
sen durante la noche al pie del pedregoso camino que
sube serpenteando por la roca, en cuya cima se en-
contraba el castillo, encargándoles al mismo tiempo
que, ya allí, no hiciesen uso de otras armas para
aprehenderlo que de una maravillosa oración que les
hizo aprender de memoria, y con la cual aseguraban
las crónicas que San Bartolomé había hecho al diablo
su prisionero.

Púsose en planta el proyecto, y su resultado ex-
cedió a cuantas esperanzas se habían concebido; pues
aún no iluminaba el sol del otro día la alta torre de
Bellver, cuando sus habitantes, reunidos en grupos
en la plaza Mayor, se contaban unos a otros, con ai-
re de misterio, cómo aquella noche, fuertemente ata-
do de pies y manos y a lomos de una poderosa mula,
había entrado en la población el famoso capitán de
los bandidos del Segre.

De qué arte se valieron los acometedores de es-
ta empresa para llevarla a término, ni nadie se lo
acertaba a explicar, ni ellos mismos podían decirlo;
pero el hecho era que, gracias a la oración del santo
o al valor de sus devotos, la cosa había sucedido tal
como se refería.

Apenas la novedad comenzó a extenderse de
boca en boca y de casa en casa, la multitud se lanzó
a las calles con ruidosa algazara y corrió a reunirse
a las puertas de la prisión. La campana de la parro-
quia llamó a consejo, y los vecinos más respetables
se juntaron en capítulo, y todos aguardaban ansiosos
la hora en que el reo había de comparecer ante sus
improvisados jueces.

Estos, que se encontraban autorizados por los

condes de Urgel para administrarse por sí mismos pronta y severa justicia sobre aquellos malhechores, deliberaron un momento, pasado el cual, mandaron comparecer al delincuente a fin de notificarle su sentencia.

Como dejo dicho, así en la plaza Mayor como en las calles por donde el prisionero debía atravesar para dirigirse al punto en que sus jueces se encontraban, la impaciente multitud hervía como un apiñado enjambre de abejas. Especialmente en la puerta de la cárcel, la conmoción popular tomaba cada vez mayores proporciones; y ya los animados diálogos, los sordos murmullos y los amenazadores gritos comenzaban a poner en cuidado a sus guardas, cuando afortunadamente llegó la orden de sacar al reo.

Al parecer éste bajo el macizo arco de la portada de su prisión, completamente vestido de todas armas y cubierto el rostro por la visera, un sordo y prolongado murmullo de admiración y de sorpresa se elevó de entre las compactas masas del pueblo, que se abrían con dificultad para dejarle paso.

Todos habían reconocido en aquella armadura, objeto de las más sombrías tradiciones mientras se la vio suspendida de los arruinados muros de la fortaleza maldita.

Las armas eran aquéllas, no cabía duda alguna; todos habían visto flotar el negro penacho de su cimera en los combates que en un tiempo trabaran contra su señor; todos le habían visto agitarse al soplo de la brisa del crepúsculo, a par de la hiedra del calcinado pilar en que quedaron colgadas a la muerte de su dueño. Mas ¿quién podría ser el desconocido personaje que entonces las llevaba? Pronto iba a saberse, al menos así se creía. Los sucesos dirán cómo esta esperanza quedó frustrada, a la manera de otras muchas, y por qué de este solemne acto de justicia, del que debía aguardarse el completo esclarecimien-

to de la verdad, resultaron nuevas y más inexplicables confusiones.

El misterioso bandido penetró al fin en la sala del concejo, y un silencio profundo sucedió a los rumores que se elevaran de entre los circunstantes, a oír resonar bajo las altas bóvedas de aquel recinto de oro. Uno de los que componían el tribunal, con voz lenta e insegura, le preguntó su nombre, y todos prestaron el oído con ansiedad para no perder una sola palabra de su respuesta; pero el guerrero se limitó a encoger sus hombros ligeramente, con un aire de desprecio e insulto que no pudo menos de irritar a sus jueces, los que miraron entre sí sorprendidos.

Tres veces volvió a repetirle la pregunta, y otras tantas obtuvo semejante o parecida contestación.

—¡Que se levante la visera! ¡Que se descubra! —comenzaron a gritar los vecinos de la villa presentes al acto—. ¡Que se descubra! ¡Veremos si se atreve entonces a insultarnos con su desdén, como ahora lo hace protegido por el incógnito!

—Descubríos —repitió el mismo que anteriormente le dirigiera la palabra.

El guerrero permaneció impasible.

—Os lo mando en el nombre de nuestra autoridad.

La misma contestación.

—En el de los condes soberanos.

Ni por esas.

La indignación llegó a su colmo, hasta el punto que uno de sus guardias, lanzándose sobre el reo, cuya pertinencia en callar bastaría para apurar la paciencia a un santo, le abrió violentamente la visera. Un grito general de sorpresa se escapó del auditorio, que permaneció por un instante herido de un inconcebible estupor.

La cosa no era para menos.

El casco, cuya férrea visera se veía en parte levantada hasta la frente, en parte caída sobre la brillante gola de acero, estaba vacío... completamente vacío.

Cuando pasado ya el primer momento de terror quisieron tocarle, la armadura, se estremeció ligeramente, y descomponiéndose en piezas, cayó al suelo con un ruido sordo y extraño.

La mayor parte de los espectadores, a la vista del nuevo prodigio, abandonaron tumultuosamente la habitación y salieron despavoridos a la plaza.

La nueva se divulgó con la rapidez del pensamiento entre la multitud, que aguardaba impaciente el resultado del juicio; y fue tal la alarma, la revuelta y la vocería, que ya a nadie cupo duda sobre lo que de pública voz se aseguraba, esto es, que el diablo, a la muerte del señor del Segre, había heredado los feudos de Bellver.

Al fin se apaciguó el tumulto, decidióse volver a un calabozo la maravillosa armadura.

Ya en él, despacháronse cuatro emisarios, que en representación de la atribulada villa hiciesen presente el caso al conde de Urgel y al arzobispo, los que no tardaron muchos días en tornar con la resolución de estos personajes, resolución que, como suele decirse, era breve y compendiosa.

—Cuélguese —les dijeron— la armadura en la plaza Mayor de la villa; que si el diablo la ocupa, fuerza le será abandonarla o ahorcarse con ella.

Encantados los habitantes de Bellver con tan ingeniosa solución, volvieron a reunirse en consejo, mandaron levantar una altísima horca en la plaza, y cuando ya la multitud ocupaba sus avenidas, se dirigieron a la cárcel por la armadura, en corporación y con toda solemnidad que la importancia del caso requería.

Cuando la respetable comitiva llegó al macizo arco que daba entrada al edificio, un hombre pálido y descompuesto se arrojó al suelo en presencia de los aturdidos circunstantes, exclamando con las lágrimas en los ojos:

—¡Perdón, señores, perdón!

—¡Perdón! ¿Para quién? —dijeron algunos—; ¿para el diablo que habita dentro de la armadura del señor del Segre?

—Para mí —prosiguió con voz trémula el infeliz en quien todos reconocieron al alcalde de las prisiones—; para mí... porque las armas..., han desaparecido.

Al oír estas palabras, el asombro se pintó en el rostro de cuantos se encontraban en el pórtico, que, mudos e inmóviles, hubieran permanecido en la posición en que se encontraban Dios sabe hasta cuándo, si la siguiente relación del aterrado guardián no les hubiera hecho agruparse en su alrededor para escuchar con avidez.

—Perdonadme, señores —decía el pobre alcalde—, y yo no os ocultaré nada, siquiera sea en contra mía.

Todos guardaron silencio, y él prosiguió así:

—Yo no acertaré nunca a dar la razón; pero es el caso que la historia de las armas vacías me pareció siempre una fábula tejida en favor de algún noble personaje, a quien tal vez altas razones de conveniencia pública no permitían ni descubrir ni castigar.

En esta creencia estuve siempre, creído en que no podía menos de confirmarse la inmovilidad en que se encontraba desde que por segunda vez tornaron a la cárcel traídas del consejo. En vano una noche y otra, deseando sorprender su misterio, si misterio en ellas había me levantaba poco a poco y aplicaba el oído a los intersticios de la cerrada puerta de su

calabozo; ni un rumor se percibía.

En vano procuré observarlas a través de un pequeño agujero producido en el muro; arrojadas sobre un poco de paja y en uno de los más oscuros rincones, permanecían un día y otro descompuestas e inmóviles.

Una noche, por último, aguijoneado por la curiosidad y deseando convencerme por mí mismo de que aquel objeto de terror nada tenía de misterioso, encendí una linterna, bajé a las prisiones, levanté sus dobles aldabas y no cuidando siquiera —tanta era mi fe en que todo no pasaba de un cuento— de cerrar las puertas tras mí, penetré en el calabozo. Nunca lo hubiera hecho; apenas anduve algunos pasos, la luz de mi linterna se apagó por sí sola, y mis dientes comenzaron a chocar y mis cabellos a erizarse. Turbando el profundo silencio que me rodeaba, había oído como un ruido de hierros que se removía y chocaba al unirse entre las sombras.

Mi primer movimiento fue arrojarme a la puerta para cerrar el paso, pero al asir sus hojas, sentí sobre mi hombro una mano formidable cubierta con un guantelete, que después de sacudirme con violencia me derribó bajo el dintel. Allí permanecí hasta la mañana siguiente, que me encontraron mis servidores falto de sentido, y recordando sólo que, después de mi caída, había creído percibir confusamente como unas pisadas sonoras, al compás de las cuales resonaba un rumor de espuelas, que poco a poco se fue alejando hasta perderse.

Cuando concluyó el alcalde, reinó un silencio profundo, al que siguió luego un infernal concierto de lamentaciones, gritos y amenazas.

Trabajo costó a los más pacíficos el contener al pueblo que, furioso con la novedad, pedía a grandes voces la muerte del curioso autor de su nueva desgracia.

Al cabo logróse apaciguar el tumulto, y comenzaron a disponerse a una nueva persecución. Esta obtuvo también un resultado satisfactorio.

Al cabo de algunos días, la armadura volvió a encontrarse en poder de sus perseguidores. Conocida la fórmula, mediante la ayuda de San Bartolomé, la cosa no era ya muy difícil.

Pero aún quedaba algo por hacer; pues en vano, a fin de sujetarla, la colgaron de una horca; en vano emplearon la más exquisita vigilancia con el objeto de quitarle toda ocasión de escaparse por esos mundos. En cuanto las desunidas armas veían dos dedos de luz, se encajaban, y pian pianito volvían a tomar el trote y emprender de nuevo sus excursiones por montes y llanos, que era una bendición del cielo.

Aquello era el cuento de nunca acabar.

En tan angustiosa situación, los vecinos se repartieron entre sí las piezas de la armadura, que acaso por centésima vez se encontraba en sus manos, y rogaron al piadoso eremita que un día los iluminó con sus consejos, decidiera lo que debía hacerse de ella.

El santo varón ordenó al pueblo una penitencia general. Se encerró por tres días en el fondo de la caverna que le servía de asilo, y al cabo de ellos dispuso que se fundiesen las diabólicas armas, y con ellas y algunos sillares del Castillo de Segre, se levantase una cruz.

La operación se llevó a término, aunque no sin que nuevos y aterradores prodigios llenasen de pavor el ánimo de los consternados habitantes de Bellver.

En tanto que las piezas arrojadas a las llamas comenzaban a enrojecerse, largos y profundos gemidos parecían escaparse de la ancha hoguera, de entre cuyos troncos saltaban como si estuvieran vivas

y siniestras la acción del fuego. Una tromba de chispas rojas, verdes y azules danzaban en la cúspide de sus encendidas lenguas, y se retorcían crujiendo como si una legión de diablos, cabalgando sobre ellas, pugnase por libertar a su señor de aquel tormento.

Extraña, horrible fue la operación en tanto que la candente armadura perdía su forma para tomar la de una cruz.

Los martillos caían resonando con un espantoso estruendo sobre el yunque al que veinte trabajadores vigorosos sujetaban las barras del hirviente metal, que palpitaba y gemía al sentir los golpes.

Ya se extendían los brazos del signo de nuestra redención, ya comenzaba a formarse la cabecera, cuando la diabólica y encendida masa se retorcía de nuevo como en una convulsión espantosa, y rodeándose al cuerpo de los desgraciados que pugnaban por desasirse de sus brazos de muerte, se enroscaba en anillas como una culebra o se contraía en zigzag como un relámpago.

El constante trabajo, la fe, las oraciones y el agua bendita consiguieron, por último, vencer al espíritu infernal, y la armadura se convirtió en cruz.

Esa cruz es la que hoy habéis visto, y a la cual se encuentra sujeto el diablo que le presta su nombre: ante ella, ni las jóvenes colocan en el mes de mayo ramilletes de lirios, ni los pastores se descubren al pasar, ni los ancianos se arrodillan, bastando apenas las severas amonestaciones del clero para que los muchachos no la apedreen.

Dios ha cerrado sus oídos a cuantas plegarias se le dirijan en su presencia. En el invierno los lobos se reúnen en manadas junto al enebro que la protege, para lanzarse sobre las reses; los bandidos esperan a su sombra a los caminantes que entierran a sus pies después que los asesinan; y cuando la tem-

pestad se desata, los rayos tuercen su camino para
liarse, silbando, al asta de esa cruz y romper los si-
llares de su pedestal.

EL CAUDILLO DE LAS MANOS ROJAS

(Traducción india)

CANTO PRIMERO

I

Ha desaparecido el sol tras las cimas del Jabwi,
y la sombra de esta montaña envuelve con un velo
de crespón a la perla de las ciudades de Osira, a
la gentil Kattak, que duerme a sus pies, entre los
bosques de canela y sicómoros, semejante a una
paloma que descansa sobre un nido de flores.

II

El día que muere y la noche que nace luchan un
momento, mientras la azulada niebla del crepúsculo
tiende sus alas diáfanas sobre los valles, robando
el color y las formas a los objetos, que parecen va-
cilar agitados por el soplo de un espíritu.

III

Los confusos rumores de la ciudad, que se eva-
poran temblando; los melancólicos suspiros de la
noche, que se dilatan de eco en eco repetidos por
las aves; los mil ruidos misteriosos que, como un
himno a la Divinidad, levanta la Creación al nacer
y al morir el astro que la vivifica, se unen al mur-
mullo de Jawkior, cuyas ondas besa la brisa de la
tarde, produciendo un canto dulce, vago y perdido
como las últimas notas de la improvisación de una

138

bayadera.

IV

La noche vence, el cielo se corona de estrellas, y las torres de Kattak, para rivalizar con él, se ciñen una diadema de antorchas. ¿Quién es ese caudillo que aparece al pie de sus muros, al mismo tiempo que la luna se levanta entre ligeras nubes más allá de los montes a cuyos pies corre el Ganges como una inmensa serpiente azul con escamas de plata?

V

Él es. ¿Qué otro guerrero de cuantos vuelan como la saeta a los combates y a la muerte, tras el estandarte de Siva, meteoro de la gloria, puede adornar sus cabellos con la roja cola de ave de los dioses indios, colgar a su cuello la tortuga de oro o suspender su puñal de mango de ágata del amarillo chal de cachemira, sino Pulo-Delhi, rajá de Dakka, rayo de las batallas y hermano de Tippot-Delhi, magnífico rey de Osira, señor de los señores, sombra de Dios e hijo de los astros luminosos?

VI

Él es; ningún otro sabe prestar a sus ojos, ya el melancólico fulgor del lucero del alba, ya el siniestro brillo de la pupila del tigre, comunicando a sus oscuras facciones el resplandor de una noche serena o el aspecto terrible de una tempestad en las aéreas cumbres de Davalaguiri. Él es, pero ¿qué aguarda?

VII

¿Oís las hojas suspirar bajo la leve planta de una virgen? ¿Veis flotar entre las sombras los ex-

tremos de su diáfano chal y las orlas de su blanca
túnica? ¿Percibís la fragancia ue la precede co-
mo la mensajera de un genio? Esperad y la con-
templaréis al primer rayo de la solitaria viajera
de la noche; esperad y conoceréis a Siannah, la pro-
metida del poderoso Tippot-Delhi, la amante de su
hermano, la virgen a quien los poetas de su nación
comparan a la sonrisa de Bermach, que lució sobre
el mundo cuando éste salió de sus manos; sonrisa
celeste, primera aurora de los orbes.

VIII

Pulo percibe el rumor de sus pasos; su rostro res-
plandece como la cumbre que toca el primer rayo
del sol, y sale a su encuentro. Su corazón, que
no ha palpitado en el fuego de la pelea ni en la
presencia del tigre, late violentamente bajo la mano
que se llega a él, temiendo se desborde la felicidad
que ya no basta a contener, "¡Pulo!", "¡Siannah!",
exclaman al verse, y caen el uno en los brazos del
otro. En tanto, el Jawkior, salpicando con sus on-
das las alas del céfiro, huye a morir al Ganges, y el
Ganges al golfo de Bengala, y el golfo al Océano.
Todo huye; con las aguas, las horas; con las horas,
la felicidad; con la felicidad, la vida. Todo huye
a fundirse en la cabeza de Siva, cuyo cerebro es el
caos, cuyos ojos son la destrucción y cuya esencia
es la nada.

IX

Ya la estrella del alba anuncia el día: la luna
se desvanece como una ilusión que se disipa, y los
sueños, hijos de la oscuridad, huyen con ella en
grupos fantásticos. Los dos amantes permanecen
aún bajo el verde abanico de una palmera, mudo
testigo de su amor y sus juramentos, cuando se

eleva un sordo ruido a sus espaldas.

Pulo vuelve el rostro y exhala un grito agudo y ligero como el del chacal, y retrocede diez pies de un solo salto, haciendo brillar al mismo tiempo la hoja de su agudo puñal damasquino.

X

¿Qué ha puesto pavor en el alma del valiente caudillo? ¿Acaso esos dos ojos que brillan en la oscuridad son los del manchado tigre o los de la terrible serpiente? No. Pulo no teme al rey de las selvas ni al de los reptiles; aquellas pupilas que arrojan llamas pertenecen a un hombre, y aquel hombre es su hermano.

Su hermano, a quien arrebata su único amor; su hermano, por quien estaba desterrado de Osira; el que por último juró su muerte si volvía a Kattak, poniendo la mano sobre el ara de su dios.

XI

Siannah lo ve también, siente helarse la sangre en sus venas y queda inmóvil, como si la mano de la Muerte la tuviera asida por el cabello. Los dos rivales se contemplan un instante de pies a cabeza; luchan con las miradas, y exhalando un grito ronco y salvaje, se lanzan el uno sobre el otro, como dos leopardos que se disputan una presa... Corramos un velo sobre los crímenes de nuestros antepasados; corramos un velo sobre las escenas de luto y horror de que fueron causa las pasiones de los que ya están en el seno del Grande Espíritu.

XII

El sol nace en Oriente: diríase al verlo que el genio de la luz, vencedor de las sombras, ebrio de orgullo y majestad, se lanza en triunfo sobre su

carro de diamantes, dejando en pos de sí, como la estela de un buque, el polvo de oro que levantan sus corceles en el pavimento de los cielos. Las aguas, los bosques, las aves, el espacio, los mundos, tienen una sola voz, y esta voz entona el himno del día. ¿Quién no siente saltar el corazón de júbilo a los pies de este solemne cántico?

XIII

Sólo un mortal; vedlo allí. Sus ojos desencajados están fijos con una mirada estúpida en la sangre que tiñe sus manos; en balde, saliendo de su inmovilidad y embargado de un frenesí terrible, corre a lavárselas en las orillas del Jawkior; bajo las cristalinas ondas, las manchas desaparecen; mas apenas retira sus manos, la sangre, humeante y roja, vuelve a teñirlas. Y torna a las ondas, y torna a aparecer la mancha, hasta que al cabo exclama con un acento de terrible desesperación:

—¡Siannah! ¡Siannah! La maldición del Cielo ha caído sobre nuestras cabezas.

¿Conocéis a ese desgraciado a cuyos pies hay un cadáver y cuyas rodillas abraza una mujer? Es Pulo-Delhi, rey de Osira, magnífico señor de señores, sombra de Dios e hijo de los astros luminosos, por la muerte de su hermano y antecesor...

CANTO II

I

—¿De qué me sirven el poder y la riqueza si una víbora enroscada en el fondo de mi corazón lo devora, sin que me sea dado arrancarla de su guarida? Ser rey, señor de señores; ver cruzar ante

los ojos, como las visiones de un sueño, las perlas, el oro, los placeres y la alegría; verlos cruzar al alcance de la mano y, al tenderla para asirlos, ¡encontrar cuanto toco manchado de sangre!... ¡Oh! ¡Esto es espantoso!

II

Así exclamaba Pulo, revolcándose sobre la púrpura de su lecho y torciéndose las manos a impulsos de su terrible desesperación. En balde el humo de los pebeteros embalsama la opulenta cámara; en balde la seda de brillantes colores se ha extendido sobre diez pieles de tigre para que descansen sus miembros; en balde han invocado los brahmines por siete veces al espíritu del reposo y al genio de los sueños de nácar... El Remordimiento, sentado a la cabecera del lecho, los ahuyenta con un grito lúgubre y prolongado, grito que resuena incesante en el oído de Pulo, que golpea su frente con dolor al escucharlo.

III

Los genios que cruzan en numerosas caravanas sobre dromedarios de zafiro y entre nubes de ópalo; las *schivas* de ojos verdes como las olas del mar, cabellos de ébano y cinturas esbeltas como los juncos de los lagos; los cantares de los espíritus invisibles, que refrescan con sus alas los cansados párpados de los justos, no pasan como una tromba de luz y de colores en el sueño del criminal.

Gigantes cataratas de sangre negra y espumosa, que se estrellan bramando sobre las oscuras peñas de un precipio terrible; imágenes espantosas y confusas de desolación y terror; éstos son los fantasmas que engendra su mente durante las horas de reposo.

IV

Por eso el magnífico de Osira no puede gustar la copa del beleño con que los dioses brindan a sus escogidos. Por eso, apenas la aurora abre las puertas al día, se lanza del lecho, se desnuda de sus vestidos, que abrillantan las perlas y el oro, y depositando un beso sobre la frente de su amada, sale de palacio en traje de un simple cazador, dirigiéndose hacia la parte de la ciudad que domina la cumbre de Jabwi.

V

Como a la mediación de esta montaña nace un torrente que se derrumba en sábanas de plata hasta bajar la llanura, donde, refrenado su ímpetu, se desliza silenciosa entre las guijas y las flores, para ir a confundir sus rizadas ondas con las ondas del Jawkior. Una gruta natural, formada por enormes peñascos que parecen próximos a deformarse, sirve de taza a estas olas en su nacimiento. Allí, transparentes y sombrías, sus aguas parecen dormir sin que las turbe otro rumor que el monótono ruido del manantial que las alimenta, el suspiro de la brisa que viene a humedecer sus alas en la linfa o el salvaje grito de los cóndores que se lanzan a las nubes como una flecha disparada.

VI

Pulo, ya fuera de los muros de la ciudad, manda retirarse a los que lo siguen, y emprende solo y sumido en hondas meditaciones el camino que, serpenteando entre las rocas y las cortaduras, se dirige a la gruta donde nace el torrente, que ya salpica su rostro con el polvo de sus aguas. ¿Adónde va el señor de Osira? ¿Por qué, desnudándose de su re-

camada túnica, del amarillo chal, cambia su vestidura por el tosco traje de un simple cazador? ¿Viene a los montes a buscar a las fieras en su guarida? ¿Viene ansioso de encontrar la soledad, único bálsamo de las penas que el resto de los hombres no comprende?

VII

No. Cuando el regio morador de Kattak abandona su alcázar para acosar en sus dominios al soberbio león o al rayado tigre, cien bocinas de marfil fatigan el eco de los bosques, cien ágiles esclavos lo preceden y, arrancando malezas de los senderos y alfombrando el lugar en que ha de poner sus plantas, ocho elefantes conducen su tienda de lino y oro y veinte rajás siguen su paso, disputándose el honor de conducir su aljaba de ópalo. ¿Viene a buscar la soledad? Imposible. La soledad es el imperio de la conciencia.

VIII

El sol toca a la mitad de su viaje, y Pulo a su término. A sus pies salta el torrente, sobre su cabeza está la gruta en que duerme el manantial que lo alimenta, manantial sagrado que brotó de las hendiduras de una roca para templar la sed del dios Visnú cuando, desterrado de los cielos, venía a cazar a las faldas del Jabwi durante la noche. A datar de aquella época remota, un brahmín vela constantemente en el fondo de la gruta, dirigiendo sus oraciones al dios para que conserve las maravillosas virtudes en que, según una venerable tradición, abundan las sagradas linfas.

IX

El último de estos sacerdotes que, encendidos en

amor por la divinidad, han consagrado sus días a venerarla en contemplación de sus obras, es un anciano cuyo origen envuelve un misterio profundo: nadie sabe la época en que llegó a Kattak para guarecerse en la gruta de Visnú. Rajás venerables, sobre cuya cabeza han lucido más de cuarenta mil soles, aseguran que en su juventud el brahmín del torrente tenía ya los cabellos blancos y la frente inclinada. El pueblo lo mira con temor y respeto cuando por casualidad baja a la llanura. Dicen que las serpientes danzan a su voz, que los cóndores le traen su alimento y que el genio de aquellas aguas, a quien debe la inmortalidad, le revela los arcanos futuros. Otros aseguran que él mismo no es otra cosa que el Espíritu bajo la forma de un brahmin.

X

¿Quién es? ¿De dónde vino y qué hace? Se ignora; pero los que se sienten con el valor necesario para llegar hasta la gruta en que habita, suben a ella para pedirle un remedio contra los males desesperados, una revelación para conocer el término de las empresas arriesgadas, una penitencia suficiente para lavar un crimen que ni la sangre borraría. Uno de éstos es Pulo, porque a la gruta del torrente se dirige. Conociendo que las leves expiaciones que los aduladores brahmines de Kattak le impusieron no bastaban a desterrar sus remordimientos, sube a consultar al solitario de Jabwi, solo, de incógnito, para que la pompa real no turbe el espíritu y selle los labios del profeta.

XI

Pulo llega, a través de las zarzas que rodean como un festón los bordes del torrente, hasta la

entrada de la gruta. Allí ve una ancha vasija de cobre suspendida de las ramas de una palmera, para que el viajero apague su sed. El caudillo toca por tres veces con el mango de su yatagán, y el cobre restalla, produciendo un sonido, vibrando con el rumor de las olas. Un momento transcurre y el solitario aparece.

—Elegido del Gran Espíritu —exclama al verlo el caudillo, inclinando la frente—, que el enojo de Siva no se amontone sobre tu cabeza como las brumas en las cimas de los montes.

—Hijo de mortales —replica el anciano sin responder a la salutación—, ¿qué me quieres?

XII

—Consultarte.

—Habla.

—Yo he cometido un crimen. Un crimen horroroso, cuyo recuerdo abruma mi alma como una pesadilla eterna. En vano consulté a los adivinos de Brahma. Las penitencias que me impusieron han sido inútiles. El remordimiento vive aún en mi corazón. El fantasma de la víctima me sigue a todas partes. Se ha hecho la sombra de mi cuerpo, el rumor de mis pasos. Tú, a quien todos los dioses se dignan visitar; tú, que lees el porvenir en los astros y en las arenas que arrastran los ríos, dime: ¿Cuándo quedará lavada mi alma de este crimen?

—Cuando la sangre que mancha tus manos, que en balde me ocultas, haya desaparecido —exclamó el terrible brahmín, lanzando una mirada de indignación al príncipe, que permanece aterrado ante aquella prueba de la sabiduría del solitario.

XIII

—¿Me conoces? —prorrumpe Pulo al fin, salien-

do de su estupor.

—No te conozco, pero sé quién eres.

—¿Quién soy?

—El matador de Tippot-Delhi.

El príncipe inclina la cabeza a estas palabras, como herido de un rayo, y el brahmín prosigue de este modo:

—En la pasada noche, cuando el sueño había descendido sobre los párpados de los mortales, yo velaba. Un sordo rumor se elevó por grados del fondo del agua sagrada, rumor confuso como el hervidero de cien legiones de abejas. Una manga de aire frío; silencioso vino de la parte de Oriente, rizó las ondas y tocó con las puntas de sus húmedas alas mi frente. A su contacto, mis nervios saltaron y se heló el tuétano de mis huesos; aquel soplo era el aliento de Vísnú. Poco después sentí su diestra, tan pesada como un mundo, descansar sobre mi hombro, en tanto que me contaba al oído tu historia.

XIV

Ahora bien: pues conoces mi delito, dime la manera de expiarlo y hacer que desaparezcan de mis manos estas terribles manchas.

El brahmín permanece en silencio, y el príncipe prosigue:

—¡Qué! Mi sangre toda ¿no podrá borrar esa sangre?

—Lo ignoro; es muy corta tu vida para expiar ese delito, y Siva está airada porque has hecho uso de tus facultades para la destrucción, obra que a él solo está encomendada.

—Pues bien: si tú lo ignoras ,consultemos a Vísnú. Él me protegerá contra su hermano. Penetremos en la gruta sagrada.

—¿Has huido del lecho nupcial por siete noches?

148

—Sí.

—¿Has dejado de cazar durante nueve días?

—También.

—Entonces, sígueme.

Algunos momentos después de este corto diálogo, sus interlocutores se hallaban en el fondo de la misteriosa gruta.

XV

Lo que pasó en aquel recinto se ignora. La tradición guarda una idea confusa, y el príncipe, por quien esto se supo, habla vagamente de sierpes monstruosas y aladas que se precipitaron en las ondas del torrente, para aparecer de nuevo en forma de animales desconocidos y fantásticos; de conjuros tan temibles, que a veces se cubrían de manchas el sol y los montes se estremecían como cañas; de lamentos y aullidos tan espantosos, que la sangre se helaba al escucharlos.

XVI

Las palabras del dios se guardan, y son éstas: "Asesino marcado por Siva con un sello de eterna infamia, sólo existe una penitencia con que puedes expiar tu crimen: sube por las orillas del Ganges, a través de los pueblos feroces que habitan sus riberas, hasta encontrar sus fuentes. El remoto país del Tibet, a quien defiende como un gigante muro la cordillera del Himalaya, es el término de tu viaje. Cuando llegues a él, lava tus manos en el más escondido de sus manantiales y a la hora en que el valiente Tippot cayó a tus plantas. Si en el discurso de tu peregrinación no conoces a tu esposa Siannah, que deberá acompañarte, la sangre desaparecerá de tus manos."

¿Quién es ese peregrino que se apoya en su grosero cayado de abedul y que en la sola compañía de una mujer hermosa, pero humildemente ataviada, sale por una de las puertas de Kattak al mismo tiempo que la luna se desvanece ante los rayos del astro del día? Él, él: Pulo-Delhi, magnífico rey de Osira, señor de señores, sombra de Dios e hijo de los astros luminosos.

CANTO III

I

Los peregrinos tocan al término de su viaje, ya han dejado a sus espaldas las fértiles e inmensas llanuras de Nepal; ya han visto a Benarés, célebre por sus alcázares, cuyos cimientos besa el sagrado río que divide al Indostán del imperio de los birmanes. Como las creaciones de una visión celeste han cruzado ante sus ojos Palná, famosa por sus templos, sus mujeres y sus tapicerías; Dakka, la ciudad que tejió un velo para el santuario de los dioses con las trenzas de ébano de sus vírgenes: Gualior, escudo del reino de Sindiak, cuyos muros detienen a las nubes en sus vuelos.

II

También han gustado el reposo a la sombra de los inmensos plátanos de Delhi, concha que guarda la perla de los reyes presentando en ofrenda miel y flores al genio protector de Allahabad, ciudad que debe su nombre a las caravanas de peregrinos que de todos los puntos de la India acuden a sus tem plos, más numerosos que las hojas de los bosques

y las arenas del Océano.

III

Cuarenta lunas han nacido después que abandonaron su alcázar; pero ¿quién podrá enumerar los países que han cruzado, los bosques que les han prestado su sombra, los ríos que han apagado su sed? El Kiangar, conocido por el de las aguas rojas; el Espuri, cuya mansa corriente arrastra otro bastante a constituir con él un alcázar soberbio: los Serwads, bosques sombríos donde el boa se desliza con el rumor de la lluvia: Lahore, la madre de los guerreros; Cachemira. la virgen de los siete chales de amianto, y cien y cien otros países, ciudades, bosques, torrentes, ríos y montañas, que hasta llegar a las cordilleras del Himalaya se extienden sobre las inmensas llanuras de la India.

IV

Pero ya tocan el deseado término, ya han salido de las más terribles pruebas atravesando a par del Ganges el valle del Acíbar, llamado así no tanto por los árboles que produce, de los que se extrae este licor, como por las amarguras que padecen los infelices que se ven en la necesidad de atravesarlo. Y Pulo atravesó las rocas que lo erizan llevando a Siannah sobre sus espaldas.

V

El sol lanza sus rayos perpendiculares sobre la tierra. Los viajeros, fatigados de su trabajosa jornada, reposan a la orilla del río, a cuya fuente se aproximan. Un boabab corpulento y magnífico les presta su sombra, capaz de cubrir a una tribu de

guerreros. Entre las brumas del lejano horizonte se lanza al vacío el Himalaya, y, empinado sobre sus cumbres, el Davalaguiri, ue pasea sus miradas sobre medio mundo.

VI

Un aura fresca mece las magnolias y los tulipanes que crecen entre los juncos de la ribera y enjuga el sudor de sus frentes. El bulbul, sobre las ramas de un penachudo talipot, entona un canto melancólico y suavísimo, y entre las ráfagas de luz que reverberan las arenas cruzan diáfanos como el ámbar miríadas de pájaros y de insectos con ropajes de oro y azul, de crespón y esmeraldas.

VII

Todo convida al descanso. Pulo y Siannah, después de refrescar sus labios con algunas de las deliciosas frutas del bosque, apagan su sed en las cristalinas ondas que corren, produciendo al besar las orillas un ruido manso y melancólico, semejante al arrullo de una tórtola. Al agradable son de las aguas y de las hojas que se agitan como abanicos de esmeraldas sobre sus cabezas, recuerdan en dulces coloquios, y con esa especie de satsifacción con que se menciona el peligro pasado, las mil aventuras de que han sido héroes durante su peregrinación, los países que han recorrido,. las maravillas que, como un panorama magnífico, se han desplegado a sus ojos. Forman proyectos sobre el porvenir y sobre la felicidad que los separa cuando hayán cumplido la expiación, próxima a satisfacerse. Sus palabras se atropellan llenas de un fuego y de un color vivísimo. Después va poco a poco languide-

ciendo su diálogo; diríase que hablan de una cosa y piensan otra. Por último, algunas frases vagas e incoherentes preceden al Silencio, que, con un dedo sobre el labio, se sientan a la par de los amantes sin ser sentido.

VIII

El sol cae a plomo sobre la gran llanura. La frente del príncipe descansa sobre las rodillas de su esposa. Todo a su alrededor calla o duerme. En los países tropicales, el mediodía es la noche de la Naturaleza. Sólo interrumpen esta calma profunda el grito breve y agudo del bengalí, el zumbido monótono y tenaz de los insectos que revolotean en el aire, brillando a la luz del sol como un torbellino de piedras preciosas, y la acelerada respiración de Siannah, respiración sonora y encendida como la del que sueña embriagado con opio. Los peregrinos permanecen en silencio. ¿Qué ideas cruzan por su mente?

IX

Hay momentos en que el alma se desborda como un vaso de mirra que ya no basta a contener el perfume; instantes en que flotan los objetos que hieren nuestros ojos, y con ellos flota la imaginación. El espíritu se desata de la materia y huye, huye a través del vacío a sumergirse en las ondas de luz, entre las que vacilan los lejanos horizontes.

La mente no se halla en la tierra ni en el cielo. Recorre un espacio sin límites ni fondo, océano de voluptuosidad indefinible, en el que empapa sus alas para remontarse a las regiones donde habita el amor.

Las ideas vagan confusas, como esas concepciones sin formas ni color que se ciernen en el cerebro

153

del poeta como esas sombras, hijas del delirio, que nos llaman al pasar y huyen, nos brindan amor y se desvanecen entre nuestros brazos.

X

Pulo es el primero que interrumpe el silencio.

—¡Cuán dulce es percibir el aliento de la mujer que se ama, ese aliento que se escapa de unos labios encendidos, atropellándose en ellos como olas de ambrosía que vienen a expirar sobre una playa de rubíes! Si me fuera posible, ¡oh hermosa Siannah!, explicarte lo que el murmullo de tu respiración me dice .. Suena en mi oído como una voz insólita que murmura palabras desconocidas en un idioma extraño y celeste. Me recuerda los días de mi infancia, aquellas horas sin nombre que precedían a mis sueños de niño, aquellas horas en que los genios, volando alrededor de mi cuna, me narraban consejas maravillosas, que, embelesando mi espíritu, formaban la base de mis delirios de oro. ¿No es cierto, no es cierto, hermosa mía, que hasta el aroma que precede al objeto de nuestro amor, el tenue y débil crujido de su túnica, tienen palabras, dicen algo que los demás no comprenden?

XI

Siannah calla; sus labios entreabiertos y rojos dejan escapar suspiros ardientes, y en su pupila húmeda, azul y dilatada, brilla un punto luminoso, semejante al reflejo de una estrella en un lago.

—Pulo —exclama al fin, como volviendo de un éxtasis que la hubiese alejado por algunos instantes de la tierra—, ¿es cierto que existe un árbol cuya sombra causa la muerte?

—Es cierto —responde el príncipe—. El dios Siva

154

lo creó para destruir a los mortales, y su hermano Visnú, apiadándose de nuestra infelicidad, se lo dio a conocer a Brahma, su elegido.

Siannah vuelve a su muda agitación. Su esposo, en tanto, la contempla con un sentimiento de ternura indescriptible.

XII

—Pulo —exclama a los pocos instantes la hermosa—, ¿es verdad que existe un árbol cuya sombra agita la sangre en las venas y enciende el amor?

—Sí.

—¿Lo conoces?

—Lo conozco, aun cuando ignoro su nombre. Mas... ¿por qué me haces esa pregunta tan extraña?

—No sé... La sombra de ese bosque me hace daño... Prosigamos nuestra jornada.

—¡Proseguir, cuando el sol abrasa las arenas! Esperemos a que la brisa de la tarde se levante del golfo y la luz comience a palidecer.

—Esperemos —murmura Siannah—; pero, entre tanto, aparta tus ojos de los míos, vuélvelos al cielo o duerme; mas no me los claves en el alma.

XIII

—Bien dices. Mis ojos en los tuyos beben amor, y nuestro amor casto y puro otras veces, ahora es un crimen. Sí, es necesario que no te vea... Siannah, voy a dormir. Cántame algún himno de nuestra patria, arrulla mi sueño como una madre, ya que no como una esposa.

La beldad de las trenzas de ébano canta:

I

¡Guerrero! Las espadas de la tribu tienen sed,

155

y la sed de las espadas se templa con sangre.

Un torrente de fuego desciende del Jaburí. Esas centellas que brillan entre la nube de polvo que levantan son los hierros de nuestros enemigos.

Traedme el escudo reforzado con las siete pieles de búfalo y rodead a mi casco el chal amarillo, para que no me desconozcan en la confusión de la pelea.

¡Guerrero! Las espadas de la tribu tienen sed, y la sed de las espadas se templa con sangre.

II

Allá van, semejantes en...

Al llegar aquí, Pulo se incorpora y Siannah se detiene en su canto.

—¿Por qué —exclama el príncipe— no escucho ahora las canciones de mi patria con el placer de otras veces? ¿Será que ya no alienta en mi pecho el corazón de Delhi, o acaso que los himnos de guerra no se han hecho para que los recite una hermosa?

XIV

—Entona un canto de amor, uno de aquellos himnos que al son de los címbalos alzan las vírgenes cuando conducen a una joven esposa al pie de las aras.

—Pulo...

—Canta, no temas; yo dormiré tranquilo, arrullado por el eco de tu voz, el suspiro de la brisa y la música de las aguas.

Siannah canta. Su voz tiembla, su pecho se eleva acompasadamente, como una ola que se hincha coronada de espuma.

LA VUELTA DEL COMBATE

I

El combate ha terminado con el día y el caudillo está ya en presencia de su adorada.

LA VIRGEN.—Caudillo, reclina tu frente sobre mi seno, que quiero beber en ella el sudor y el polvo de la gloria.

EL CAUDILLO.—Virgen, apoya tus labios en los míos, que quiero beber en ellos la muerte en una copa de rubí.

II

LA VIRGEN.—¡Alma de la creación! ¡Hijo de Bermach! ¡Genio de las setenta alas! ¡Amor, divino amor! Desciende en brazos del misterio y de la noche a coronar con tu aureola a los que arden en tu llama.

EL CAUDILLO.—¡Espíritu invisible! ¡Aliento del alma generosa! ¡Esperanza del guerrero! ¡Amor, ardiente amor! Abandona un instante el alcázar de los dioses para poner una guirnalda de rosa sobre la corona de laurel del caudillo.

III

LA VIRGEN.—Tu aliento humea y abrasa como un volcán. Tu mano que busca la mía, tiembla como la hoja del árbol. La sangre se agolpa a mi corazón rebosa en él y enciende mis mejillas. Un velo de sombras cae sobre mis párpados. Todo se borra y confunde ante mis ojos, que no ven más que el fuego que arde en los tuyos. Caudillo, ¿qué espíritu invisible llena el aire de melodiosos acordes y me estremece a su contacto?

EL CAUDILLO.—Virgen, es el amor que pasa.

El canto de Siannah expira, y con él, suave y armonioso, el rumor de un beso.

¿Qué son los vanos castillos que eleva la voluntad del hombre para combatir las funestas armas de que se vale la fatalidad? Montes de arena que, como los de la gran llanura de Nepal, asombran al viajero y un soplo del huracán los arrebata.

CANTO IV

I

—Hijo mío —dice Siva al Sueño—, baja a la Tierra y sé el mensajero de mis iras.

El Sueño, hijo de la Tumba, levanta a esta voz la frente, entreabre los soñolientos ojos y agita sus noventa manos, en cada una de las cuales tiene una copa llena hasta los bordes de un licor soporífero.

¿Qué me quieres, realidad de mi símbolo, padre que me diste el ser para que sirviera de eslabón invisible entre lo finito y lo infinito, entre el mundo de los hombres y el de las almas, sirviendo para bajar las potencias del Cielo y elevar las de la Tierra hasta que se toquen en el vacío, que es el lugar de mi soberanía?

II

Siva continúa de este modo, dirigiéndose a su imagen:

—Hace algunos momentos pensaba en llevar a cabo la destrucción del príncipe que usurpó un día el cetro de la muerte; mas en vano buscaba la ocasión de herirlo; en vano, porque Visnú, mi orgu-

lloso antagonista, lo defendía bajo el inmenso escudo con que oculta los hombres a mis ojos cuando éstos se encienden en cólera y arrojan rayos que hieren y matan. De repente oí un zumbido a mi alrededor. Torné el rostro. Un mundo nuevo, un joven planeta, se adelanta hacia mí, trazando su círculo en el vacío, fascinado e inocente como el ave atraída por el boa...

III

...De su seno brotaba un raudal de armonías que llenaban el vacío, dilatándose en él como los círculos de un lago donde se arroja una piedra. Envuelto en un fluido ardiente y luminoso, rodando entre mares de colores y sonidos su alegría y su gloria parecían insultar mi terrible poder. Levanté la mano. El aire de ésta, desquiciándolo de sus órbitas, lo ha herido de muerte. Incorpórate y tiende los ojos sobre las inmensas llanuras del cielo: verás a Visnú, que corre en pos de él para arrancarlo a inmensa tumba de los astros, volviéndolo a la vida...

IV

...He aquí el momento oportuno para mi venganza. El príncipe faltó a su promesa, y ahora está abandonado por mi funesto enemigo. Refresca su ardorosa frente con tus alas y aguarda la ocasión propicia para derramar sobre sus párpados un sueño precursor del sepulcro, un sueño de agonía y ansiedad, de esos que ciñen la garganta con sus manos de acero y pesan sobre el corazón como una montaña de plomo.

V

El Sueño tiende las alas de tul y abandona la selva donde vive, en un alcázar de ébano escondido entre la flotante sombra de los áloes.

El Silencio lo precede, y sus hechuras lo siguen en grupos fantásticos. Estos se agitan y confunden entre sí, dando ser a nuevas y rápidas metamorfosis, locos delirios, embriones de confusas ideas, semejantes a las que produce en mitad de la fiebre una imaginación débil y sobreexcitada.

VI

La silenciosa caravana llega a las orillas del Ganges y al lugar en que el príncipe descansa. Este experimenta, primero, una languidez voluptuosa; después, un entorpecimiento general, y, por último, sus párpados caen con el peso del plomo sobre sus pupilas, como una losa fúnebre sobre un sepulcro. El Sueño ha vertido sobre ellos una gota del licor que contiene su misterioso vaso de ópalo.

VII

Cuando la materia duerme, el espíritu vela. En tanto que el cuerpo del caudillo permanece inmóvil y sumergido en un letargo profundo, su alma se reviste de una forma imaginaria y huye de los lazos que la aprisionan para lanzarse al éter; allí la esperan las creaciones del Sueño, que le fingen un mundo poblado de seres animados con la vida de la idea, visión magnífica, profética y real en su fondo, van sólo en la forma, Oíd, según la tradición la conserva, la visión del caudillo.

VIII

La noche es oscura. El viento muge y silba, sa-

cudiendo las gigantescas ramas del baobab de las selvas. Los genios blanden sus cárdenas espadas de fuego sobre las nubes, en que los ve pasar cabalgando. El trueno retumba, dilatándose de eco en eco en los abismos de las cordilleras. La lluvia azota el penacho de las palmas, y confundiéndose con los sordos mugidos de la tormenta, el prolongado lamento del vendaval y el temeroso murmullo de las hojas del bosque, se escucha por intervalos un rugido lejano, ronco y estridente, ue parece formarse en la cavidad de un pecho de bronce.

IX

Un brahmín. al atravesar en tal noche y a tal hora aquella selva, no hubiera podido menos de dirigir sus plegarias al dios destructor, cuyo triunfo parecía acercarse, equivocando aquellos quejidos de la Naturaleza con la profecía de los blancos fantasmas de sus antepasados, que rompían el secreto del sepulcro para enseñarle el camino de la muerte.

X

De cuantos guerreros se rodean el chal amarillo a la cintura en las fiestas y a la frente en el combate, sólo el caudillo de Osira tendría el valor necesario para arriesgarse en sus agrestes y enmarañados senderos con una noche tan terrible.

XI

Pulo se adelanta, con el arco tendido, la flecha pronta y el puñal entre los dientes. Siannah lo sigue, pálida el color, el cabello erizado y el paso temeroso.

—¿Oyes? —dice el príncipe—, oyes esa voz que resuena en la espesura?

—Es el viento, que azota los palmares —responde el caudillo, lanzando, a pesar suyo, una mirada escudriñadora a través de los añosísimos troncos de los áloes que bordan las lindes del sendero.

XII

Los esposos prosiguen caminando, y la tempestad haciéndose cada vez más terrible.
responde un rugido ahogado y profundo. El tigre
—¿Oyes ese rumor que se eleva por grados a nuestra espalda? —interrumpe de nuevo la hermosa.
—Es la lluvia, que agita las lianas —añade el príncipe, armando la flecha y cubriendo a Siannah con su cuerpo.
—¿Oyes? —vuelve ésta a interrumpir—. Alguien respira alrededor nuestro.
—¡Echate en tierra! —grita Pulo de repente—. El tigre va a saltar sobre nosotros.

XIII

Dos llamas fosfóricas brillan en la oscuridad.
La flecha del príncipe parte. A su áspero silbar salta. Pulo arroja el arco, se cubre con el escudo de pieles, dobla una rodilla, esconde el rostro y lo espera con el puñal en la diestra. Siannah está desmayada y oculta con el manto del guerrero, a cuyos pies yace.

XIV

La lucha se traba.
Pulo hunde una y cien veces su puñal en el pecho y en el vientre del tigre, que en su agonía pugna aún por lanzarse sobre su adversario. Éste, cubierto con el escudo, ha podido evitar su ataque

merced a esa ligereza y sangre fría, patrimonio de los hombres avezados a los peligros y a la muerte. Pero ya la temible fiera ha lanzado el último y ronco estertor revolcándose entre el polvo y la sangre que brota de sus heridas, cuando el príncipe levanta los ojos al cielo, sorprendido por un extraño fenómeno.

XV

La lluvia ha cesado. El huracán y el trueno han enmudecido. Al brillante y súbito resplandor de los relámpagos sucede una claridad tenue y azulada, una luz indecisa, semejante al primer albor de un día sin sol y sin aurora. Las aves, que se habían guarecido de la tempestad bajo los pabellones de verdura de la selva, llenas de gozo a su vista, quieren alzar el vuelo y entonar su canto, pero la voz se ahoga en su garganta, y caen a tierra heridas de muerte por una mano invisible. Los gigantescos árboles se agitan y, retorciéndose como a impulsos de una horrorosa convulsión, comienzan a alfombrar el suelo con las pálidas hojas que se desprenden de sus ramas, como se desprenden los cabellos de la cabeza de un anciano. Las verdes lianas que se mecieran al soplo del viento, suspendidas en el tronco de los antiguos reyes del bosque, pierden el color y la frescura, arrugándose sus tersas flores como un pergamino que se acerca al fuego. Diríase, al contemplar este asombroso espectáculo, que un tósigo mortal, circulando en el aire o levantándose en imperceptibles efluvios de las entrañas de la tierra, había envenenado la atmósfera, y con ella el mundo.

XVI

El caudillo, lleno de estupor, vuelve en torno

163

suyo la mirada. Por todas partes lo persiguen aquellas imágenes desoladoras: pero lo que más asombro le causa es ver al sangriento cadáver del tigre estremecerse y poco a poco, perdiendo sus primitivas formas, ir tomando, merced a una inconcebible transformación, las de una serpiente.

—Ya no me queda ningún género de duda —exclamaba—. Siva desea mi muerte. Reconozco en ese reptil al ministro de su cólera. ¡Oh! ¡Que no fuera yo un dios para luchar con los dioses!... Mas no me importa; mortal miserable como soy, venderé cara mi vida.

XVII

El temible reptil crece con una rapidez prodigiosa. Su longitud es ya treinta veces mayor que la del boa secular, que se despierta de dos en dos lunas sobre las márgenes del Sitpuri. Sus ojos redondos, fijos y fascinadores, están clavados en los del caudillo. Éste, presa de un vértigo y con ese arrojo sin límites que presta la desesperación en sus momentos supremos, arroja lejos de sí el tresdoblado escudo, inútil para aquel combate, y desnuda por segunda vez su puñal.

XVIII

La gigantesca serpiente comienza a replegarse sobre sí misma, lanzando un silbo áspero y agudo. El príncipe, sin aguardar a que lo acometa, se arroja a su cuello, tan grueso como el de una palma colosal, y hace esfuerzos inauditos por herirla. ¡Imposible! Las aceradas escamas que la cubren y defienden son impenetrables como la concha de las tortugas del Jawkior.

Ya el reptil, aprisionándolo entre sus anillos de bronce, lo estrecha y comienza a ahogarlo; ya el

puñal se ha escapado de sus manos desfallecidas y el velo de la muerte se extiende ante sus ojos, cuando una flecha disparada de las nubes baja silbando y traspasa los de la serpiente.

XIX

Un furor terrible se apodera de ésta, que, desasiéndose del ya casi inanimado cuerpo de Pulo, busca a ciegas a su celeste enemigo.

La punta de diamante de una segunda flecha pone fin a su agonía con la muerte.

El caudillo, recobrado de su estupor, puede entonces contemplar, no sin sentirse sobrecogido de una emoción profunda de gratitud y respeto, al que es deudor de la vida.

Visnú, cubiertas las espaldas con una manto de pieles, el arco tendido aún y el carcaj de las flechas de diamantes sobre su hombro, está a su lado, en pie. La frente del dios toca a las nubes, y su sombra es inmensa, como la que arroja el Himalaya sobre las llanuras al ocultarse el sol en los confines del Océano.

XX

—¡Caudillo! —exclama el antagonista de Siva con acento airado—. ¿Para qué subiste a la sagrada gruta del Jabwi? ¿Para qué interrogaste a las limpias aguas de su manantial, si las revelaciones celestes han sido inútiles, si al cabo habías de romper tu juramento, como se rompe la flecha sobre la rodilla en prenda de paz entre dos enemigos?

Pulo enmudece. El rubor de su falta colora sus bronceadas mejillas y ahoga su voz. Visnú continúa de este modo:

—Inmensa como la imprevisión de los hombres es la bondad del Cielo. He aquí por qué me he

apiadado de tus culpas. Inútil es ya que busques las fuentes del Ganges. Cada grano de arena que cae en la medida de la culpa debe añadirse a la del castigo. El que te impuso el solitario de Jabwi es ya insuficiente para lavar tu alma.

XXI

—Si un solo momento de olvido desvaneció como el humo cuanto había logrado merecer mi arrepentimiento, ¿qué haré para lavar mi culpa? —exclamaba el príncipe.

—Levántate —prosigue el dios—, toma tu arco, descálzate las sandalias y, abandonando las orillas del Ganges, vuelve sobre tus pasos hasta llegar a Kattak. Entre las arenas de sus costas duerme, en el seno del olvido, un templo que en mi honor levantara un día tu glorioso antecesor, cuando, protegido por mi escudo llevó hasta allí sus huestes invencibles. Sobre los peñascos en que se estrellan las encrespadas olas tiene su nido un cuervo. Sube a preguntarle el lugar en que el templo se oculta. Éste lo conocerás por los fuegos que durante la noche voltean sobre sus ruinas, y aquél por su cabeza blanca.

XXII

Visnú desaparece. Los árboles recobran su lozanía, la luna su verdura, los pájaros su voz, y a la indecisa y cárdena luz del cielo sucede el tranquilo y suave esplendor de una noche estrellada y llena de armonía, perfume, suspiros y cantares.

El príncipe se incorpora y corre al lugar en que Siannah permanece desmayada y oculta bajo los pliegues del manto de su esposo. Levanta éste, y de sus labios se escapa un grito de sorpresa y ansiedad.

Siannah no está allí. Siannah ha desaparecido.

. .

XXIII

En aquel punto, el Sueño tiende las alas y abandona al príncipe. Éste, convulso y pálido aún, despierta de su pesadilla, busca a su esposa, en cuyo seno se había dormido, y no la encuentra.

El sol, recostado en un lecho de púrpura y de oro, como un rajá en su alfombra de colores, lanza a la Tierra el último rayo de sus entreabiertos ojos.. La Naturaleza comienza a despertarse de un sueño del mediodía. Las brisas de la tarde, impregnadas en murmullos y perfumes, juguetean con el cáliz de las flores, que se abren a sus besos. Las aguas del Ganges, copiando en sus linfas transparentes la vigorosa vegetación de sus riberas, alzan un himno melancólico, al que se unen las aladas y suaves notas de los pájaros, que despiden al día con un dulcísimo y **triste adiós.**

XXIV

—Siannah —dice el caudillo con voz ahogada por el llanto—, Siannah, esposa mía, ¿dónde estás que no me oyes? Siannah, inseparable compañera de mi dolor y de mi infortunio, ¿quién te arrancó de mi lado para robarme la única felicidad que me restaba en la tierra? ¡Oh! Vuelve, vuelve, hermosa mía; sin ti mi vida será una noche sin aurora, un llanto sin lágrimas.

XXV

Sólo el eco responde al enamorado Pulo, que, presa de un loco frenesí, corre de nuevo a las orillas del Ganges, busca en la arena la huella de su esposa y vuelve a llamarla por su nombre cien y

cien veces; todo es inútil. La noche borra del cielo los colores, y las nubes, las estrellas, mudos testigos de los pesares y la felicidad de los amantes, aparecen unas tras otras rodeadas de un ligero cendal de bruma, y Siannah no aparece.

XXVI

—Insensato —dice una voz que resuena en el viento, sin que se vea la boca de donde parte—, ¿qué vas a hacer?

El caudillo, que ha desnudado el puñal para asestarlo contra su pecho, se detiene sobrecogido y escucha estas palabras:

—Si mueres, nunca la tornarás a ver; si conservas tu vida y cumples cuanto te he dicho, la mancha de sangre de tus manos desaparecerá para siempre y encontrarás de nuevo a tu esposa.

Los sueños son el espíritu de la realidad con las formas de la mentira: los dioses descienden en él hasta los mortales, y sus visiones son páginas del porvenir o recuerdos del pasado.

La voz que detiene al príncipe es la de Visnú, que se le había aparecido en sueños.

CANTO V

I

El príncipe, después de un año de peregrinación, llega al fin al término señalado por el genio. Éste, durante las jornadas, fijos los ojos sobre su protegido, ha velado día y noche por su vida hasta dejarlo en Kattak.

II

La aurora rasga el velo de la noche; de sus

trenzas de oro se desprende el rocío en una lluvia de perlas sobre las colinas y las llanuras; los horizontes del mar se encienden y las crestas de sus olas brillan como las escamas de la armadura de un guerrero en un día de combate; de las flores, húmedas aún con las lágrimas del crepúsculo, se eleva al cielo una columna de aromas en emanaciones que los genios, cruzando sobre las nubes celestes y ambarinas, recogen con las matinales plegarias de los pies de Bermat, autor de la maravillosa máquina de los mundos.

III

Pulo se ha sentado sobre una de las rocas que erizan en aquella parte del reino de Kattak las extensas playas del Océano. Su pensamiento dividido entre su esposa y su conciencia.

—Ya se aproxima —dice— la hora del perdón; unos esfuerzos más, y me hallo en presencia del ave misteriosa que Visnú ha escogido para intérprete de sus designios. Dios, que conservas cuanto existe, apartando las tempestades y la muerte de la cabeza de los hombres, no interpongas tu poder entre mi corazón y la flecha de los guerreros, entre mi vida y las garras del tigre o los anillos del boa gigante; pero defiéndeme contra mí mismo, arráncame el amor y la conciencia, cuyos golpes matan sin que se vea la mano que los dirige.

IV

El sol se va levantando pausadamente del seno del mar y remontándose por la cumbre del firmamento. El caudillo, después de lavarse por siete veces las manos y los sangrientos pies, recitando algunas oraciones misteriosas, emprende una difícil

ascensión para llegar a la cima de las colosales rocas, cuya frente han enneggrecido los rayos y las tempestades, cuyas plantas besan o azotan las hirvientes olas del Océano.

V

Después de trepar por espacio de una hora, asiéndose a los arbustos y malezas que crecen en las aberturas de las peñas, el príncipe consigue, al fin, encontrarse en la cumbre del promontorio.

En una de las rocas de granito que coronan su cúspide hay una hendidura, y en el fondo de ésta le parece distinguir las formas confusas de un ave, que fija en los suyos dos ojos que brillan en la obscuridad con una luz fantástica.

VI

—Ave de los dioses —prorrumpe Pulo, cayendo de rodillas ante el aéreo nido del cuervo de la cabeza blanca—, ave misteriosa, bajo cuyo negro plumaje vivió por espacio de tres siglos el poderoso Visnú, logrando con este ardid evitar la muerte que el dios de la destrucción le aprestaba: heme aquí esperando tus palabras, como los tulipanes agostados por el fuego del día esperan las gotas del rocío de la noche.

VII

El cuervo, abandonando su guarida, se abate sobre una de las enhiestas rocas, y después de agitar sus alas por tres veces, dice así al caudillo, que lo escucha en silencio y con la frente humillada en el polvo:

—Señor de Osira, poderoso descendiente de los Delhi, conquistadores de la India y protegidos de Visnú: sé lo que vienes a preguntarme; así, es in-

útil que me lo confieras. El templo que buscas se halla lejos de este lugar; sigue mis pasos y te mostraré el sitio en que se empezarán las excavaciones

VIII

El cuervo de la cabeza blanca se remonta en los aires, dejándose caer al pie del promontorio, donde espera a que baje el caudillo. Cuando éste toca al término de su descensión, el ave misteriosa emprende la marcha, caminando a saltos pequeños y sin abandonar las costas en que viene a romperse el oleaje de crestas de oro.

Prosiguen durante todo el día sin abandonar la ribera, blanqueada por la espuma, y cuando ya el sol desciende al seno de las ondas, rodeado de espesos y rojos celajes, el alado guía se aparta de las playas internándose tierra adentro, a través de un pantano cenagoso y cubierto de juncos verdes y altísimos.

IX

Las nubes, amontonándose en el Occidente, envuelven el cadáver del sol en un sudario de brumas antes que descienda a su sepulcro.

La noche se adelanta; una noche sin astros y sin transparencia; la brisa murmura la oración de los muertos, sollozando melancólica entre los espelos juncos; el perfume de las flores que se abren en la sombra vaga en el espacio; el grito del chacal y el silbo de las aves nocturnas resuenan confundiéndose con esos rumores siniestros y misteriosos que nacen, tiemblan y se dilatan en el seno de la oscuridad, sin que podamos decir quién los produce.

—Ave inmortal —exclama Pulo, deteniéndose en su camino—, he aquí que la noche se ha apoderado de la tierra y que en balde procuro seguirte,

pues la sombra te ha robado a mi vista.

"El grito del chacal se oye cada vez más próximo; tú sabes que no lo temo; mas estoy sin armas y, por tanto, inhábil para defenderme de sus traidores ataques.

"Volvamos atrás y esperemos al día para proseguir nuestra jornada. Temerario valor juzgo el de aquel que arriesga su vida contra enemigos que no puede exterminar o vencer; si al menos la luna brillara en el cielo, su luz me guiará a través de este pantano, donde a cada paso que doy temo encontrar la muerte, sepultándome en sus aguas cenagosas e inmóviles."

X

—No temas —responde el cuervo— el dios que nos envía cuidará de nosotros desde su elevación. He aquí la manera de salir con bien de este peligro: las llanuras que vamos a atravesar presenciaron la derrota de tu padre. Siva, celoso del culto que éste rendía en el templo a que nos dirigimos al genio que te protege, reunió en su daño a los guerreros de Kattak y de Lahore, que, ardiendo en sed de venganza contra su vencedor, se juntaron entre las sombras de la noche para afilar las espadas que habían de herir a los predilectos de Visnú...

XI

"...Un día, tu padre abandonó el templo para dirigirse a las selvas que se extienden al pie de la colina en cuya cumbre está oculto; de pronto, una nube de polvo blanca e inmensa, que elevándose de la parte de Oriente oscurecía la luz del sol, atrajo su curiosidad. «¿Qué nueva y numerosa caravana de peregrinos será la que se aproxima al templo de mi dios?», dice, volviéndose a uno de los

pérfidos rajás portadores de su escudo y su alja-
ba...

XII

''...Éste, lanzando a sus compañeros una mi-
rada de inteligencia respondió al victorioso rey con
la sonrisa en los labios: «¿Quién sabe cuál será el
remoto país que envía este enjambre de peregrinos?
La fama del asombroso templo de Kattak corre de
boca en boca hasta los más remotos confines del
mundo.» Tu padre, después de fijar nuevamente las
miradas en aquella nube de polvo que se aproxima-
ba, y de la cual brotan centellas de fuego, exclama
con voz terrible:

XIII

'' «...¿qué es esto? Los toscos *yaid*s de los pe-
regrinos llamean al rayo del sol como las armadu-
ras de los guerreros de Lahore. ¿Oís? En las alas
del viento llega confuso el eco de la terrible y bár-
bara armonía de sus tropas de guerra. ¡Ah! Ya
no me queda duda: el enemigo que hollé a mis
pies se endereza como la víbora para morderme
en ellos. No importa; veremos si los caudillos de
Lahore han aprendido de nuevo a vencer, tras tan-
tos años de acostumbrarse a huir...»

XIV

''...«Valientes —prosigue, dirigiéndose a los que
lo acompañan—, dadme el arco y el escudo, desnu-
dad vuestros aceros y que las roncas bocinas de
plata convoquen a mis huestes con sus bramidos.
Eldi Salek, uno de sus traidores capitanes por toda
respuesta, le hunde en el pecho su misma espada,
de que era portador, y blandiéndola después en

los aires en ademán de triunfo, prorrumpe a voces. ¡Animo, compañeros de esc'avitud! ¡Animo, domeñados ejércitos de Kattak y Lahore, desvanecidos un día al soplo del tirano como al del huracán el humo! ¡Animo! ¡Nuestro país es libre!»...

XV

"...En tanto, el infeliz rey revolcándose en su sangre, intenta en vano llamar en su socorro; la voz se ahoga en su garganta; hace una postrera tentativa para incorporarse, y cae a tierra muerto y con los puños crispados y tendidos hacia las bárbaras huestes, que se adelantan al bélico y rudo compás de sus instrumentos de bronce...

XVI

"...Los sacerdotes de Visnú advierten la sorpresa y, subiendo a las altas torres de la pagoda, llenan el ámbito de los aires con los terribles bramidos del caracol sagrado, al que responden en la llanura las bocinas de marfil de los guerreros de tu padre...

XVII

"...«¿Dónde está nuestro caudillo, que no corre al combate? ¿Por qué no vuela en la primera fila su manto de púrpura y el chal amarillo que ciñe su frente? ¡Mi dueño!», exclaman los valientes conquistadores de Kattak, y ninguno sabe decir dónde se encuentra el señor de Osira, que no responde al rumor de la batalla con el grito de guerra...

XVIII

"...Los enemigos se adelantan, la llanura gime bajo el peso de sus carros y elefantes de guerra,

el eco de los lejanos montes repite sus salvajes alaridos. Suena la señal del combate y de la muerte. Los defensores de Visnú expiran uno a uno al rigor del acero; el templo del dios es presa de las llamas, y con él la naciente ciudad que en sus inmediaciones levantó el rey de Osira en honor del benéfico genio de Allahabad...

XIX

"...Cuando llegó la noche, la expirante llama del incendio, arrojando sus temblorosos círculos de luz y de sombra sobre la llanura, chispeaba en el casco de los valientes que habían sucumbido a los golpes de Siva y que yacían entre el polvo cubiertos de sangre y de gloria.

"Un hondo silencio reinaba en el que fue teatro de la sangrienta lucha, silencio que sólo interrumpía el imponente estruendo de los muros al desplomarse abrasados por las silbadoras llamas, o el ronco grito del chacal que, ofuscado por el ardiente resplandor del fuego, rugía en su cueva; temeroso de lanzarse sobre los cadáveres insepultos.

"Los vencedores abundaron con el día la llanura, donde desde esa época nadie osa poner la planta temiendo el enojo de Siva, que quiso tener en aquellos lugares un templo de ruinas habitado por la soledad del espanto."

...

XX

Pulo escucha, sobrecogido de un religioso pavor, la historia del sangriento combate en que su padre perdió la vida, historia que en su país cantan las bayaderas al son de los címbalos, pero cuya terrible sencillez nunca había arrancado una lágrima tan

ardiente a sus ojos cual la que entonces rodó abrasadora sobre su mejilla.

XXI

El cuervo prosigue así:

—¿Ves allá, entre los espesos cañaverales, encenderse una llama ligera y cárdena, que vacila y corre sobre el haz de las fétidas aguas del pantano? Más lejos, al pie de la colina, donde a la sombra de un bosque sombrío se levanta un grosero sepulcro, formado de piedras toscas e irregulares, ¿ves cómo se desarrolla el brillante fluido, y vuela sobre la tumba, y se detiene junto a los troncos de los árboles y se multiplica, subdividiéndose en mil otras llamas fantásticas, ligeras y de un azulado resplandor?

XXII

"...Esos son los espíritus de los valientes que, en defensa del genio que te protege, sucumbieron al golpe de las hachas de Kattak. Dobla en tierra la rodilla, que tu padre va a dejar el seno de la tumba para guiarnos, a través de la noche del pantano y de las sombras de los valientes, al sitio en que, cubiertos de musgo y escondidos entre las hierbas altas y silenciosas, hallaremos los restos mortales, única reliquia del ara de Visnú."

..

XXIII

Pulo se arrodilla, y del tosco sepulcro del bosque se levanta una llama roja que, lanzándose al vacío, comienza a caminar con dirección al ocaso.

El cuervo sigue a la llama, y el príncipe al cuervo. De repente, aquélla se detiene sobre la cumbre

de la colina en cuya falda duerme el viento de la noche, suspirando entre las hojas de los árboles. El pájaro de la cabeza blanca tiende el vuelo y, cerniéndose en los aires sobre las ruinas de la pagoda, llama con una voz al caudillo; éste, maravillado y absorto, sube la suave pendiente que conduce al término de su peregrinación.

CANTO VI

I

—Vuelve a tu reino; derrama tus tesoros y trae en tu compañía los artífices más celebrados que en él encuentres. A la luz del sol durante el día, a la de las antorchas durante la noche, que no se dé un minuto de reposo a la ociosidad, fatigando el eco de esos solitarios lugares con el alegre y bullicioso clamor de los trabajadores, a los rudos y sonoros golpes del martillo . . .

II

". . . Seis años tienes de término para reedificar la pagoda que llenará al mundo de admiración, y alrededor de cuyas altísimas torres se agruparán las nubes y estallarán las tempestades como en las crestas de las montañas. Sedas hay en Cachemira; oro, de Siam; cedros, en Katay; elefantes, en Lahore, y perlas, en el golfo de Ormuz. Recorre esos países, y con sus ofrendas y tus adquisiciones la pagoda de nuestros días resplandecerá como los astros, flotantes moradas de los genios.

"—Y ¿cómo deberá representar a Visnú —in-

terrumpe el príncipe—, en traje de cazador, como un emblema de sus atributos, o en la figura que tú tienes, y que fue la suya durante algunos siglos?

"El cuervo prosigue:

"—Cuando hayas puesto sobre la más alta de las torres la última de las piedras que han de coronarla de la parte de Oriente, y conducido por las olas, llegará a estas riberas el gigantesco tronco de un árbol desconocido para los inmortales. Con las sombras de la noche que sustituya al día en que lo encuentres, llegará a las puertas de tu palacio un peregrino; acógele en tu morada, lávale los pies y siéntalo a tu mesa...

III

"...Este peregrino te dirá que le pidas alguna cosa en pago de tu hospitalidad; ruégagle, en nombre de nuestro común protector, que talle su efigie en el tronco del árbol desconocido. Si accede a tus súplicas, dale los útiles que necesite, señálale una habitación apartada de tu palacio, y cuida de no espiar sus operaciones durante la callada noche con una sola e indiscreta mirada; ésta bastaría para que el extranjero desapareciese de tu vista y fueran inútiles cuantos esfuerzos has hecho para dormir tu conciencia y lavar la mancha de sangre de tus manos."

IV

—Tus palabras —exclamó el caudillo— permanecerán grabadas en mi memoria, como el postrer adiós de mi moribunda madre, como el primer juramento de amor de mi amada Siannah; pero antes de separarnos, quizá para siempre; antes que vuelvas a remontar el vuelo para ocultarte a los ojos

de los hombres en la escarpada cumbre de tu roca solitaria, dime, si te es posible o si el secreto de tu existencia puede ser conocido por un miserable mortal: ¿quién eres tú? ¿Qué espíritu divino te alienta? ¿Por qué teniendo la inteligencia no del hombre, de los dioses, permaneces bajo la forma de un ave? ¿Acaso el genio que te favorece no tiene poder bastante para concederte cuanto inspire tu deseo o tu ambición?

V

El ave de la cabeza blanca responde:

—Yo era lo que soy, un cuervo; de esto hará ya cerca de seis mil u ocho mil años. Visnú, vencido por su antagonista Siva, huía de astro en astro, a través de los cielos; después de vagar errante por la inmensidad del vacío, se refugió por último en la Tierra. Aun allí le siguió su adversario; ya estaba éste próximo a descubrir sus huellas, cuando el genio de la conservación, viéndome en la cima de un áloe, sacó la esencia que daba la vida a mi forma y se encarnó en ésta, burlando así la vigilancia de su rival...

VI

"...Tres siglos transcurrieron, al cabo de los cuales, volviéndome a mi antiguo ser, el dios preguntóme: '¿Qué quieres?' 'La inmortalidad. 'Y ¿qué otra cosa?' 'La suprema inteligencia' '¿Y sólo eso?' 'Y ser hombre.' 'De hoy en adelante, tus votos serán cumplidos.' Y fui hombre inmortal e infalible; viví en el mundo, regeneré las sociedades, escribí leyes y ...el pago de mis vigilias, de mis afanes y de mi amor fue tal, que pedí volver a ser cuervo, y aunque después de juzgarme en la tumba, los hombres me

han hecho justicia, heme aquí que cuervo soy y cuervo seré hasta la consumación de los siglos.

VII

—Pero ¿quién eres o quién fuiste? —pregunta el príncipe al ave, que se aleja batiendo sus alas de azabache.

—Lee una inscripción que he grabado con mi pico en la carcomida piedra del ara y lo sabrás —dice ésta sin detenerse en su vuelo.

Pulo corre al lugar que acaba de indicarle; efectivamente, lee en la musgosa piedra la siguiente leyenda:

"Ésta es el ara del templo de Jaganata; por inspiración de Visnú, Brahma dejó la roca donde vive lejos del bullicio del mundo, para mostrárselo a Pulo-Delhi, rey de Osira, señor de señores, sombra de Dios e hijo de los astros luminosos."

CANTO VII

I

Dos años han transcurrido.

El templo de Jaganata, o *señor del mundo*, ha vuelto a levantarse sobre sus antiguas ruinas. El mismo día en que se colocó la última piedra en la gigante torre de la pagoda, el mar arrojó en las arenas de su orilla el tronco de un árbol, que los brahmines condujeron sobre sus hombros, y envolviéndolo en un manto de púrpura, a la morada del príncipe.

Éste, sentado sobre una alfombra de Persia, aguarda impaciente la hora en que el sol, descendiendo de su carro de oro, se ocultará tras la en-

cendida faja de luz que borda el horizonte del
Océano.

II

La niebla del crepúsculo se levanta del fondo de
los silenciosos lagos, y el padre del día se esconde
tras las nubes amontonadas en el Occidente, cuando
Pulo, que tiene fijos los ojos en la senda que con-
duce a su palacio, y en la cual nadie parece, ex-
clama, poseído de profundo desaliento:

—El día huye, la noche vence y el peregrino
tarda. Por ventura, ¿habré ofendido nuevamente al
dios con mi impaciencia? ¡Mi impaciencia! ¡Ah!
Cuando de su llegada pende la de mi esposa, y
la de la terminación de su trabajo la conclusión de
mis padecimientos y el perdón de mis culpas, ¿es
posible que no ansíe apagar el último rayo de luz
que brilla en el ocaso, y traer la noche sobre las lla-
nuras, para que con ella llegue el divino mensajero?

III

—Heme aquí.

El príncipe, sobrecogido al escuchar las ante-
riores palabras, vuelve el rostro y contempla, lleno
de gozo y ansiedad, al que las ha pronunciado.

El peregrino, que no era otro el que, tocando
ligeramente en la espalda de Pulo, respondió a las
ideas que formulaba en su mente, prosiguió de este
modo, dirigiéndose al príncipe:

—La noche se adelanta; escrito está en los sa-
grados *Vedas* que el mundo es la patria del pia-
doso peregrino; las humildes chozas y los maravi-
llosos palacios le deben una plaza en el hogar, en
la mesa y en el lecho. Señor de Osira, ¿querrás dar-
me un asilo en tu morada?

IV

El caudillo responde:

—El esposo, temblando de gozo, no conduce con tanta alegría a la mujer que ama al lecho nupcial, colgado de púrpura y lino, como yo te llevaré a sentarte a mi hogar, en mi lecho y en mi mesa.

V

El peregrino, conducido por el impaciente señor de Osira, penetra en en palacio. Las antorchas se encienden, el fuego del hogar se reanima, y sobre dos magníficos chales de casimir, los brahmines sirven exquisitos manjares en fuentes de oro al huésped enviado por el Cielo. Cuando termina el banquete y las copas de ámbar, coloreadas con aromáticos licores, circulan en derredor, vertiendo la alegría y la embriaguez, el peregrino se dirige a turbar los vapores del vino y la abrasadora atmósfera del festín.

VI

—Señor de señores —le dice—, tu copa ha sido la mía. ¿Con qué podré pagarte la hospitalidad que me has dispensado? Habla; tus deseos serán cumplidos.

El príncipe le ruega, siguiendo las instrucciones de Brahma, que esculpa en el tronco que arrojan las olas la imagen de Visnú. El peregrino accede, y se le proporcionan los instrumentos que desea y la estancia solitaria y apartada que exige.

VII

La pálida reina de la noche sube, serena, por el ancho cielo, derramando un suave y melancólico esplendor, que se quiebra en chispas de plata sobre las crestas de las ondas.

Todo está sumergido en el más profundo silencio cuando el caudillo, despertándose sobresaltado del sueño que a su pesar embargara su espíritu pasa sus manos sobre su abrasada frente para apartar de ella la bruma de la embriaguez.

VIII

Recuerda cuanto había tenido lugar aquella noche en su palacio y, combatido por la curiosidad y la impaciencia, presta atención por ver si en el silencio de la noche percibe los golpes de martillo y el cincel del escultor.

Ni un lejano murmullo turba la majestuosa tranquilidad de las sombras.

IX

"¿Si embriagado con el vapor de los licores se habrá rendido al sueño, abandonando su obra?", piensa entre sí.

Entonces se traba en el alma de Pulo una lucha entre la curiosidad y el temor, lucha que concluye con el triunfo de aquélla.

Un genio del mal guía sus pasos a través de la noche, y éstos se dirigen, impulsados por una fuerza incontrastable, hacia el lugar en que se encuentra el peregrino.

X

Presta de nuevo atención; nada se escucha. ¿Qué hará? ¡Si fuera posible descubrir un arcano!

Diciendo así, el caudillo de las manos rojas separa las colgaduras de seda y oro que cubren la puerta de la habitación que ocupa el misterioso viajero; un rayo que hubiera caído a sus pies no lo

asombraría tanto como la escena que se presenta a sus ojos.

XI

El peregrino ha desaparecido.

En mitad del aposento, y al débil resplandor de una lámpara de alabastro, se ve el informe busto de un horroroso ídolo.

La locura en sus fantásticas creaciones, el sueño en sus angustiosas pesadillas, el insomnio en su delirio abrumador, no forjaron nunca una imagen tan repugnante y terrible.

XII

No es un rostro el del genio benéfico que protege al príncipe, ese rostro en cuyas facciones se ven grabadas, en armoniosas líneas y rasgos atrevidos, la noble fiereza, la salvaje y varonil hermosura del dios de la selva, no; la fisonomía de aquella tosca escultura que, sin concluir aún, se presenta a los ojos del aterrado Pulo, tiene algo de infernal y medroso; de sus redondas pupilas parecen prontos a brotar el rayo y la muerte; su dilatada boca está contraída por una sonrisa feroz, todo él revela un genio del mal.

Es la imagen de Siva, y no la de Visnú.

La impaciencia ha perdido para siempre al desgraciado caudillo.

XIII

Éste, presa de un vértigo y saliendo de su inmovilidad:

—Brahmines —exclama en alta voz—, despertad de vuestros sueños; la esperanza de dicha que aún me restaba se ha desvanecido como el perfume de

un lirio que besa un simún. Siva venció en el combate; levantad el ídolo que lo representa; llevadlo al ara sobre vuestros hombros, al compás de los himnos de luto y del clamor de las plañideras y de los címbalos; suyo será el templo de su hermano, y con él mi vida.

XIV

Los brahmines y los servidores del príncipe, que han acudido a su llamamiento, se apresuran a ejecutar sus mandatos: las apagadas antorchas vuelven a despedir torrentes de luz, los guerreros hieren sus escudos con el pomo de la espada; las roncas bocinas de marfil ahuyentan el tranquilo sueño de los habitantes de Kattak, y la triste e imponente comitiva que conduce al dios de la muerte y del estrago se dirige a la gigantesca pagoda, del seno de la cual se escuchan levantarse, crecer y morir, temblando en el vacío, medrosos lamentos y horribles carcajadas. Son los genios de la destrucción, que solemnizan su victoria.

XV

El día comienza a despuntar; la luna se desvanece, y el mar se colora con la primera luz del alba. El templo resplandece, iluminado en su interior por cien y cien magníficas lámparas de bronce y oro; las blancas nubes que se elevan de los altares difunden la esencia de la mirra y del áloe por los extensos ámbitos de la pagoda; el príncipe ha ceñido la frente con el amarillo chal, emblema del poder soberano, y cubierto con sus más ricas vestiduras, está de rodillas ante el ara.

Las ceremonias con que los brahmines, invocando la piedad de los genios, han dado posesión al de

la muerte del templo de Jaganta, han concluido.

XVI

—¡Sacerdotes, caudillos, siervos! —prorrumpe al
fin el señor de Osira—. ¡La cólera de los dioses está
suspendida sobre mi cabeza como una espada pen-
diente de un cabello; mis manos, que desde la te-
rrible hora en que subí al solio ningún mortal ha
visto desnudas, están manchadas de sangre! Ved-
las; esta sangre es la de mi antecesor, la de mi her-
mano, a quien arranqué la vida con la corona. Siva,
el dios del remordimiento y de la expiación, me
exige ojo por ojo, corona por corona, vida por vida.
Cúmplase su voluntad. Sacerdotes, caudillos, siervos:
rogad por el último de los Dheli, cuya raza va a
desaparecer de la Tierra.

La multitud, sobrecogida y llena de terror, per-
manece en silencio. Pulo, volviéndose hacia el altar
en que está colocado el dios, prosigue de este modo,
dirigiéndose al informe ídolo, que parece que con-
trae sus labios con una muda e infernal sonrisa:

XVII

—Siva, enemigo y extirpador de mi raza, si la
sangre puede borrar mis culpas, apartando tu cóle-
ra de la frente de Siannah, recíbela como mi última
ofrenda; pero concédeme, al menos, que antes de
partir del mundo la contemple un instante por la
postrera vez; que su boca reciba el frío y apagado
aliento de la mía; que sus besos cierren mis párpa-
dos a la eterna noche de la tumba.

XVIII

La muchedumbre que ocupa las naves del tem-

plo tiene fijos sus ojos en el príncipe y arroja un grito de horror.

Pulo se ha atravesado con su espada, y el caliente borbotón de sangre que brotó de su herida saltó humeando al rostro del genio.

En aquel instante, una mujer atraviesa el atrio de la pagoda y se adelanta hasta el recinto en que se eleva el ara de Siva.

—¡Siannah! —murmura el príncipe, reconociéndola—. Siannah, al fin te veo antes de morir —y expira.

XIX

Siannah, la perla de Ormuz, la violeta de Osira, el símbolo de la hermosura y del amor, la que formó Bermach en un delirio de placer, combinando la gentileza de las palmas de Nepal, la flexibilidad de los juncos del Ganges, la esmeralda de los ojos de una *schiva*, la luz de un diamante de Golconda, la armonía de una noche de verano y la esencia de un lirio salvaje del Himalaya; Siannah, la hermosa entre las hermosas, siguió a Pulo a través de su peregrinación en esas regiones desconocidas, de las que ningún viajero vuelve.

Siannah fue la primera viuda indiana que se arrojó al fuego con el cadáver de su esposo.

LA CREACIÓN

(Poema Indio)

I

Los aéreos picos del Himalaya se coronan de

nieblas oscuras, en cuyo seno hierve el rayo, y sobre las llanuras que se extienden a sus pies flotan nubes de ópalo, que derraman sobre las flores un rocío de perlas.

Sobre la onda pura del Ganges se mece la simbólica flor del loto, y en la ribera aguarda su víctima el cocodrilo, verde como las hojas de las plantas acuáticas que lo esconden a los ojos del viajero.

En las selvas del Indostán hay árboles gigantescos, cuyas ramas ofrecen un pabellón al cansado peregrino, y otros cuya sombra letal lo llevan desde el sueño a la muerte.

El amor es un caos de luz y de tinieblas; la mujer, una amalgama de perjurios y ternura; el hombre, un abismo de grandeza y pequeñez; la vida, en fin, puede compararse a una larga cadena con eslabones de hierro y de oro.

II

El mundo es un absurdo animado que rueda en el vacío para asombro de sus habitantes.

No busquéis su explicación en los *Vedas,* testimonios de las locuras de nuestros mayores, ni en las *Puranas,* donde, vestidos con las deslumbradoras galas de la poesía, se acumulan disparates sobre disparates acerca de su origen.

Oíd la historia de la Creación tal como fue revelada a un piadoso brahmín, después de pasar tres meses en ayunas, inmóvil en la contemplación de sí mismo y con los índices levantados hacia el firmamento.

III

Brahma es el punto de la circunferencia: de él parte y al él converge todo. No tuvo principio, ni

tendrá fin.

Cuando no existían ni el espacio ni el tiempo, Maya flotaba a su alrededor como una niebla confusa, pues, absorto en la contemplación de sí mismo, aún no la había fecundado con sus deseos.

Como todo cansa, Brahma se cansó de contemplarse, y levantó los ojos de una de sus cuatro caras y se encontró consigo mismo, y abrió airado los de otra y tornó a verse, porque él lo ocupaba todo, y todo era él.

La mujer hermosa, cuando pule el acero y contempla su imagen, se deleita en sí misma; pero al cabo busca otros ojos donde fijar los suyos, y si no los encuentra, se aburre.

Brahma no es vano como la mujer, porque es perfecto. Figuraos si se aburriría de hallarse solo, en medio de la eternidad y con cuatro pares de ojos para verse.

IV

Brahma deseó por primera vez, y su deseo, fecundando a la creadora Maya que lo envolvía, hizo brotar de su seno millones de puntos de luz, semejantes a esos átomos microscópicos encendidos que nadan en el rayo del sol que penetra por entre la copa de los árboles.

Aquel polvo de oro llenó el vacío, y al agitarse produjo miríadas de seres, destinados a entonar himnos de gloria a su creador.

Los *gandharvas*, o cantores celestes, con sus rostros hermosísimos, sus alas de mil colores, sus carcajadas sonoras y sus juegos infantiles, arrancaron a Brahma la primera sonrisa, y de ella brotó el Edén. El Edén con sus ocho círculos, las tortugas y los elefantes que los sostienen, y su santuario en la cúspide.

V

Los chiquillos fueron siempre chiquillos: bulliciosos, traviesos e incorregibles, comienzan por hacer gracia; una hora después aturden y concluyen por fastidiar. Una cosa muy parecida debía de acontecerle a Brahma cuando, apeándose del gigantesco cisne que como un corcel de nieve lo pasaba por el cielo, dejó aquella turbamulta de *gandharvas* en los círculos inferiores y se retiró al fondo de su santuario.

Allí, donde no llega ni un eco perdido, ni se percibe el rumor más leve; donde reina el augusto silencio de la soledad, y su profunda calma convida a las meditaciones Brahma, buscando una distracción con que matar su eterno fastidio, después de cerrar la puerta con dos vueltas de llave, entregóse a la alquimia.

VI

Los sabios de la tierra, que pasan su vida encorvados sobre antiguos pergaminos, que se rodean de mil objetos misteriosos y conocen las extrañas propiedades de las piedras preciosas, los metales y las palabras cabalísticas, hacen, por medio de esta ciencia, transformaciones increíbles. El carbón lo convierten en diamante, la arcilla en oro; descomponen al agua y el aire, analizan la llama y arrancan al fuego el secreto de la vitalidad y la luz.

Si todo esto consigue un mortal miserable con el reflejo de su saber, figuraos por un instante lo que haría Brahma, que es el principio de toda ciencia.

VII

De un golpe creó los cuatro elementos, y creó también a sus guardianes; Agnis, que es el espíritu de las llamas; Vajous, que ahúlla montado en el huracán: Varunas que se revuelve en los abismos del Océano, y Prithivi. que conoce todas las cavernas subterráneas de los mundos y vive en el seno. de la creación.

Después encerró en redomas transparentes y de una materia nunca vista, gérmenes de cosas inmateriales e intangibles: pasiones, deseos, facultades, virtudes, principios de dolor y de gozo, de muerte y de vida, de bien y de mal. Y todo lo subdividió en especies, y lo clasificó con diligencia exquisita, poniéndole un rótulo escrito a cada una de las redomas.

VIII

La turba de rapaces, que ensordecían en tanto con sus voces y sus ruidosos juegos los círculos inferiores del Paraíso, echó de ver la falta de su señor. "¿Dónde estará?", exclamaban los unos. "¿Qué hará?", decían entre sí los otros; y no eran parte a disminuir el afán de los curiosos las columnas de neggro humo que veían salir en espirales inmensas del laboratorio de Brahma, ni los globos de fuego que desde el mismo punto se lanzaban volteando al vacío, y allí giraban como en una ronda luminosa y magnífica.

IX

La imaginación de los muchachos es un corcel, y la curiosidad, la espuela que lo aguijonea y lo arrastra a través de los proyectos más imposibles. Movidos por ella. los microscópicos cantores comenzaron a trepar por las piernas de los elefantes que sustentan los círculos del cielo, y de uno en otro se

encaramaron hasta el misterioso recinto donde Brahma permanecía aún absorto en sus especulaciones científicas.

Una vez en la cúspide los más atrevidos se agruparon alrededor de la puerta, y unos por el ojo de la llave y otros por entre las rendijas y claros de los mal unidos tableros, penetraron con la mirada en el inmenso laboratorio objeto de su curiosidad.

El espectáculo que se ofreció a sus ojos no pudo menos de sorprenderlos.

X

Allí había diseminadas, sin orden ni concierto, vasijas y redomas colosales de todas hechuras y colores. Esqueletos de mundos, embriones de astros y fragmentos de lunas yacían confundidos con hombres a medio modelar, proyectos de animales monstruosos sin concluir, pergaminos oscuros, libros en folio e instrumentos extraños. Las paredes estaban llenas de figuras geométricas, signos cabalísticos y fórmulas mágicas, y en medio del aposento en una gigantesca marmita colocada sobre una lumbre inextinguible, hervían con ruido sordo mil y mil ingredientes sin nombre, de cuya sabia combinación habían de resultar las creaciones perfectas.

XI

Brahma, a quien apenas bastaban sus ocho brazos y sus dieciséis manos para tapar y destapar vasijas, agitar líquidos y remover mixturas, tomaba algunas veces un gran canuto, a manera de cerbatana, y así como los chiquillos hacen pompas de jabón valiéndose de las cañas del trigo seco, lo sumergía en el licor, se inclinaba después sobre los abismos del cielo y soplaba en la punta, apareciendo en la otra un globo candente, que, al lanzarse, comenzaba

a girar sobre sí mismo y al compás de los otros que ya flotaban en el espacio.

XII

Inclinado sobre el abismo sin fondo, el creador los seguía con una mirada satisfecha, y aquellos mundos luminosos y perfectos, poblados de seres felices y hermosísimos sobre toda ponderación, que son esos astros que, semejantes a los soles vemos aún en las noches serenas, entonaban un himno de alegría a su dios girando sobre sus ejes de diamante y oro con una cadencia majestuosa y solemne.

Los pequeñuelos *gandharvas*, sin atreverse ni aun a respirar, se miraban espantados entre sí, llenos de estupor y miedo ante aquel espectáculo grandioso.

XIII

Cansóse Brahma de hacer experimentos y, abandonando el laboratorio, no sin haberle echado, al salir, la llave, y guardándola en el bolsillo, tornó a montar sobre su cirne con objeto de tomar el aire. Pero ¡cuál no sería su preocupación cuando él, que todo lo ve y todo lo sabe, no advirtió que, abstraído en sus ideas, había echado la llave en falso! No le pasó lo mismo a la inquieta turba de rapaces, que, advirtiendo el descuido, lo siguiera a larga distancia con la vista, y cuando se creyeron solos, uno empuja poquito a poco la puerta, éste asoma la cabeza, aquél adelanta un pie, acabaron por invadir el laboratorio, tardando muy poco en encontrarse en él como en su casa.

XIV

Pintar la escena que entonces se verificó en aquel recinto sería imposible.

Primeramente examinaron todos los objetos con el mayor asombro; luego se atrevieron a tocarlos, y al fin terminaron por no dejar títere con cabeza. Echaron pergaminos en la lumbre para que sirviera de pasto a las llamas; destaparon las redomas, no sin quebrar algunas; removieron las vasijas, derramando su contenido, y después de oler, probar y revolverlo todo, los unos se colgaron de los soles y estrellas aún no concluidos y pendientes de las bóvedas para secarse; los otros se subían por las osamentas de los gigantescos animales cuyas forma no habían agradado al señor. Y arrancaron las hojas de los libros para hacer mitras de papel, y se colocaron los compases entre las piernas, a guisa de caballo, y rompieron las varas de virtudes misteriosas, balanceándose con ellas.

Por último, cansados de enredar, decidieron hacer un mundo tal y como lo habían visto hacer.

XV

Aquí comenzó el gran bullicio, la confusión y las carcajadas. La marmita estaba candente. Llegó el uno, vertió un líquido en ella, y se levantó una columna de humo. Luego vino otro, arrojó sobre aquél un elixir misterioso que contenía una redoma, con la que llegó casi sin aliento hasta el borde del receptáculo: tan grande era la vasija y tan rapazuelo su conductor. A cada nuevo ingrediente que arrojaban en la marmita se elevaban de su fondo llamaradas azules y rojas, que saludaba la alegre muchedumbre con gritos de júbilo y risotadas interminables.

XVI

Allí mezclaron y confundieron todos los elementos del bien y del mal, el dolor y la alegría, la fealdad y la hermosura, la abnegación y el egoísmo los gérmenes del hielo, destinados a mundos hechos de manera que el frío causase una fruición deleitosa en sus habitantes, y los del calor, compuestos para globos cuyos seres se habían de gozar en las llamas, y revolvieron los principios de la divinidad, el espíritu con la grosera materia, la arcilla y el fango, confundiendo en un mismo brebaje la impotencia y los deseos, la grandeza y la pequeñez, la vida y la muerte.

Aquellos elementos tan contrarios rabiaban al verse juntos en el fondo de la marmita.

XVII

Hecha la operación, uno de ellos se arrancó una pluma de las alas, le cortó las barbas con los dientes y, mojando lo restante en el líquido fue a inclinarse sobre el abismo sin fondo, y sopló, y apareció un mundo, un mundo deforme, raquítico, oscuro, aplastado por los polos, que volteaban de medio ganchete, con montañas de nieve y arenales encendidos, con fuego en las entrañas y océanos en la superficie, con la humanidad frágil y presuntuosa, con aspiraciones de dios y flaquezas de barro. El principio de muerte destruyendo cuanto existe, y el principio de vida, con conatos de eternidad, reconstruyéndolo con sus mismos despojos; un mundo disparatado, absurdo, inconcebible: nuestro mundo, en fin.

Los chiquillos que lo habían formado, al mirarlo rodar en el vacío de un modo tan grotesco, lo saludaron con una inmensa carcajada, que resonó

en los ocho círculos del Edén.

XVIII

Brahma, al escuchar aquel ruido, volvió en sí y vio cuanto pasaba, y lo comprendió todo. La indignación llameó en sus pupilas. Su airado acento atronó el cielo y amedrentó a la turba de muchachos, que huyó sobrecogida y dispersa a puntapiés, y ya tenía levantada la mano sobre aquella deforme creación para destruirla; ya el solo amago había producido en ella esa gran catástrofe que aún recordamos con el nombre del Diluvio, cuando uno de los *gandharvas*, el más travieso, pero el más mono, se arrojó a sus plantas, diciendo entre sollozos:

—¡Señor, Señor, no nos rompas nuestro juguete!

XIX

Brahma es grave, porque es dios y, sin embargo tuvo que hacer un gran esfuerzo al oír estas palabras para no dejar reventar la risa que le retozaba en los ojos. Al cabo, reponiéndose exclamó:

—¡Id, turba desalmada e incorregible! Marchaos a donde no os vea más con vuestra deforme criatura. Ese mundo no debe, no puede existir, porque en él hasta los átomos pelean con los átomos; pero marchad, os repito. Mi esperanza es que en poder vuestro no durará mucho.

Dijo Brahma, y los chiquillos, dándose empellones y riéndose descompasadamente y arrojando gritos descomunales, se lanzaron en pos de nuestro globo, y éste le da por aquí, el otro le hurga por allá... Desde entonces ruedan con él por el cielo, para asombro de los otros mundos y desesperación

de sus habitantes.

Por fortuna nuestra, Brahma lo dijo, y sucederá así. Nada hay más delicado ni más temible que las manos de los chiquillos; en ellas, el juguete no puede durar mucho.

MAESE PÉREZ

EL ORGANISTA

(Leyenda Sevillana)

En Sevilla, en el mismo atrio de Santa Inés, y mientras esperaba que comenzase la misa del Gallo, oí esta tradición a una demandadera del convento.

Como era natural, después de oírla aguardé impaciente que comenzara la ceremonia, ansioso de asistir a un prodigio.

Nada menos prodigioso sin embargo, que el órgano de Santa Inés, ni nada más vulgar que los insulsos motetes con que nos regaló su organista aquella noche.

Al salir de la misa no pude por menos que decirle a la demandadera con aire de burla:

—¿En qué consiste que el órgano de maese Pérez suena ahora tan mal?

—¡Toma —me contestó la vieja—, en que ése no es el suyo!

—¿No es el suyo? ¿Pues qué ha sido de él?

—Se cayó a pedazos de puro viejo hace una porción de años.

—¿Y el alma del organista?

—No ha vuelto a aparecer desde que colocaron el que ahora lo sustituye.

Si a alguno de mis lectores se le ocurriese ha-

cerme la misma pregunta después de leer esta historia, ya sabe por qué no se ha continuado el milagroso portento hasta nuestros días.

I

—¿Veis ese de la capa roja y la pluma blanca en el fieltro, que parece que trae sobre su justillo todo el oro y los galones de Indias; aquel que baja en este momento de su litera para dar la mano a esa otra señora que, después de dejar la suya, se adelanta hacia aquí, precedida de cuatro pajes con hachas? Pues ése es el marqués de Moscoso, galán de la condesa viuda de Villapineda. Se dice que antes de poner sus ojos sobre esta dama había pedido en matrimonio a la hija de un opulento señor, mas el padre de la doncella, de quien se murmura que es un poco avaro... Pero, ¡calla!, en hablando del ruin de Roma, cátae aquí que asoma. ¿Véis aquel que viene por debajo del Arco de San Felipe a pie, embozado en una capa oscura y precedido de un solo criado con una linterna? Ahora llega frente al retablo.

"¿Reparasteis, al desembozarse para saludar a la imagen, en la encomienda que brilla en su pecho? A no ser por ese doble distintivo, cualquiera lo creería un lonjista de la calle de Culebras... Pues éste es el padre en cuestión. Mirad cómo la gente del pueblo le abre paso y lo saluda. Él solo tiene más ducados de oro en sus arcas que soldados mantiene nuestro señor don Felipe, y con sus galeones podría formar una escuadra suficiente a resistir a la del Gran Turco...

"Mirad, mirad ese grupo de señores graves; ésos son los caballeros veinticuatro. ¡Hola, hola! También

está aquí el flamencote, a quien se dice que no han echado ya el guante los señores de la Cruz Verde merced a su influjo con los magnates de Madrid... Éste no viene a la iglesia más que a oír música... No, pues si maese Pérez no le arranca con su árgano lágrimas como puños, bien se puede asegurar que no tiene su alma en su almario, sino friéndose en las calderas de Pedro Botero... ¡Ay. vecina! Malo..., malo... Presumo que vamos a tener jarana. Yo me refugio en la iglesia. Pues, por lo que veo, aquí van a andar más de sobra los cintarazos que los *paternoster*. Mirad, mirad: las gentes del duque de Alcalá doblan la esquina de la plaza de San Pedro, por el callejón de las Dueñas se me figura que he columbrado a las del de Medina Sidonia. ¿No os lo dije?

"Ya se han visto, ya se detienen unos y otros, sin pasar de sus puestos... Los grupos se disuelven... Los ministriles, a quienes en estas ocasiones apalean amigos y enemigos, se retiran... Hasta el señor asistente, con su vara y todo, se refugia en el atrio... Y luego dicen que hay justicia. Para los pobres.

"Vamos, vamos, ya brillan los broqueles en la oscuridad... ¡Nuestro Señor del Gran Poder nos asista! Ya comienzan los golpes... ¡Vecina, vecina! Aquí... antes que cierren las puertas. Pero ¡calle! ¿Qué es eso? Aún no han comenzado, cuando lo dejan... ¿Qué resplandor es aquél?... ¡Hachas encendidas! ¡Literas! Es el señor arzobispo.

"La Virgen Santísima del Amparo, a quien invocaba ahora mismo con el pensamiento, lo trae en mi ayuda... ¡Ay! ¡Si nadie sabe lo que yo debo a esa Señora!... ¡Con cuánta usura me paga las candelillas que le enciendo los sábados!... Vedlo qué

hermosote está con sus hábitos morados y su birrete rojo... Dios le conserve en su silla tantos siglos como deseo de vida para mí. Si no fuera por él, media Sevilla hubiera ya ardido con estas disensiones de los duques. Vedlos, vedlos, los hipocritones, cómo se acercan ambos a la litera del prelado para besarle el anillo... Cómo lo siguen y lo acompañan confundiéndose con sus familiares. Quién diría que esos dos que parecen tan amigos, si dentro de media hora se encuentran en una calle oscura... Es decir, ¡ellos, ellos!... Líbreme Dios de creerlos cobardes. Buena muestra han dado de sí peleando en algunas ocasiones contra los enemigos de Nuestro Señor... Pero es la verdad que si se buscaran... Y si se buscaran con ganas de encontrarse, se encontrarían, poniendo fin de una vez a estas continuas reyertas, en las cuales los que verdaderamente baten el cobre de firme son sus deudos, sus allegados y su servidumbre.

»Pero vamos, vecina, vamos a la iglesia, antes que se ponga de bote en bote..., que algunas noches como ésta suele llenarse de modo que no cabe ni un grano de trigo... Buena ganga tienen las monjas con su organista... ¿Cuándo se ha visto el convento tan favorecido como ahora?... De las otras comunidades puedo decir que le han hecho a maese Pérez proposiciones magníficas. Verdad que nada tiene de extraño, pues hasta el señor arzobispo le ha ofrecido montes de oro por llevarlo a la catedral... Pero él, nada... Primero dejaría la vida que abandonar su órgano favorito... ¿No conocéis a maese Pérez? Verdad es que sois nueva en el barrio... Pues es un santo varón; pobre, sí, pero limosnero cual no otro... Sin más pariente que su hija ni más amigos que su órgano, pasa su vida

entera en velar por la inocencia de la una y compo-
ner los registros del otro... ¡Cuidado que el ór-
gano es viejo!... Pues nada; él se da tal maña en
arreglarlo y cuidarlo, que suena que es una mara-
villa... Como que le conoce de tal modo, que a
tientas... Porque no sé si os lo he dicho, pero el
pobre es ciego de nacimiento... ¡Y con qué pa-
ciencia lleva su desgracia!... Cuando le preguntan
que cuánto daría por ver, responde: "Mucho, pero
no tanto como créeis, porque tengo esperanzas"
"¿Esperanzas de ver?" "Sí, y muy pronto (añade,
sonriendo como un ángel.) Ya cuento setenta y seis
años. Por muy larga que sea mi vida, pronto veré
a Dios."

»¡Pobrecito! Y sí lo verá..., porque es humil-
de como las piedras de la calle, que se dejan pi-
sar de todo el mundo... Siempre dice que no es más
que un pobre organista de convento, y puede dar
lecciones de solfa al mismo maestro de capilla de la
Primada. Como que echó los dientes en el oficio...
Su padre tenía la misma profesión que él. Yo no
lo conocí, pero mi señora madre, que santa gloria
haya, dice que lo llevaba siempre al órgano consi-
go para darle a los fuelles. Luego, el muchacho
mostró tales disposiciones, que, como era natural, a
la muerte de su padre heredó el cargo... ¡Y qué
manos tiene, Dios se las bendiga! Merecía que se
las llevaran a la calle de Chicharreros y se las
engarzasen en oro... Siempre toca bien, siem-
pre; pero en semejante noche como ésta es un pro-
digio... Él tiene una gran devoción por esta cere-
monia de la misa del Gallo, y cuando levantan la
Sagrada Forma, al punto y hora de las doce, que
es cuando vino al mundo Nuestro Señor Jesucris-
to..., las voces de su órgano son voces de ánge-

les...

»En fin, ¿para qué tengo que ponderarle lo que esta noche oirá? Baste el ver cómo todo lo más florido de Sevilla, hasta el mismo señor arzobispo, vienen a un humilde convento para escucharlo. Y no se crea que sólo la gente sabida, y a la que se le alcanza esto de la solfa, conoce su mérito, sino que hasta el populacho. Todas esas bandadas que veis llegar con teas encendidas, entonando villancicos con gritos desaforados al compás de los panderos, las sonajas y las zambombas, contra sus costumbres que es la de alborotar en las iglesias, callan como muertos cuando pone maese Pérez las manos en el órgano...; y cuando alzan... cuando alzan no se siente una mosca...: de todos los ojos caen lagrimones tamaños, y al concluir se oye como un suspiro inmenso, que no es otra cosa que la respiración de los circunstantes, contenida mientras dura la música... Pero vamos, vamos; ya han dejado de tocar las campanas, y va a comenzar la misa. Vamos adentro... Para todo el mundo es esta noche, Nochebuena, pero para nadie mejor que para nosotros.

Esto diciendo, la buena mujer que había servido de cicerone a su vecina atravesó el atrio del convento de Santa Inés y, codazo en éste, empujón en aquél, se internó en el templo, perdiéndose entre la muchedumbre que se agolpaba en la puerta.

II

La iglesia estaba iluminada con una profusión asombrosa. El torrente de luz que se desprendía de los altares para llenar sus ámbitos chispeaba en los ricos joyeles de las damas, que, arrodillándose sobre los cojines de terciopelo que tendían los pajes

y tomando el libro de oraciones de manos de sus dueñas, vinieron a formar un brillante círculo alrededor de la verja del presbiterio.

Junto a aquella verja, de pie, envueltos en sus capas de color galoneadas de oro, dejando entrever con estudiado descuido las encomiendas rojas y verdes, en la una mano el fieltro, cuyas plumas besaban los tapices; la otra sobre los bruñidos gavilanes del estoque o acariciando el pomo del cincelado puñal, los caballeros veinticuatro, con gran parte de lo mejor de la nobleza sevillana, parecían formar un muro destinado a defender a sus hijas y a sus esposas del contacto de la plebe. Ésta, que se agitaba en el fono de las naves con un rumor parecido al del mar cuando se alborota, prorrumpió en una aclamación de júbilo, acompañada del discordante sonido de las sonajas y los panderos, al mirar aparecer al arzobispo, el cual, después de sentarse junto al altar mayor, bajo un solio de grana que rodearon sus familiares, echó por tres veces la bendición al pueblo.

Era hora de que comenzase la misa. Transcurrieron, sin embargo, algunos minutos sin que el celebrante apareciese. La multitud comenzaba a rebullirse demostrando su impaciencia; los caballeros cambiaban entre sí algunas palabras a media voz, y el arzobispo mandó a la sacristía a uno de sus familiares a inquirir por qué no comenzaba la ceremonia.

—Maese Pérez se ha puesto malo, muy malo, y será imposible que asista esta noche a la misa de medianoche.

Ésa fue la respuesta del familiar.

La noticia cundió instantáneamente entre la muchedumbre. Pintar el efecto desagradable que causó

en todo el mundo sería cosa imposible. Baste decir que comenzó a notarse tal bullicio en el templo que el asistente se puso en pie y los alguaciles entraron a imponer silencio, confundiéndose entre las apiñadas olas de la multitud.

En aquel momento, un hombre mal trazado, seco, huesudo y bisojo por añadidura, se adelantó hasta el sitio que ocupaba el prelado.

—Maese Pérez está enfermo —dijo—. La ceremonia no puede empezar. Si queréis, yo tocaré el órgano en su ausencia, que ni maese Pérez es el primer organista del mundo, ni a su muerte dejará de usarse este instrumento por falta de inteligente.

El arzobispo hizo una señal de asentimiento con la cabeza, y ya algunos de los fieles, que conocían a aquel personaje extraño por un organista envidioso, enemigo del de Santa Inés, comenzaba a prorrumpir en exclamaciones de disgusto, cuando de improviso se oyó en el atrio un ruido espantoso.

—¡Maese Pérez está aquí!... ¡Maese Pérez está aquí!...

A estas voces de los que estaban apiñados en la puerta, todo el mundo volvió la cara.

Maese Pérez, pálido y desencajado, entraba, en efecto, en la iglesia, conducido en un sillón que todos se disputaban el honor de llevar en sus hombros.

Los preceptos de los doctores, las lágrimas de su hija, nada había sido bastante a detenerle en el lecho.

—No —había dicho—. Ésta es la última, lo conozco. Lo conozco, y no quiero morir sin visitar mi órgano, y esta noche sobre todo, la Nochebuena. Vamos, lo quiero, lo mando. Vamos a la iglesia.

Sus deseos se habían cumplido. Los concurren-

tes lo subieron en brazos a la tribuna y comenzó la misa. En aquel punto sonaban las doce en el reloj de la catedral.

Pasó el Introito, y el Evangelio, y el Ofertorio, y llegó el instante solemne en que el sacerdote, después de haberla consagrado, toma con la extremidad de sus dedos la Sagrada Forma y comienza a elevarla.

Una nube de incienso que se desenvolvía en ondas azuladas llenó el ámbito de la iglesia. Las campanillas repicaron con un sonido vibrante y maese Pérez puso sus crispadas manos sobre las teclas del órgano.

Las cien voces de sus tubos de metal resonaron en un acorde majestuoso y prolongado, que se perdió poco a poco, como si una ráfaga de aire hubiese arrebatado sus últimos ecos.

A este primer acorde, que parecía una voz que se elevaba desde la tierra al cielo, respondió otro lejano y suave, que fuecreciendo, creciendo, hasta convertirse en un torrente de atronadora armonía. Era la voz de los ángeles que, atravesando los espacios, llegaba al mundo.

Después comenzaron a oírse como unos himnos distantes que entonaban las jerarquías de serafines. Mil himnos a la vez, que al confundirse formaban uno solo, que, no obstante, sólo era el acompañamiento de una extraña melodía, que parecía flotar sobre aquel océano de acordes misteriosos, como un jirón de niebla sobre las olas del mar.

Luego fueron perdiéndose unos cuantos; después, otros. La combinación se simplificaba. Ya no eran más que dos voces, cuyos ecos se confundían entre sí; luego quedó una aislada, sosteniendo una nota brillante como un hilo de luz. El sacerdote in-

clinó la frente y por encima de su cabeza cana, y como a través de una gasa azul que fingía el humo del incienso, apareció la Hostia a los ojos de los fieles. En aquel instante, la nota que maese Pérez sostenía tremante se abrió, se abrió y una explosión de armonía gigante estremeció la iglesia, en cuyos ángulos zumbaba el aire comprimido y cuyos vidrios de colores se estremecían en sus angostos ajimeces.

De cada una de las notas que formaban aquel magnífico acorde se desarrolló un tema, y unos cerca, otros lejos, éstos brillantes, aquéllos sordos, diríase que las aguas y los pájaros, las brisas y las frondas, los hombres y los ángeles, la tierra y los cielos, cantaban, cada cual en su idioma, un himno al nacimiento del Salvador.

La multitud escuchaba atónita y suspendida. En todos los ojos había una lágrima; en todos los espíritus, un profundo recogimiento.

El sacerdote que oficiaba sentía temblar sus manos, porque Aquel que levantaba en ellas, Aquel a quien saludaban hombres y arcángeles, era su Dios, era su Dios, y le parecía haber visto abrirse los cielos y transfigurarse la Hostia.

El órgano proseguía sonando; pero sus voces se apagaban gradualmente, como una voz que se pierde de eco en eco y se aleja y se debilita al alejarse, cuando de pronto sonó un grito en la tribuna, un grito desgarrador, agudo, un grito de mujer.

El órgano exhaló un sonido discorde y extraño, semejante a un sollozo, y quedó mudo.

La multitud se agolpó a la escalera de la tribuna, hacia la que, arrancados de su éxtasis religioso, volvieron la mirada con ansiedad todos los fieles.

—¿Qué ha sucedido? ¿Qué pasa? —se decían

unos a otros, y nadie sabía responder, y todos se empeñaban en adivinarlo, y crecía la confusión, y el alboroto comenzaba a subir de punto, amenazando turbar el orden y el recogimiento propios de la iglesia.

—¿Qué ha sido eso? —preguntaron las damas al asistente, que, precedido de los ministriles, fue uno de los primeros en subir a la tribuna, y que, pálido y con muestras de profundo pesar, se dirigía al puesto en donde lo esperaba el arzobispo, ansioso, como todos, por saber la causa de aquel desorden.

—¿Qué hay?

—Que maese Pérez acaba de morir.

En efecto, cuando los primeros fieles, después de atropellarse por la escalera, llegaron a la tribuna, vieron al pobre organista caído de boca sobre las teclas de su viejo instrumento, que aún vibraba sordamente, mientras su hija, arrodillada a sus pies, lo llamaba en vano entre suspiros y sollozos.

III

—Buenas noches, mi señora doña Baltasara. ¿También usarced viene esta noche a la misa del Gallo? Por mi parte, tenía hecha intención de ir a oírla a la parroquia; pero lo que sucede... ¿Dónde va Vicente? Donde va la gente. Y eso que, si he de decir la verdad, desde que murió maese Pérez parece que me echan una losa sobre el corazón cuando entro en Santa Inés... ¡Pobrecillo! ¡Era un santo!... Yo de mí sé decir que conservo un pedazo de su jubón como una reliquia, y lo merece... Pues en Dios y en mi ánima que si el señor arzobispo tomara mano en ello, es seguro que nuestros nietos lo verían en los altares... Mas ¡cómo ha de ser!.. A muertos y a idos no hay amigos... Ahora lo que

priva es la novedad..., ya me entiende usarced.
¡Qué! ¿No sabe usted nada de lo que pasa? Verdad
que nosotras nos parecemos en eso: de nuestra ca-
sita a la iglesia y de la iglesia a nuestra casita, sin
cuidarnos de lo que se dice o se deja de decir...
Sólo que yo, así... al vuelo..., una palabra de
acá, otra de acullá... sin ganas de enterarme si-
quiera, suelo estar al corriente de algunas noveda-
des.

»Pues sí, señor. Parece cosa hecha que el orga-
nista de San Román, aquel bisojo que siempre está
echando pestes de los otros organistas, perdulariote,
que más parece jifero de la Puerta de la Carne que
maestro de solfa, va a tocar esta Nochebuena en lu-
gar de maese Pérez. Ya sabrá usarced, porque esto
lo ha sabido todo el mundo y es cosa pública en
Sevilla, que nadie quería comprometerse a hacerlo.
Ni aun su hija, que es profesora, y después de la
muerte de su padre entró en el convento de no-
vicia.

»Y era natural: acostumbrados a oír aquellas ma-
ravillas, cualquiera otra cosa había de parecernos
mala, por más que quisieran evitarse las compara-
ciones. Pues cuando ya la comunidad había decidido
que en honor del difunto, y como muestra de res-
peto a su memoria, permanecería callado el órgano
en esta noche, hete aquí que se presenta nuestro
hombre diciendo que él se atreve a tocarlo... No
hay nada más atrevido que la ignorancia... Cier-
to que la culpa no es suya, sino de los que le con-
sienten esta profanación. Pero así va el mundo...
Y digo... No es cosa la gente que acude... Cual-
quiera diría que nada ha cambiado de un año a
otro. Los mismos personajes, el mismo lujo, los mis-
mos empellones en la puerta, la misma animación en
el atrio, la misma multitud en el templo... ¡Ay,

si levantara la cabeza el muerto! Se volvía a morir por no oír su órgano tocado por manos semejantes.

»Lo que tiene que, si es verdad lo que me han dicho, las gentes del barrio le preparan una buena al intruso. Cuando llegue el momento de poner la mano sobre las teclas, va a comenzar una algarabía de sonajas, panderos y zambombas que no hay más que oír ... Pero, ¡calle!, ya entra en la iglesia el héroe de la función. ¡Jesús, qué ropilla de colorines. qué gorguera de cañutos, qué aire de personaje! Vamos, vamos, que ya hace rato que llegó el arzobispo y va a comenzar la misa... Vamos, que me parece que esta noche va a darnos que contar para muchos días.

Esto diciendo, la buena mujer, que ya conocen nuestros lectores por sus exabruptos de locuacidad, penetró en Santa Inés, abriéndose, según costumbre, un camino entre la multitud a fuerza de empellones y codazos.

Ya se había dado principio a la ceremonia. El templo estaba tan brillante como el año anterior.

El nuevo organista, después de atravesar por en medio de los fieles que ocupaban las naves para ir a besar el anillo del prelado, había subido a la tribuna, donde tocaba, unos tras otros, los registros del órgano con una gravedad tan afectada como ridícula.

Entre la gente menuda que se apiñaba a los pies de la iglesia se oía un rumor sordo y confuso, cierto presagio de que la tempestad comenzaba a fraguarse y no tardaría mucho en dejarse sentir.

—Es un truhán, que, por no hacer nada bien, ni aun mira a derechas —decían los unos.

—Es un ignorantón, que, después de haber pues-

to el órgano de su parroquia peor que una carraca, viene a profanar el de maese Pérez —decían los otros.

Y mientras éste se desembarazaba del capote para prepararse a darle de firme a su pandero, y aquél apercibía sus sonajas, y todos se disponían a hacer bulla a más y mejor, sólo alguno que otro se aventuraba a defender tibiamente al extraño personaje, cuyo porte orgulloso y pedantesco hacía tan notable contraposición con la modesta apariencia y la afable bondad del difunto maese Pérez.

Al fin llegó el esperado momento, el momento solemne en que el sacerdote, después de inclinarse y murmurar algunas palabras santas, tomó la Hostia en sus manos... Las campanillas repicaron, asemejando su repique una lluvia de notas de cristal. Se elevaron las diáfanas ondas de incienso y sonó el órgano.

Una estruendosa algarabía llenó los ámbitos de la iglesia en aquel instante y ahogó su primer acorde.

Zampoñas, gaitas, sonajas, panderos, todos los instrumentos del populacho, alzaron sus discordantes voces a la vez; pero la confusión y el estrépito sólo duraron algunos segundos. Todos a la vez, como habían comenzado, enmudecieron de pronto.

El segundo acorde, amplio, valiente, magnífico, se sostenía aún, brotando de los tubos de metal del órgano como una cascada de armonía inagotable y sonora.

Cantos celestes como los que acarician los oídos en los momentos de éxtasis, cantos que percibe el espíritu y no los puede repetir el labio, notas sueltas de una melodía lejana que suena a intervalos, traídas en las ráfagas del viento; rumor de hojas

que se besan en los árboles con un murmullo seme-
jante al de la lluvia, trinos de alondras que se le
vantan gorjeando de entre las flores como una
saeta despedida a las nubes; estruendos sin nom-
bre, imponentes como los rugidos de una tempes-
tad; coros de serafines sin ritmo ni cadencia, ignota
musica del cielo que sólo la imaginación compren-
de, himnos alados que parecían remontarse al tro-
no del Señor como una tromba de luz y de sonidos
..., todo lo expresaban las cien voces del órgano
con más pujanza, con más misteriosa poesía, con
más misteriosa poesía, con más fantástico color que
lo habían expresado nunca.

...

Cuando el organista bajó de la tribuna, la mu-
chedumbre que se agolpó a la escalera fue tanta y
tanto su afán por verlo y admirarlo, que el asisten-
te, temiendo, no sin razón, que lo ahogaran entre
todos, mandó a algunos de sus ministriles para que,
vara en mano, le fueran abriendo camino hasta lle-
gar al altar mayor, donde el prelado lo esperaba.

—Ya veis —le dijo este último cuando lo tra-
jeron a su presencia—. Vengo desde mi palacio aquí
sólo por escucharos. ¿Seréis tan cruel como maese
Pérez, que nunca quiso excusarme el viaje tocando
la Nochebuena en la misa de la catedral?

—El año que viene —respondió el organista—
prometo daros gusto, pues por todo el oro de la tie-
rra no volvería a tocar este órgano.

—¿Y por qué? —interrumpió el prelado.

—Porque... —añadió el organista procurando
dominar la emoción que se revelaba en la palidez de
su rostro—, porque es viejo y malo, y no puede ex-
presar todo lo que se quiere.

El arzobispo se retiró, seguido de sus familiares.

Unas tras otras, las literas de los señores fueron desfilando y perdiéndose en las revueltas de las calles vecinas; los grupos del atrio se disolvieron, dispersándose los fieles en distintas direcciones, y ya la demandadera se disponía a cerrar las puertas de la entrada del atrio, cuando se divisaban aún dos mujeres, que, después de persignarse y murmurar una oración ante el retablo del Arco de San Felipe, prosiguieron su camino, internándose en el callejón de las Dueñas.

—¿Qué quiere usarced, mi señora doña Báltasara? —decía la una—. Yo soy de este genial. Cada loco con su tema... Me lo habían de asegurar capuchinos descalzos y no lo creería del todo... Ese hombre no puede haber tocado lo que acabamos de escuchar... Si yo lo he oído mil veces en San Bartolomé, que era su parroquia, y de donde tuvo que echarlo el señor cura por malo, y era cosa de taparse los oídos con algodones... Y luego, si no hay más que mirarlo al rostro, que, según dicen, es el espejo del alma... Yo me acuerdo, pobrecito, como si lo estuviera viendo, me acuerdo de la cara de maese Pérez cuando, en semejante noche como ésta, bajaba de la tribuna, después de haber suspendido al áuditorio con sus primores... ¡Qué sonrisa tan bondadosa, qué color tan animado!... Era viejo y parecía un ángel... No que éste, que ha bajado las escaleras a trompicones, como si le ladrase un perro en la meseta, y con un olor de difunto y unas ... Vamos, mi señora doña Baltasara, créame usarced, y créame con todas las veras: yo sospecho que aquí hay busilis...

Comentando las últimas palabras, las dos mujeres doblan la esquina del callejón y desaparecían.

Creemos inútil decir a nuestros lectores quién era una de ellas.

IV

Había transcurrido un año más. La abadesa del convento de Santa Inés y la hija de maese Pérez hablaban en voz baja, medio ocultas entre las sombras del coro de la iglesia. El esquilón llamaba a voz herida a los fieles desde la torre, y alguna que otra rara persona atravesaba el atrio, silencioso y desierto esta vez, y después de tomar el agua bendita en la puerta, escogía un puesto en un rincón de las naves, donde unos cuantos vecinos del barrio esperaban tranquilamente a que comenzara la misa del Gallo.

—Ya lo veis —decía la superiora—: vuestro temor es sobre manera pueril; nadie hay en el templo; toda Sevilla acude en tropel a la catedral esta noche. Tocad vos el órgano, tocadlo sin desconfianza de ninguna clase; estaremos en comunidad... Pero ... proseguís callando, sin que cesen vuestros suspiros. ¿Qué os pasa? ¿Qué tenéis?

—Tengo... miedo —exclamó la joven con un acento profundamente conmovido.

—¡Miedo! ¿De qué?

—No sé..., de una cosa sobrenatural... Anoche, mirad, yo os había oído decir que teníais empeño en que tocase el órgano en la misa, y, ufana con esta distinción, pensé arreglar sus registros y templarlo, a fin de que hoy os sorprendiese... Vine al coro... sola..., abrí la puerta que conduce a la tribuna... En el reloj de la catedral sonaba en aquel momento una hora..., no sé cuál..., pero las campanadas eran tristísimas y muchas..., muchas..., estuvieron sonando todo el tiempo que yo permanecí como clavada en el umbral, y aquel tiempo me pareció un siglo.

»La iglesia estaba desierta y oscura.... Allá lejos, en el fondo, brillaba, como una estrella perdida en el cielo de la noche, una luz moribunda...: la luz de la lámpara que arde en el altar mayor... A sus reflejos debilísimos, que sólo contribuían a hacer más visible todo el profundo horror de las sombras, vi..., lo vi, madre, no lo dudéis; vi a un hombre que, en silencio, y vuelto de espaldas hacia el sitio en que yo estaba, recorría con una mano las teclas del órgano, mientras tocaba con la otra sus registros..., y el órgano sonaba, pero sonaba de una manera indescriptible. Cada una de sus notas parecía un sollozo ahogado dentro del tubo de metal, que vibraba con el aire comprimido en su hueco y reproducía el tono sordo, casi imperceptible, pero justo.

»Y el reloj de la catedral continuaba dando la hora, y el hombre aquel proseguía recorriendo las teclas. Yo oía hasta su respiración.

»El horror había helado la sangre de mis venas: sentí en mi cuerpo como un frío glacial, y en mis sienes fuego... Entonces quise gritar, quise gritar, pero no pude. El hombre aquel había vuelto la cara y me había mirado...; digo mal, no me había mirado, porque era ciego... ¡Era mi padre!

—¡Bah! Hermana, desechad esas fantasías con que · enemigo malo procura turbar las imaginaciones débiles... Rezad un *paternóster* y un *avemaría* al arcángel San Miguel, jefe de las milicias celestiales, para que os asista contra los malos espíritus. Llevad al cuello un escapulario tocado en la reliquia de San Pacomio, abogado contra las tentaciones, y marchad, marchad a ocupar la tribuna del órgano; la misa va a comenzar, y ya esperan con impaciencia los fieles... Vuestro padre está en el cielo, y

desde allí, antes que daros sustos, bajará a inspirar a su hija en esta ceremonia solemne, para el objeto de tan especial devoción.

La priora fue a ocupar su sillón en el coro en medio de la comunidad. La hija de maese Pérez abrió con mano temblorosa la puerta de la tribuna para sentarse en el banquillo del órgano, y comenzó la misa.

Comenzó la misa y prosiguió sin que ocurriese nada notable hasta que llegó la consagración. En aquel momento sonó el órgano, y al mismo tiempo que el órgano, un grito de la hija de maese Pérez. La superiora, las monjas y algunos de los fieles corrieron a la tribuna.

—¡Miradlo! ¡Miradlo! —decía la joven, fijando sus desencajados ojos en el banquillo, de donde se había levantado, asombrada, para agarrarse con sus manos convulsas al barandal de la tribuna.

Todo el mundo fijó sus miradas en aquel punto. El órgano estaba solo, y, no obstante, el órgano seguía sonando...; sonando como sólo los arcángeles podían imitarlo... en sus raptos de místico alborozo.

* * *

—¿No os lo dije yo una y mil veces, mi señora Baltasara; no os lo dije yo? ¡Aquí hay busilis! Oídlo. ¡Qué!, ¿no estuvisteis anoche en la misa del Gallo? Pero, en fin, ya sabréis lo que pasó. En toda Sevilla no se habla de otra cosa... El señor arzobispo está hecho, y con razón, una furia... Haber dejado de asistir a Santa Inés, no haber podido presenciar el portento..., y ¿para qué?... Para oir una cencerrada, porque personas que lo oyeron dicen que lo que hizo el dichoso organista de San

Bartolomé en la catedral no fue otra cosa... Si lo
decía yo. Eso no puede haberlo tocado el bisojo,
mentira...; aquí hay busilis, y el busilis era, en
efecto, el alma de maese Pérez.

EL MISERERE

(Leyenda Religiosa)

Hace algunos meses que, visitando la célebre aba-
día de Fitero y ocupándome en revolver algunos
volúmenes de su abandonada biblioteca, descubrí en
uno de sus rincones dos o tres cuadernos de música
bastante antiguos, cubiertos de polvo y hasta co-
menzados a roer por los ratones.

Era un *Miserere*.

Yo no sé música; pero le tengo tanta afición,
que, aun sin entenderla, suelo coger a veces la par-
titura de una ópera y me paso las horas muertas
hojeando sus páginas, mirando los grupos de notas
más o menos apiñadas, las rayas, los semicírculos,
los triángulos y las especies de etcéteras que llaman
llaves, y todo esto sin comprender una jota ni sa-
car maldito el provecho.

Consecuente con mi manía, repasé los cuader-
nos, y lo primero que me llamó la atención fue que,
aunque en la última página había esta palabra la-
tina, tan vulgar en todas las obras, *finis*, la verdad
era que el *Miserere* no estaba terminado, porque la
música no alcanzaba sino hasta el décimo versículo.

Esto fue, sin duda, lo que me llamó la atención
primeramente; pero luego que me fijé un poco en
las hojas de música, me chocó más aún el observar
que en vez de esas palabras italianas que ponen en

todas, como *amestoso, allegro, ritardando, più vivo, a piacere*, había unos renglones escritos con letra muy menuda y en alemán, de los cuales algunos servían para advertir cosas tan difíciles de hacer como esto: «Crujen..., crujen los huesos, y de sus médulas ha de parecer que salen alaridos»; o esta otra: «La cuerda aúlla sin discordar, el metal truena sin ensordecer; por eso suena todo y no se confunde nada, y todo es la Humanidad que solloza y gime»; o la más original de todas, sin duda, recomendaba al pie del último versículo: «Las notas son huesos cubiertos de carne; lumbre inextinguible, los cielos y su armonía... ¡Fuerza!... fuerza y dulzura».

—¿Sabéis qué es esto? —pregunté a un viejecito que me acompañaba, al acabar de medio traducir estos renglones, que parecían frases escritas por un loco.

El anciano me contó entonces la leyenda que voy a referiros.

I

Hace ya muchos años, en una noche lluviosa y oscura, llegó a la puerta claustral de esta abadía un romero y pidió un poco de lumbre para secar sus ropas, un pedazo de pan con que satisfacer su hambre y un albergue cualquiera donde esperar la mañana y proseguir con la luz del sol su camino.

Su modesta colación, su pobre lecho y su encendido hogar puso el hermano a quien se hizo esta demanda a disposición del caminante, al cual, después que se hubo repuesto de su cansancio, interrogó acerca del objeto de su romería y del punto adonde se encaminaba.

—Yo soy músico —respondió el interpelado—. He nacido muy lejos de aquí, y en mi patria gocé un día de gran renombre. En mi juventud hice de mi arte un arma poderosa de seducción y encendí con él pasiones que me arrastraron a un crimen. En mi vejez quiero convertir al bien las facultades que he empleado para el mal, redimiéndome por donde mismo pude condenarme.

Como las enigmáticas palabras del desconocido no pareciesen del todo claras al hermano lego, en quien ya comenzaba la curiosidad a despertarse, e instigado porque ésta continuara en sus preguntas, su interlocutor prosiguió de este modo:

—Lloraba yo en el fondo de mi alma la culpa que había cometido; mas al intentar pedirle a Dios misericordia no encontraba palabras para expresar dignamente mi arrepentimiento, cuando un día se fijaron mis ojos por casualidad sobre un libro santo. Abrí aquel libro, y en una de sus páginas encontré un gigante grito de contricción verdadera, un salmo de David, el que comienza: *Miserere mei, Deus!* Desde el instante en que hube leído sus estrofas, mi único pensamiento fue hallar una forma musical tan magnífica, tan sublime, que bastase a contener el grandioso himno de dolor del Rey Profeta. Aún no la he encontrado; pero si logro expresar lo que siento en mi corazón, lo que oigo confusamente en mi cabeza, estoy seguro de hacer un *Miserere* tal y tan maravilloso, que no hayan oído otro semejante los nacidos; tal y tan desgarrados, que al escuchar el primer acorde de los arcángeles dirán conmigo, cubiertos los ojos de lágrimas y dirigiéndose al Señor: «¡Misericordia!», y el Señor la tendrá de su pobre criatura.

El romero al llegar a este punto de su narra-

ción calló por un instante, y después, exhalando un suspiro, tornó a coger el hilo de su discurso. El hermano lego, algunos dependientes de la abadía y dos o tres pastores de la granja de los frailes que formaban un círculo alrededor del hogar, escuchaban en un profundo silencio.

—Después —continuó— de recorrer toda Alemania, toda Italia y la mayor parte de este país clásico para la música religiosa, aún no he oído un *Miserere* en que pueda inspirarme, ni uno, y he oído tantos, que puedo decir que los he oído todos.

—¿Todos? —dijo entonces, interrumpiéndole, uno de los rabadanes—. ¿A que no habéis oído aún el *Miserere de la Montaña*?

—¡El *Miserere de la Montaña*! —exclamó el músico con aire de extrañeza—. ¿Qué *Miserere* es ése?

—¿No dije? —murmuró el campesino, y luego prosiguió, con una entonación misteriosa—. Ese *Miserere*, que sólo oyen por casualidad los que, como yo, andan día y noche tras el ganado por entre breñas y peñascales, es toda una historia, una historia muy antigua, pero tan verdadera, como, al parecer, increíble. Es el caso que en lo más fragoso de esas cordilleras de montañas que limitan el horizonte del valle, en el fondo del cual se halla la abadía, hubo hace ya muchos años, ¡qué digo muchos años!, muchos siglgos, un monasterio famoso, monasterio que, a lo que parece, edificó a sus expensas un señor con los bienes que había de legar a su hijo, al cual desheredó al morir, en pena de sus maldades. Hasta aquí todo fue bueno; pero es el caso que este hijo, que por lo que se verá más adelante, debió de ser de la piel del diablo, si no era el mismo diablo en

persona, sabedor de que sus bienes estaban en poder de los religiosos y de que su castillo se había transformado en iglesia, reunió a unos cuantos bandoleros, camaradas suyos en la vida de perdición que emprendiera al abandonar la casa de sus padres, y una noche de Jueves Santo, en que los monjes se hallaban en el coro, y en el punto y hora en que iban a comenzar o habían comenzado el *Miserere*, pusieron fuego al monasterio, entraron a saco en la iglesia, y a éste quiero, a aquél no, se dice que no dejaron fraile con vida. Después de esta atrocidad se marcharon los bandidos, y su instigador con ellos, adonde no se sabe, a los profundos tal vez. Las llamas redujeron el monasterio a escombros; de la iglesia aún quedan en pie las ruinas sobre el cóncavo peñón de donde nace la cascada que, después de estrellarse de peña en peña, forma el riachuelo que viene a bañar los muros de esta abadía.

—Pero —interrumpió impaciente el músico— ¿y el *Miserere*?

—Aguardaos —continuó con gran sorna el rabadán—, que todo irá por partes.

Dicho lo cual, siguió así su historia:

—Las gentes de los contornos se escandalizaron del crimen: de padres a hijos y de hijos a nietos se refirió con horror en las largas noches de velada; pero lo que mantiene más viva su memoria es que todos los años, tal noche como la en que se consumó, se ven brillar luces a través de las rotas ventanas de la iglesia; se oye como una especie de música extraña y unos cantos lúgubres y aterradores que se perciben a intervalos en las ráfagas del aire. Son los monjes, los cuales, muertos tal vez sin hallarse preparados para presentarse en el Tribunal de Dios

limpios de toda culpa, vienen aún del Purgatorio a impetrar su misericordia cantando el *Miserere.*

Los circunstantes se miraron unos a otros con muestras de incredulidad; sólo el romero, que parecía vivamente preocupado con la narración de la historia, preguntó con ansiedad al que la había referido:

—¿Y decís que ese portento se repite aún?

—Dentro de tres horas comenzará sin falta alguna, porque precisamente esta noche es la del Jueves Santo y acaban de dar las ocho en el reloj de la abadía.

—¿A qué distancia se encuentra el monasterio?

—A una legua y media escasa... Pero ¿qué hacéis? ¿Adónde vais con una noche como ésta? ¡Estáis dejado de la mano de Dios! —exclamaron todos, al ver que el romero, levantándose de su escaño y tomando el bordón, abandonaba el hogar para dirigirse a la puerta.

—¿Adónde voy? A oír esa maravillosa música a oír el grande, el verdadero *Miserere*, el *Miserere* de los que vuelven al mundo después de muertos y saben lo que es morir en el pecado.

Y esto diciendo, desapareció de la vista del espantado lego y de los no menos atónitos pastores.

El viento zumbaba y hacía crujir las puertas, como si una mano poderosa pugnase por arrancarlas de sus quicios; la lluvia caía en turbiones, azotando los vidrios de las ventanas, y de cuando en cuando la luz de un relámpago iluminaba por un instante todo el horizonte que desde ellas se descubría.

Pasado el primer momento de estupor:

—¡Está loco! —exclamó el lego.

—¡Está loco! —repitieron los pastores, y atiza-

ron de nuevo la lumbre y se agruparon alrededor del hogar.

II

Después de una o dos horas de camino, el misterioso personaje que calificaron de loco en la abadía, remontando la corriente del riachuelo que le indicó el rabadán de la historia, llegó al punto en que se levantaban, negras e imponentes, las ruinas del monasterio.

La lluvia había cesado; las nubes flotaban en oscuras bandas, por entre cuyos jirones se deslizaba a veces un furtivo rayo de luz pálida y dudosa; y el aire, al azotar los fuertes machones y extenderse por los desiertos claustros, diríase que exhalaba gemidos. Sin embargo, nada sobrenatural, nada extraño venía a herir la imaginación. Al que había dormido más de una noche sin otro amparo que las ruinas de una torre abandonada o un castillo solitario; al que había arrostrado en su larga peregrinación cien y cien tormentas, todos aquellos ruidos le eran familiares.

Las gotas de agua que se filtraban por entre las grietas de los rotos arcos y caían sobre las losas con un rumor acompasado, como el de la péndola de un reloj; los gritos del búho, que graznaba refugiado bajo el nimbo de piedra de una imagen en pie aún en el hueco de un muro; el ruido de los reptiles, que, despiertos de su letargo por la tempestad, sacaban sus deformes cabezas de los agujeros donde duermen o se arrastraban por entre los jaramagos y los zarzales que crecían al pie del altar, entre las junturas de las lápidas sepulcrales que formaban el pavimento de la iglesia, todos esos extraños y misteriosos murmullos del campo, de la sole-

dad y de la noche llegaban perceptibles al oído de romero, que, sentado sobre la mutilada estatua de una tumba, aguardaba ansioso la hora en que debiera realizarse el prodigio.

Transcurrió tiempo y tiempo, y nada se percibió: aquellos mil confusos rumores seguían sonando y combinándose de mil maneras distintas, pero siempre los mismos.

«¡Si me habrá engañado!» pensó el músico; pero en aquel instante se oyó un ruido nuevo, un ruido inexplicaple en aquel lugar, como el que produce un reloj algunos segundos antes de sonar la hora ruidos de ruedas que giran, de cuerdas que se dilatan, de maquinaria que se agita sordamente y se dispone a usar su misteriosa vitalidad mecánica, y sonó una campanada..., dos..., tres..., hasta once.

En el derruido templo no había campana, ni reloj, ni torre ya siquiera.

Aún no había expirado, debilitándose de eco en eco, la última campanada; todavía se escuchaba su vibración temblando en el aire, cuando los doseles de granito que cobijaban las esculturas, las gradas de mármol de los altares, los sillares de las ojivas, los calados antepechos del coro, los festones de tréboles de las cornisas, los negros manchones de los muros, el pavimento, las bóvedas, la iglesia entera comenzó a iluminarse espontáneamente, sin que se viese una antorcha, un cirio o una lámpara que derramase aquella insólita claridad.

Parecía como un esqueleto de cuyos huesos amarillos se desprende ese gas fosfórico que brilla y humea en la oscuridad con una luz azulada inquieta y medrosa.

Todo pareció animarse, pero con ese movimiento galvánico que imprime a la muerte contraccio-

nes que parodian la vida, movimiento instantáneo. más horrible aún que la inercia del cadáver que agita con su desconocida fuerza. Las piedras se reunieron a las piedras; el ara, cuyos rotos fragmentos se veían antes esparcidos sin orden, se levantó intacta, como si acabase de dar en ella su último toque de cincel el artífice, y al par del ara se levantaron las derribadas capillas, los rotos capiteles y las destrozadas e inmensas series de arcos que, cruzándose y enlazándose caprichosamente entre sí, formaron con sus columnas un laberinto de pórfido.

Una vez reedificado el templo, comenzó a oírse un acorde lejano que pudiera confundirse con el zumbido del aire, pero que era un conjunto de voces lejanas y graves que parecía salir del seno de la tierra e irse elevando poco a poco, haciéndose cada vez más perceptible

El osado peregrino comenzaba a tener miedo: pero con su miedo luchaba aún su fanatismo por todo lo desusado y maravilloso, y alentado por él dejó la tumba sobre que reposaba, se inclinó al borde del abismo por entre cuyas rocas saltaba el torrente, despeñándose con un trueno incesante y espantoso, y sus cabellos se erizaron de horror.

Mal envueltos en los jirones de sus hábitos, caladas las capuchas, bajo los pliegues de las cuales contrastaban con sus descarnadas mandíbulas y los blancos dientes las oscuras cavidades de los ojos de sus calaveras, vio los esqueletos de los monjes, que fueron arrojados desde el pretil de la iglesia a aquel precipicio, salir del fondo de las aguas y, agarrándose con los largos dedos de sus manos de hueso a las grietas de las peñas, trepar por ellas hasta el borde, diciendo con voz baja y sepulcral. pero con una desgarradora expresión de dolor, el

primer versículo del salmo de David:

Miserere mei, Deus, secundum magnam misericordiam tuam!

Cuando los monjes llegaron al peristilo del templo, se ordenaron en dos hileras y, penetrando en él, fueron a arrodillarse en el coro, donde, con voz más levantada y solemne, prosiguieron entonando los versículos del salmo. La música sonaba al compás de sus voces; aquella música era el rumor distante del trueno, que, desvanecida la tempestad, se alejaba murmurando; era el zumbido del aire que gemía en la concavidad del monte; era el monótono ruido de la cascada que caía sobre las rocas, y la gota de agua que se filtraba, y el grito del búho escondido, y el roce de los reptiles inquietos. Todo esto era la m0sica y algo más que no puede explicarse ni apenas concebirse; algo más que parecía como el eco de un órgano que acompañaba los versículos del gigante himno de contrición del rey salmista con notas y acordes tan gigantes como sus palabras terribles.

Siguió la ceremonia; el músico, que la presenciaba absorto y aterrado, creía estar fuera del mundo real, vivir en esa región fantástica del sueño, en que todas las cosas se revisten de formas extrañas y fenomenales.

Un sacudimiento terrible vino a sacarlo de aquel estupor que embargaba todas las facultades de su espíritu. Sus nervios saltaron al impulso de una conmoción fuertísima, sus dientes chocaron, agitándose con un temblor imposible de reprimir, y el frío penetró hasta la médula de los huesos.

Los monjes pronunciaban en aquel instante estas espantosas palabras del *Miserere:*

—In iniquietatibus conceptus sum: et in peccatis concepit me mater mea.

Al resonar este versículo y dilatarse sus ecos retumbando de bóveda en bóveda, se levantó un alarido tremendo, que parecía un grito de dolor arrancado a la Humanidad entera por la conciencia de sus maldades; un grito horroroso, formado de todos los lamentos del infortunio, de todos los aullidos de la desesperación, de todas las blasfemias de la impiedad; concierto monstruoso, digno intérprete de los que viven en el pecado y fueron concebidos en la iniquidad.

Prosiguió el canto, ora tristísimo y profundo, ora semejante a un rayo de sol que rompe la nube oscura de una tempestad, haciendo suceder a un relámpago de júbilo, hasta que, merced a una transformación súbita, la iglesia resplandeció bañada en luz celeste; las osamentas de los monjes se vistieron de sus carnes; una aureola luminosa brilló en derredor de sus frentes; se rompió la cúpula, y a través de ella se vio el cielo como un océano de lumbre abierto a la mirada de los justos.

Los serafines, los arcángeles y los ángeles y las jerarquías acompañaban con un himno de gloria este versículo, que subía entonces al trono del Señor como una tromba armónica, como una gigantesca espiral de sonoro incienso:

—Auditui meo dabis gaudium et laetiam: et exutabunt ossa humiliata.

En este punto, la claridad deslumbradora cegó los ojos del romero, sus sienes latieron con violencia, zumbaron sus oídos y cayó sin conocimiento por tierra, y no oyó más . . .

III

Al día siguiente, los pacíficos monjes de la abadía de Fitero, a quienes el hermano lego había dado cuenta de la extraña visita de la noche anterior, vieron entrar por las puertas, pálido y como fuera de sí, al desconocido romero.

—¿Oísteis, al cabo, el *Miserere*? —le preguntó con cierta mezcla de ironía el lego, lanzando a hurtadillas una mirada de inteligencia a sus superiores.

—Sí —respondió el músico.

—Y ¿que tal os ha parecido?

—Lo voy a escribir. Dadme un asilo en vuestra casa —prosiguió, dirigiéndose al abad—, un asilo y pan por algunos meses, y voy a dejaros una obra inmortal del arte, un *Miserere* que borre mis culpas a los ojos de Dios, eternice mi memoria y eternice con ella la de esta abadía.

Los monjes, por curiosidad, aconsejaron al abad que accediese a su demanda. El abad, por compasión, aun creyéndolo un loco, accedió, al fin, a ello y el músico, instalado ya en el monasterio, comenzó su obra.

Noche y día trabajaba con un afán incesante. En mitad de su tarea se paraba y parecía como escuchar algo que sonaba en su imaginación, y se dilataban sus pupilas, saltaba en el asiento y exclamaba:

—¡Eso es; así, así, no hay duda..., así! —y proseguía escribiendo notas con una rapidez febril, que dio en más de una ocasión que admirar a los que lo observaban sin ser vistos.

Escribió los primeros versículos y los siguientes

hasta la mitad del salmo; pero al llegar al último que había oído en la montaña le fue imposible proseguir.

Escribió uno, dos, cien, doscientos borradores: todo inútil. Su música no se parecía a aquella música ya anotada, y el sueño huyó de sus párpados y perdió el apetito, y la fiebre se apoderó de su cabeza, y se volvió loco, y se murió, en fin, sin poder terminar el *Miserere,* que, como una cosa extraña, guardaron los frailes a su muerte y aún se conserva hoy en el archivo de la abadía.

* * *

Cuando el viejecito concluyó de contarme esta historia, no pude menos de volver otra vez los ojos al empolvado y antiguo manuscrito del *Miserere,* que aún estaba abierto sobre una de las mesas.

In peccatis concepit me mater mea . . .

Éstas eran las palabras de la página que tenía ante mi vista, y que parecía mofarse de mí con sus notas, sus llaves y sus garabatos ininteligibles, para los legos en la música.

Por haberlas podido leer hubiera dado un mundo.

¿Quién sabe si no será una locura?

EL MONTE
DE LAS ÁNIMAS

(Leyenda Soriana)

La noche de Difuntos, me despertó a no sé qué hora el doble de las campanas. Su tañido monótono

y eterno me atrajo a las mientes esta tradición que oí en Soria.

Intenté dormir de nuevo. ¡Imposible! Una vez aguijoneada la imaginación, es un caballo que se desboca y al que no sirve tirarlo de la rienda. Por pasar el rato, me decidí a escribirla, como en efecto lo hice.

A las doce de la mañana, después de almorzar bien, y con un cigarro en la boca, no le hará mucho efecto a los lectores de *El Contemporáneo*. Yo la oí en el mismo lugar en que acaeció, y la he escrito volviendo algunas veces la cabeza con miedo cuando sentía crujir los cristales de mi balcón, estremecidos por el aire frío de la noche.

Sea de ello que lo quiera, *allá va*, como el caballo de copas.

I

—Atad los perros, hacer la señal con las trompas para que se reúnan los cazadores y demos la vuelta a la ciudad. La noche se acerca, es día de Todos los Santos y estamos en el Monte de las Ánimas.

—¡Tan pronto!

—A ser otro día, no dejara yo de concluir con ese rebaño de lobos que las nieves del Moncayo han arrojado de sus madrigueras; pero hoy es imposible. Dentro de poco sonará la oración en los templarios, y las ánimas de los difuntos comenzarán a tañer su campana en la capilla del monte.

—¡En esa capilla ruinosa! ¡Bah! ¿Quieres asustarme?

—No, hermosa prima. Tú ignoras cuanto sucede en este país, porque aún no hace un año que has venido a él desde muy lejos. Refrena tu yegua,

yo también pondré la mía al paso, y mientras dure el camino te contaré la historia.

Los pajes se reunieron en alegres y bulliciosos grupos. Los condes de Borges y de Alcudiel montaron en sus magníficos caballos, y todos juntos siguieron a sus hijos Beatriz y Alonso, que precedían a la comitiva a bastante distancia.

Mientras duraba el camino, Alonso narró en estos términos la prometida historia

—Ese monte que hoy llaman de las Ánimas pertenecía a los templarios, cuyo convento ves allí, a la margen del río. Los templarios eran guerreros y religiosos a la vez. Conquistada Soria a los árabes, el rey los hizo venir de lejanas tierras para defender la ciudad por la parte del puente, haciendo en ello notable agravio a sus nobles de Castilla, que así hubieran solos sabido defenderla como solos la conquistaron. Entre los caballeros de la nueva y poderosa Orden y los hidalgos de la ciudad fermentó por algunos años, y estalló al fin, un odio profundo. Los primeros tenían acotado ese monte, donde reservaban caza abundante para satisfacer sus necesidades y contribuir a sus placeres. Los segundos determinaron organizar una gran batida en el coto, a pesar de las severas prohibiciones de los *clérigos con espuelas,* como llamaban a sus enemigos. Cundió la voz del reto, y nada fue parte a detener a los unos en su manía de cazar y a los otros en su empeño de estorbarlo. La proyectada expedición se llevó a cabo. No se acordaron de ella las fieras. Antes la tendrían presente tantas madres como arrastraron sendos lutos por sus hijos. Aquello no fue una cacería. Fue una batalla espantosa; el monte quedó sembrado de cadáveres. Los lobos, a quienes se quiso exterminar, tuvieron un san-

griento festín. Por último, intervino la autoridad del rey: el monte, maldita ocasión de tantas desgracias, se declaró abandonado, y la capilla de los religiosos, situada en el mismo monte, y en cuyo atrio se enterraron juntos amigos y enemigos, comenzó a arruinarse. Desde entonces dicen que cuando llega la noche de difuntos se oye doblar sola la campana de la capilla, y que las ánimas de los muertos, envueltas en jirones de sus sudarios, corren como en una cacería fantástica por entre las breñas y los zarzales. Los ciervos braman espantados, los lobos aúllan, las culebras dan horrorosos silbidos, y al otro día se han visto impresas en la nieve las huellas de los descarnados pies de los esqueletos. Por eso en Soria lo llamamos el Monte de las Ánimas, y por eso he querido salir de él antes que cierre la noche.

La relación de Alonso concluyó justamente cuando los dos jóvenes llegaban al extremo del puente que da paso a la ciudad por aquel lado. Allí esperaron al resto de la comitiva, la cual, después de incorporársele los dos jinetes, se perdió por entre las estrechas y oscuras calles de Soria.

II

Los servidores acababan de levantar los manteles; la alta chimenea gótica del palacio de los condes de Alcudiel despedía un vivo resplandor, iluminando algunos grupos de damas y caballeros que alrededor de la lumbre conversaban familiarmente, y el viento azotaba los emplomados vidrios de las ojivas del salón.

Solas dos personas parecían ajenas a la conversación general: Beatriz y Alonso. Beatriz seguía con los ojos, y absorta en un vago pensamiento, los

caprichos de la llama. Alonso miraba el reflejo de la hoguera chispear en las azules pupilas de Beatriz.

Ambos guardaban hacía rato un profundo silencio.

Las dueñas referían, a propósito de la noche de Difuntos, cuentos temerosos, en que los espectros y los aparecidos representaban el principal papel; y las campanas de las iglesias de Soria doblaban a lo lejos con un tañido monótono y triste.

—Hermosa prima —exclamó, al fin, Alonso, rompiendo el largo silencio en que se encontraban—. pronto vamos a separarnos, tal vez para siempre; las áridas llanuras de Castilla, sus costumbres toscas y guerreras, sus hábitos sencillos y patriarcales, sé que no te gustan; te he oído suspirar varias veces. acaso por algún galán de tu lejano señorío.

Beatriz hizo un gesto de fría indiferencia: todo un carácter de mujer se reveló en aquella desdeñosa contracción de sus delgados labios.

—Tal vez por la pompa de la Corte francesa, donde hasta aquí has vivido —se apresuró a añadir el joven—. De un modo o de otro, presiento que no tardaré en perderte... Al separarnos, quisiera que llevases una memoria mía... ¿Te acuerdas cuando fuimos al templo a dar gracias a Dios por haberte devuelto la salud que viniste a buscar a esta tierra? El joyel que sujetaba la pluma de mi gorra cautivó tu atención. ¡Qué hermoso estaría sujetando un velo sobre tu oscura cabellera! Ya ha prendido el de una desposada; mi padre se lo regaló a la que me dio el ser, y ella lo llevó al altar... ¿Lo quieres?

—No sé en el tuyo —contestó la hermosa—; pero en mi país una prenda recibida compromete la voluntad. Sólo en un día de ceremonia debe aceptarse un presente de manos de un deudo..., que aún puede ir a Roma sin volver con las manos vacías.

El acento helado con que Beatriz pronunció estas palabras turbó un momento al joven, que, después de serenarse, dijo con tristeza:

—Lo sé, prima; pero hoy se celebran Todos los Santos, y el tuyo entre todos; hoy es día de ceremonias y presentes. ¿Quieres aceptar el mío?

Beatriz se mordió ligeramente los labios y extendió la mano para tomar la joya, sin añadir una palabra.

Los dos jóvenes volvieron a quedarse en silencio, y volvióse a oír la cascada voz de las viejas que hablaban de brujas y de trasgos, y el zumbido del aire que hacía crujir los vidrios de las ojivas, y el triste y monótono doblar de las campanas.

Al cabo de algunos minutos, el interrumpido diálogo tornó a reanudarse de este modo:

—Y antes que concluya el día de Todos los Santos, en que así como el tuyo se celebra el mío, y puedes, sin atar tu voluntad, dejarme un recuerdo, ¿no lo harás? —dijo él clavando una mirada en la de su prima, que brilló como un relámpago, iluminada por un pensamiento diabólico.

—¿Por qué no? —exclamó ésta, llevándose la mano al hombro derecho como para buscar alguna cosa entre los pliegues de su ancha manga de terciopelo bordado de oro, y después, con una infantil expresión de sentimiento, añadió—: ¿Te acuerdas de la banda azul que llevé hoy a la cacería, y que

233

por no sé qué emblema de su color me dijiste que era la divisa de tu alma?

—Sí.

—¡Pues... se ha perdido! Se ha perdido, y pensaba dejártela como un recuerdo.

—¡Se ha perdido! y ¿dónde? —preguntó Alonso, incorporándose de su asiento y con una indescriptible expresión de temor y esperanza.

—No sé... En el monte acaso.

—¡En el Monte de las Ánimas! —murmuró, palideciendo y dejándose caer sobre el sitial—. ¡En el Monte de las Ánimas! —luego prosiguió, con voz entrecortada y sorda—: Tú lo sabes, porque lo habrás oído mil veces En la ciudad, en toda Castilla, me llaman el rey de los cazadores. No habiendo aún podido probar mis fuerzas en los combates, como mis ascendientes, he llevado a esta diversión, imagen de la guerra, todos los bríos de mi juventud, todo el ardor hereditario de mi raza. La alfombra que pisan tus pies son despojos de fieras que he muerto por mi mano. Yo conozco sus guaridas y sus costumbres, y he combatido con ellas de día y de noche, a pie y a caballo, solo y en batida, nadie dirá que me ha visto huir el peligro en ninguna ocasión. Otra noche volaría por esa banda, y volaría gozoso como a una fiesta; y, sin embargo, esta noche..., esta noche, ¿a qué ocultártelo?, tengo miedo. ¿Oyes? Las campanas doblan, la oración ha sonado en San Juan del Duero, las ánimas del monte comenzarán ahora a levantar sus amarillentos cráneos entre las malezas que cubren sus fosas... ¡Las ánimas, cuya sola vista puede helar de horror la sangre del más valiente, tornar sus cabellos blancos o arrebatarlo en el torbellino de su fantástica carrera

234

como una hoja que arrastra el viento sin que se sepa adónde.

Mientras el joven hablaba, una sonrisa imperceptible se dibujó en los labios de Beatriz que, cuando hubo concluido, exclamó con un tono indiferente mientras atizaba el fuego del hogar, donde saltaba y crujía la leña, arrojando chispas de mil colores:

—¡Oh! Eso, de ningún modo. ¡Qué locura! ¡Ir ahora al monte por semejante friolera! ¡Una noche tan oscura, noche de Difuntos y cuajado el camino de lobos!

Al decir esta última frase la recargó de un modo tan especial, que Alonso no pudo menos de comprender toda su amarga ironía: movido como por un resorte se puso en pie, se pasó la mano por la frente, como para arrancarse el miedo que estaba en su cabeza y no en su corazón, y con voz firme exclamó dirigiéndose a la hermosa, que estaba aún inclinada sobre el hogar, entreteniéndose en revolver el fuego:

—Adiós, Beatriz, adiós. Hasta pronto.

—¡Alonso, Alonso! —dijo ésta, volviéndose con rapidez; pero cuando quiso o aparentó querer detenerlo, el joven había desaparecido.

A los pocos minutos se oyó el rumor de un caballo que se alejaba al galope. La hermosa, con una radiante expresión de orgullo satisfecho que coloreó sus mejillas, prestó atento oído a aquel rumor que se debilitaba, que se perdía, que se desvaneció por último.

Las viejas, en tanto, continuaban en sus cuentos de ánimas aparecidas; el aire zumbaba en los vidrios del balcón, y las campanas de la ciudad doblaban a lo lejos.

Había pasado una hora, dos, tres; la medianoche estaba a punto de sonar, cuando Beatriz se retiró a su oratorio. Alonso no volvía, no volvía, y, a querer, en menos de una hora pudiera haberlo hecho.

—¡Habrá tenido miedo! —exclamó la joven, cerrando su libro de oraciones y encaminándose a su lecho, después de haber intentado inútilmente murmurar algunos de los rezos que la Iglesia consagra en el día de Difuntos a los que ya no existen.

Después de habr apagado la lámpara y cruzado las dobles cortinas de seda, se durmió; se durmió con un sueño inquieto, ligero, nervioso.

Las doce sonaron en el reloj del Postigo. Beatriz oyó entre sueños las vibraciones de las campanas, lentas, sordas, tristísimas, y entreabrió los ojos. Creía haber oído, a par de ellas, pronunciar su nombre; pero lejos, muy lejos, y por una voz ahogada y doliente. El viento gemía en los vidrios de la ventana.

—Será el viento —dijo, y poniéndose la mano sobre su corazón procuró tranquilizarse.

Pero su corazón latía cada vez con más violencia, las puertas de alerce del oratorio habían crujido sobre sus goznes con un chirrido agudo, prolongado y estridente.

Primero unas y luego las otras más cercanas, todas las puertas que daban paso a su habitación iban sonando por su orden; éstas con un ruido sordo y grave, y aquéllas con un lamento largo y crispador. Después, silencio; un silencio lleno de rumores extraños, el silencio de la medianoche; lejanos ladridos de perros, voces confusas, palabras ininteligibles; ecos de pasos que van y vienen, crujir de ropas que se

arrastran, suspiros que se ahogan, respiraciones fati-
gosas que casi se sienten, estremecimientos invo-
luntarios que anuncian la presencia de algo que no
se ve y cuya aproximación, se nota, no obstante, en
la oscuridad.

Beatriz, inmóvil, temblorosa, adelantó la cabeza
fuera de las cortinas y escuchó un momento. Oía
mil ruidos diversos; se pasaba la mano por la frente,
tornaba a escuchar; nada, silencio.

Veía, con esa fosforescencia de la pupila en las
crisis nerviosas, como bultos que se movían en todas
las direcciones, y cuando dilatándolas las fijaba en
un punto, nada; oscuridad, las sombras impene-
trables.

—¡Bah! —exclamó, volviendo a recostar su her-
mosa cabeza sobre la almohada de raso azul del le-
cho—. ¿Soy yo tan miedosa como esas pobres gen-
tes cuyo corazón palpita de terror bajo una arma-
dura al oír una conseja de aparecidos?

Y cerrando los ojos, intentó dormir . . . ; pero en
vano había hecho un esfuerzo sobre sí misma. Pron-
to volvió a incorporarse, más pálida, más inquieta,
más aterrada. Ya no era una ilusión; las colgaduras
de brocado de la puerta habían rozado al sepa-
rarse, y unas pisadas lentas sonaban sobre la alfom-
bra; el rumor de aquellas pisadas era sordo, casi im-
perceptible, pero continuado, y a su compás se oía
crujir una cosa como madera o hueso. Y se acerca-
ban, se acercaban, y se movió el reclinatorio que es-
taba a la orilla de su lecho. Beatriz lanzó un grito
agudo, y rebujándose en la ropa que la cubría, es-
condió la cabeza y contuvo el aliento.

El aire azotaba los vidrios del balcón; el agua
de la fuente lejana caía y caía con un rumor eterno
y monótono; los ladridos de los perros se dilataban

en las ráfagas de aire, y las campanas de la ciudad de Soria, unas cerca, otras distantes, doblaban tristemente por las ánimas de los difuntos.

Así pasó una hora, dos, la noche, un siglo, porque la noche aquella pareció eterna a Beatriz. Al fin, despuntó la aurora. Vuelta de su temor entreabrió los ojos a los primeros rayos de la luz. Después de una noche de insomnio y de terrores, ¡es tan hermosa la luz clara y blanca del día! Separó las cortinas de seda del lecho, tendió una mirada serena a su alrededor, y ya se disponía a reírse de sus temores pasados, cuando de repente un sudor frío cubrió su cuerpo, sus ojos se desencajaron y una palidez mortal decoloró sus mejillas; sobre el reclinatorio había visto, sangrienta y desgarrada, la banda azul que perdiera en el monte, la banda azul que fue a buscar Alonso.

Cuando sus servidores llegaron, despavoridos, a notificarle la muerte del primogénito de Alcudiel, que a la mañana había aparecido devorado por los lobos entre las malezas del Monte de las Ánimas, la encontraron inmóvil, crispada, asida con ambas manos a una de las columnas de ébano del lecho, desencajados los ojos, entreabierta la boca, blancos los labios, rígidos los miembros, muerta, ¡muerta de horror!

IV

Dicen que después de acaecido este suceso, un cazador extraviado que pasó la noche de Difuntos sin poder salir del Monte de las Ánimas, y que al otro día, antes de morir, pudo contar lo que viera, refirió cosas horribles. Entre otras, se asegura que vio a los esqueletos de los antiguos templarios y de los nobles de Soria enterrados en el atrio de la ca-

pilla levantarse al punto de la oración con un estrépi-
to horrible y, caballeros sobre osamentas de corce-
les, perseguir como a una fiera a una mujer hermo-
sa, pálida y desmelenada que, con los pies desnudos
y sangrientos, y arrojando gritos de horror, daba
vueltas alrededor de la tumba de Alonso.

LA PROMESA

(Leyenda Castellana)

I

Margarita lloraba con el rostro oculto entre las
manos; lloraba sin gemir, pero las lágrimas corrían
silenciosas a lo largo de sus mejillas, deslizándose
por entre sus dedos para caer en la tierra hacia
la que había doblado su frente.

Junto a Margarita estaba Pedro, quien levanta-
ba de cuando en cuando los ojos para mirarla, y
viéndola orar, tornaba a bajarlos, guardando a su
vez un profundo silencio.

Y todo callaba alrededor y parecía respetar su
pena. Los rumores del campo se apagaban; el vien-
to de la tarde dormía y las sombras comenzaban a
envolver los espesos árboles del soto.

Así transcurrieron algunos minutos, durante los
cuales se acabó de borrar el rastro de luz que el
sol se había dejado al morir en el horizonte; la luna
comenzó a dibujarse vagamente sobre el fondo vio-
lado del cielo del crepúsculo, y unas tras otras fue-
ron apareciendo las mayores estrellas.

Pedro rompió al fin aquel silencio angustioso,
exclamando con voz sorda y entrecortada, como si
hablase consigo mismo:

239

—¡Es imposible..., imposible!

Después, acercándose a la desconsolada niña y tomando una de sus manos, prosiguió con acento más cariñoso y suave:

—Margarita, para ti el amor es todo, y tú no ves nada más allá del amor. No obstante, hay algo tan respetable como nuestro cariño, y es mi deber. Nuestro señor, el conde de Gómara, parte mañana de su castillo para reunir su hueste a la del rey don Fernando, que va a sacar a Sevilla del poder de los infieles, y yo debo partir con el conde. Huérfano oscuro, sin nombre y sin familia, a él le debo cuanto soy. Yo he servido en el ocio de las paces, he dormido bajo su techo, me he calentado en su hogar y he comido el pan a su mesa. Si hoy lo abandono, mañana sus hombres de armas al salir en tropel por las poternas de su castillo, preguntarán maravillados de no verme: «¿Dónde está el escudero favorito del conde de Gómara?», y mi señor callará de vergüenza, y sus pajes y sus bufones dirán, en son de mofa: «El escudero del conde no es más que un galán de justas, un lidiador de cortesía.»

Al llegar a este punto, Margarita levantó sus ojos llenos de lágrimas, para fijarlos en los de su amante, y removió los labios como para dirigirle la palabra; pero su voz se ahogó en un sollozo.

Pedro, con acento aún más dulce y persuasivo, prosiguió así:

—No llores, por Dios, Margarita; no llores, porque tus lágrimas me hacen daño. Voy a alejarme de ti; mas yo volveré después de haber conseguido un poco de gloria para mi nombre oscuro... El Cielo nos ayudará en la santa empresa. Conquistaremos a Sevilla, y el rey nos dará feudos en las riberas del Guadalquivir a los conquistadores. Entonces volve-

ré en tu busca y nos iremos juntos a habitar en aquel paraíso de los árabes, donde dicen que hasta el cielo es más limpio y más azul que el de Castilla; volveré, te lo juro; volveré a cumplir la palabra solemnemente empeñada el día en que puse en tus manos ese anillo, símbolo de una promesa.

—¡Pedro! —exclamó entonces Margarita, dominando su emoción y con voz resuelta y firme—. Ve, ve a mantener tu honra —y al pronunciar estas palabras se arrojó por última vez en brazos de su amante. Después añadió, con acento más sordo y conmovido—: Ve a mantener tu honra; pero vuelve..., vuelve a traerme la mía.

Pedro besó la frente de Margarita, desató su caballo, que estaba sujeto a uno de los árboles del soto, y se alejó al galope por el fondo de la alameda.

Margarita siguió a Pedro con los ojos hasta que su sombra se confundió entre la niebla de la noche, y cuando ya no pudo distinguirlo, se volvió lentamente al lugar, donde la aguardaban sus hermanos.

—Ponte tus vestidos de gala —le dijo uno de ellos al entrar—, que mañana vamos a Gómora con todos los vecinos del pueblo para ver al conde, que se marcha a Andalucía.

—A mí más me entristece que me alegra ver irse a los que acaso no han de volver —respondió Margarita con un suspiro.

—Sin embargo —insistió el otro hermano—, has de venir con nosotros, y has de venir compuesta y alegre; así no dirán las gentes murmuradoras que tienes amores en el castillo y que tus amores se van a la guerra.

Apenas rayaba en el cielo la primera luz del alba, cuando empezó a oírse por todo el campo de Gómara la aguda trompetería de los soldados del conde, y los campesinos que llegaban en numerosos grupos de los lugares cercanos vieron desplegarse al viento el pendón señorial en la torre más alta de la fortaleza.

Unos sentados al borde de los fosos, otros subidos en las copas de los árboles, éstos vagando por la llanura, aquéllos coronando las cumbres de las colinas, los de más allá formando un cordón a lo largo de la calzada, ya haría cerca de una hora que los curiosos esperaban el espectáculo, no sin que algunos comenzaran a impacientarse, cuando volvió a sonar de nuevo el toque de los clarines, rechinaron las cadenas del puente, que cayó con pausa sobre el foso, y se levantaron los rastrillos, mientras se abrían de par en par, y gimiendo sobre sus goznes, las pesadas puertas del arco que conducía al patio de armas.

La multitud corrió a agolparse en los ribazos del camino para ver más a su sabor las brillantes armaduras y los lujosos arreos del séquito del conde de Gómara, célebre en toda la comarca por su esplendidez y sus riquezas.

Rompieron la marcha los farautes, que, deteniéndose de trecho en trecho, pregonaban en voz alta y a son de caja las cédulas del rey llamando a sus feudatarios a la guerra de moros y requiriendo a las villas y lugares libres para que diesen paso y ayuda a sus huestes.

A los farautes siguieron los heraldos de corte, ufanos con sus casullas de seda, sus escudos bor-

dados de oro y colores y sus birretes guarnecidos de plumas vistosas.

Después vino el escudero mayor de la casa, armado de punta en blanco, caballero sobre un potro morcillo, llevando en sus manos el pendón de ricohombre con sus motes y sus calderas, y al estribo izquierdo, el ejecutor de las justicias del señor, vestido de negro y rojo.

Precedían al escudero mayor hasta una veintena de aquellos famosos trompeteros de la tierra llana, célebres en las crónicas de nuestros reyes por la increíble fuerza de sus pulmones.

Cuando dejó de herir al viento el agudo clamor de la formidable trompetería, comenzó a oírse un rumor sordo, acompasado y uniforme. Eran los peones de la mesnada, armados de largas picas y provistos de sendas adargas de cuero. Tras estos no tardaron en parecer los aparejadores de las máquinas, con sus herramientas y su torre de palo; las cuadrillas de escaladores y la gente menuda del servicio de las acémilas.

Luego, envueltos en las nubes de polvo que levantaban el casco de sus caballos, y lanzando chispas de luz de sus petos de hierro, pasaron los hombres de armas del castillo, formados en gruesos pelotones, que semejaban a lo lejos un bosque de lanzas.

Por último, precedido de los timbaleros, que montaban poderosas mulas con gualdrapas y penachos, rodeado de sus pajes, que vestían ricos trajes de seda y oro y seguido de los escuderos de su casa, apareció el conde.

Al verlo, la multitud levantó un clamor inmenso para saludarlo, y entre la confusa vocería se ahogó el grito de una mujer, que en aquel punto cayó des-

mayada y como herida de un rayo en los brazos de algunas personas que acudieron a socorrerla. Era Margarita, Margarita, que había conocido a su misterioso amante en el muy alto y muy temido señor conde de Gómora, uno de los más nobles y poderosos feudatarios de la corona de Castilla.

III

El ejército de don Fernando, después de salir de Córdoba, había venido por sus jornadas hasta Sevilla. no sin haber luchado antes en Écija, Carmona y Alcalá del Río Guadaira, donde, una vez expugnado el famoso castillo, puso los reales a la vista de la ciudad de los infieles.

El conde de Gómora estaba en la tienda sentado en un escaño de alerce inmóvil, pálido terrible, las manos cruzadas sobre la empuñadura del montante y los ojos fijos en el espacio con esa vaguedad del que parece mirar un objeto y, sin embargo, no ve nada de cuanto hay a su alrededor.

A un lado, y de pie, le hablaba el más antiguo de los escuderos de su casa, el único que en aquellas horas de negra melancolía hubiera osado interrumpirlo sin atraer sobre su cabeza la explosión de cólera.

—¿Qué tenéis, señor? —le decía—. ¿Qué mal os aqueja y consume? Triste vais al combate y triste volvéis, aun tornando con la victoria. Cuando todos los guerreros duermen rendidos a la fatiga del día, os oigo suspirar angustiado, y si corro a vuestro lecho, os miro allí luchar con algo invisible que os atormenta. Abrís los ojos y vuestro terror no se desvanece. ¿Qué os pasa, señor? Decídmelo. Si es un se-

creto, ya sabré guardarlo en el fondo de mi memoria como en un sepulcro.

El conde parecía no oír al escudero. No obstante, después de un largo espacio, y como si las palabras hubiesen tardado todo aquel tiempo en llegar desde sus oídos a su inteligencia, salió poco a poco de su inmovilidad y, atrayéndolo hacia sí cariñosamente, le dijo con voz grave y reposada:

—He sufrido demasiado en silencio. Creyéndome juguete de una vana fantasía, hasta ahora he callado por vergüenza; pero no, no es ilusión lo que me sucede. Yo debo hallarme bajo la influencia de alguna maldición terrible. El cielo o el infierno deben de querer algo de mí, y lo avisan con hechos sobrenaturales. ¿Te acuerdas del día de nuestro encuentro con los moros de Nebrija en el aljarafe de Triana? Éramos pocos. La pelea fue dura, y yo estuve a punto de perecer. Tú lo viste; en lo más reñido del combate, mi caballo, herido y ciego de furor, se precipitó hacia el grueso de la hueste mora. Yo pugnaba en balde por contenerlo. Las riendas se habían escapado de mis manos, y el fogoso animal corría llevándome a una muerte segura. Ya los moros, cerrando sus escuadrones, apoyaban en tierra el cuento de sus largas picas para recibirme en ellas. Una nube de saetas silbaban en mis oídos. El caballo estaba a algunos pies de distancia del muro de hierro en que íbamos a estrellarnos, cuando... Creeme: no fue una ilusión. Vi una mano que, agarrándolo de la brida, lo detuvo con una fuerza sobrenatural y, volviéndolo en dirección a las filas de mis soldados, me salvó milagrosamente. En vano pregunté a unos y a otros por mi salvador. Nadie lo conocía, nadie lo había visto. «Cuando volabais a estrellaros en la muralla de picas (me dijeron), ibais

solo, completamente solo. Por eso nos maravillamos al veros tornar, sabiendo que ya el corcel no obedecía al jinete.» Aquella noche entré preocupado en mi tienda. Quería en vano arrancarme de la imaginación el recuerdo de la extraña aventura. Mas al dirigirme al lecho torné a ver la misma mano, una mano hermosa, blanca hasta la palidez, que descorrió las cortinas, desapareciendo después de descorrerlas. Desde entonces, a todas horas, en todas partes, estoy viendo esa mano misteriosa que previene mis deseos y se adelanta a mis acciones. La he visto, al expugnar el castillo de Triana, coger entre sus dedos y partir en el aire una saeta que venía a herirme; la he visto, en los banquetes donde procuraba herir mi pena entre la confusión y el tumulto, escanciar el vino en mi copa, y siempre se halla delante de mis ojos, y por donde voy me sigue; en la tienda, en el combate, de día, de noche... Ahora mismo, mírala, mírala aquí, apoyada suavemente en mis hombros.

Al pronunciar estas últimas palabras, el conde se puso de pie y dio algunos pasos como fuera de sí y embargado de un profundo terror.

El escudero se enjugó una lágrima que corría por sus mejillas. Creyendo loco a su señor, no insistió, sin embargo, en contrariar sus ideas, y se limitó a decirle con voz profundamente conmovida:

—Venid... Salgamos un momento de la tienda. Acaso la brisa de la tarde refrescará vuestras sienes, calmando ese incomprensible dolor, para el que yo no hallo palabras de consuelo.

IV

El real de los cristianos se extendía por todo

el campo de Guadaira hasta tocar en la margen izquierda del Guadalquivir. Enfrente del real, y destacándose sobre el luminoso horizonte, se alzaban los muros de Sevilla, flanqueados de torres almenadas y fuertes. Por encima de la corona de almenas rebosaba la verdura de los mil jardines de la morisca ciudad, y entre las oscuras manchas del follaje lucían los miradores blancos como la nieve, los alminares de las mezquitas y la gigantesca atalaya, sobre cuyo aéreo pretil lanzaban chispas de luz, heridas por el sol, las cuatro grandes bolas de oro, que desde el campo de los cristianos parecían cuatro llamas.

La empresa de don Fernando, una de las más heroicas y atrevidas de aquella época, había traído a su alrededor a los más célebres guerreros de los diferentes reinos de la Península, no faltando algunos que de países extraños y distantes vinieran también, llamados por la fama, a unir sus esfuerzos a los del santo rey.

Tendidas a lo largo de la llanura mirábanse, pues, tiendas de campaña de todas formas y colores, sobre el remate de las cuales ondeaban al viento distintas enseñas con escudos partidos, astros, grifos, leones, cadenas, barras y calderas y otras cien y cien figuras o símbolos heráldicos que pregonaban el nombre y la calidad de sus dueños. Por entre las calles de aquella improvisada ciudad circulaban en todas direcciones multitud de soldados, que, hablando dialectos diversos y vestidos cada cual al uso de su país y cada cual armado a su guisa, formaban un extraño y pintoresco contraste.

Aquí descansaban algunos señores de las fatigas del combate, sentados en escaños de alerce a la

puerta de sus tiendas y jugando a las tablas, en tanto que sus pajes les escanciaban el vino en copas de metal; allí algunos peones aprovechaban un momento de ocio para aderezar y componer sus armas rotas en la última refriega; más allá cubrían de saetas un blanco de los más expertos ballesteros de la hueste, entre las aclamaciones de la multitud, pasmada de su destreza, y el rumor de los tambores, el clamor de las trompetas, las voces de los mercaderes ambulantes, el golpear del hierro contra el hierro, los cánticos de los juglares, que entretenían a sus oyentes con la relación de hazañas portentosas, y los gritos de los farautes, que publicaban las ordenanzas de los maestros de campo, llenando los aires de mil y mil ruidos discordes, prestaban a aquel cuadro de costumbres guerreras una vida y una animación imposible de pintar con palabras.

El conde de Gómara, acompañado de su fiel escudero, atravesó por entre los animados grupos sin levantar los ojos de la tierra, silencioso, triste, como si ningún objeto hiriese su vista ni llegase a su oído el rumor más leve. Andaba maquinalmente, a la manera de un sonámbulo, cuyo espíritu se agita en el mundo de los sueños, se mueve y marcha sin la conciencia de sus acciones y como arrastrado por una voluntad ajena a la suya.

Próximo a la tienda del rey, y en medio de un gran corro de soldados, pajecillos y gente menuda que lo escuchaban con la boca abierta apresurándose a comprarle algunas de las baratijas que anunciaba a voces y con hiperbólicos encomios, había un extraño personaje, mitad romero, mitad juglar, que, ora recitando una especie de letanía en latín bárbaro, ora diciendo una bufonada o una choca-

rrería, mezclaba en su interminable relación chistes capaces de poner colorado a un ballestero con oraciones devotas, historias de amores picarescos con leyendas de santos. En las inmensas alforjas que colgaban de sus hombros se hallaban revueltos y confundidos mil objetos diferentes: cintas tocadas en el sepulcro de Santiago, cédulas con palabras que él decía ser hebraicas, las mismas que dijo el rey Salomón cuando fundaba el templo y las únicas para libertarse de toda clase de enfermedades contagiosas; bálsamos maravillosos para pegar a hombres partidos por la mitad; evangelios cosidos en bolsitas de brocatel, secretos para hacerse amar de todas las mujeres, reliquias de los santos patronos de todos los lugares de España, joyuelas, cadenillas, cinturones, medallas y otras muchas baratijas de alquimia, de vidrio y de plomo.

Cuando el conde llegó cerca del grupo que formaban el romero y sus admiradores, comenzaba éste a templar una especie de bandolín o guzla árabe con que se acompañaba en la relación de sus romances. Después que hubo estirado bien las cuerdas unas tras otras y con mucha calma, mientras su acompañante daba la vuelta al corro sacando los últimos cornados de la flaca escarcela de los oyentes, el romero empezó a cantar con voz gangosa y con un aire monótono y plañidero un romance que siempre terminaba con el mismo estribillo.

El conde se acercó al grupo y prestó atención Por una coincidencia, al parecer extraña, el título de aquella historia respondía en un todo a los lúgubres pensamientos que embargaban su ánimo. Según había anunciado el cantor antes de comenzar, el romance se titulaba el *Romance de la mano muerta*.

Al oír el escudero tan extraño anuncio, pugnó

por arrancar a su señor de aquel sitio; pero el conde, con los ojos fijos en el juglar, permaneció inmóvil escuchando esta cantiga:

I

La niña tiene un amante
que escudero se decía.
El escudero le anuncia
que a la guerra se partía.
"Te vas y acaso no tornes."
"Tornaré por vida mía."
Mientras el amante jura,
diz que el viento repetía:
¡Mal haya quien en promesas de hombre fía!

II

El conde, con la mesnada,
de su castillo salía,
Ella, que lo ha conocido,
con gran aflicción gemía:
"¡Hay de mí, que se va el conde
y se lleva la honra mía!"
Mientras la cuitada llora,
diz que el viento repetía:
¡Mal haya quien en promesas de hombre fía!

III

Su hermano, que estaba allí
estas palabras oía.
"Nos has deshonrado", dice.
"Me juró que tornaría."
"No te encontrará, si torna,
donde encontrarte solía."
Mientras la infelice muere,
diz que el viento repetía:
¡Mal haya quien en promesas de hombre fía!

IV

Muerta la llevan al soto;
la han enterrado en la umbría;
por más tierra que le echaban,
la mano no le cubrían:
la mano donde un anillo
que le dio el conde tenía.
De noche, sobre la tumba
diz que el viento repetía:
¡Mal haya quien en promesas de hombre fía!

Apenas el cantor había terminado la última estrofa, cuando, rompiendo el muro de curiosos, que se apartaban con respeto al reconocerlo, el conde llegó adonde se encontraba el romero y, cogiéndolo con fuerza del brazo, le preguntó en voz baja y convulsa:

—¿De qué tierra eres?

—De tierra de Soria —le respondió sin alterarse.

—Y ¿dónde has aprendido ese romance? ¿A quién se refiere la hsitoria que cuentas? —volvió a exclamar su interlocutor, cada vez con muestras de una emoción mucho más profunda.

—Señor —dijo el romero, clavando sus ojos en los del conde con una fijeza imperturbable—, esta cantiga la repiten de unos en otros los aldeanos del campo de Gómara, y se refiere a una desdichada cruelmente ofendida por un poderoso. Altos juicios de Dios han permitido que al enterrarla quedase siempre fuera de la sepultura la mano en que su amante le puso un anillo al hacerle una promesa. Vos sabréis, quizá, a quién toca cumplirla.

V

En un lugarejo miserable y que se encuentra a

un lado del camino que conduce a Gómara he visto no hace mucho el sitio en donde se asegura tuvo lugar la extraña cermonia del casamiento del conde.

Después que éste arrodillado sobre la humilde fosa, estrechó en la suya la mano de Margarita y un sacerdote autorizado por el Papa bendijo la lúgubre unión, es fama que cesó el prodigio y la *mano muerta* se hundió para siempre.

Al pie de unos árboles añosos y corpulentos hay un pedacito de prado que al llegar la primavera so cubre espontáneamente de flores. La gente del país dice que allí está enterrada Margarita.

CREED EN DIOS

(Cántiga Provenzal)

Yo fui el verdadero Teobaldo de Montagut, barón de Fortcastell. Noble o villano, señor o pechero, tú, cualquiera que seas, que te detienes un instante al borde de mi sepultura, cree en Dios como yo he creído y ruégale por mí.

I

Nobles aventureros que, puesta la lanza en la cuja, caída la visera del casco y jinetes sobre un corcel poderoso, recorréis la tierra sin más patrimonio que vuestro nombre clarísimo y vuestro montante, buscando honra y prez en la profesión de las armas; si al atravesar el quebrado valle de Montagut os han sorprendido en él la tormenta y la noche y

habéis encontrado un refugio en las ruinas del monasterio que aún se ve en su fondo, oídme.

II

Pastores que seguís con lento paso vuestras ovejas, que pacen derramadas por las colinas y la llanura; si al conducirlas al borde del transparente riachuelo que corre, forcejea y salta por entre los peñascos del valle de Montagut, en el rigor del verano y en una siesta de fuego, habéis encontrado la sombra y el reposo al pie de las derruidas arcadas del monasterio, cuyos musgosos pilares besan las ondas, oídme.

III

Niñas de las cercanas aldeas, lirios silvestres que crecéis felices al abrigo de vuestra humildad; si en la mañana del Santo Patrono de estos lugares, al bajar el valle de Montagut a coger tréboles y margaritas con que embellecer su retablo, venciendo el temor que os inspira el sombrío monasterio que se alza en sus peñas, habéis penetrado en su claustro mudo y desierto para vagar entre sus abandonadas tumbas, a cuyos bordes crecen las margaritas más dobles y los jacintos más azules, oídme.

IV

Tú, noble caballero, tal vez al resplandor de un relámpago; tú, pastor errante, calcinado por los rayos del sol; tú, en fin, hermosa niña, cubierta aún con gotas de rocío semejantes a lágrimas; todos habréis visto en aquel santo lugar una tumba humilde. Antes la componían una piedra tosca y una cruz de palo; la cruz ha desaparecido, y sólo queda la piedra. En esa tumba, cuya inscripción es el mote

de mi canto, reposa en paz el último varón de Fort-
castell, Teobaldo de Montagut, del cual voy a re-
feriros la peregrina historia.

<center>* * *</center>

I

Cuando la noble condesa de Montagut estaba
encinta de su primogénito, Teobaldo, tuvo un en-
sueño misterioso y terrible. Acaso un aviso de Dios;
tal vez una vana fantasía que el tiempo realizó más
adelante. Soñó que en su seno engendraba una ser-
piente, una serpiente monstruosa que arrojando agu-
dos silbidos, y ora arrastrándose entre la menuda
hierba, ora replegándose sobre sí misma para saltar,
huyó de su vista, escondiéndose, al fin, entre unas
zarzas.

—¡Allí está, allí está! —gritaba la condesa en su
horrible pesadilla, señalando a sus servidores la zar-
za en que se había escondido el asqueroso reptil.

Cuando sus servidores llegaron presurosos al
punto que la noble dama, inmóvil y presa de un
profundo terror, les señalaba aún con el dedo, una
blanca paloma se levantó de entre las breñas y se
remontó a las nubes.

La serpiente había desaparecido.

II

Teobaldo vino al mundo. Su madre murió al
darlo a luz; su padre pereció algunos años después
en una emboscada, peleando como bueno contra los
enemigos de Dios.

Desde este punto, la juventud del primogénito

de Fortcastell sólo puede compararse a un huracán. Por donde pasaba se veía señalando su camino un rastro de lágrimas y de sangre. Ahorcaba a sus pecheros, se batía con sus iguales, perseguía a las doncellas, daba de palos a los monjes, y, en sus blasfemias y juramentos, ni dejaba santo en paz ni cosa sagrada que no maldijese.

III

Un día que salió de caza y que, como era su costumbre, hizo entrar a guarecerse de la lluvia a toda su endiablada comitiva de pajes licenciosos, arqueros desalmados y siervos envilecidos, con perros, caballos y gerifaltes, en la iglesia de una aldea de sus dominios, un venerable sacerdote, arrostrando su cólera y sin temer los violentos arranques de su carácter impetuoso, lo conjuró, en nombre del Cielo, y llevando una hostia consagrada en sus manos, a que abandonase aquel lugar y fuese a pie y con un bordón de romero a pedir al Papa la absolución de sus culpas.

—¡Déjame en paz, viejo loco! —exclamó Teobaldo al oírlo—; ¡déjame en paz, o ya que no he encontrado una sola pieza durante el día, te suelto mis perros y te cazo como a un jabalí para distraerme!

IV

Teobaldo era hombre de hacer lo que decía. El sacerdote, sin embargo, se limitó a contestarle:

—Haz lo que quieras; pero ten presente que hay un Dios que castiga y perdona, y que si muero a tus manos borrará mis culpas del libro de su indignación para escribir tu nombre y hacer expiar tu crimen.

—¡Un Dios que castiga y perdona! —prorrumpió el sacrílego barón con una carcajada—. Yo no creo en Dios, y para darte una prueba, voy a cumplirte lo que te he prometido, porque, aunque poco rezador, soy amigo de no faltar a mis palabras. ¡Raimundo! ¡Gerardo! ¡Pedro! Azuzad la jauría, dadme el venablo, tocad el *alalí* en vuestras trompas, que vamos a darle caza a este imbécil, aunque se suba a los retablos de sus altares.

V

Ya, después de dudar un instante y a una nueva orden d su señor, comenzaban los pajes a desatar los lebreles, que aturdían la iglesia con sus ladridos; ya el barón había armado su ballesta, riendo con una risa de Satanás, y el venerable sacerdote, murmurando una plegaria, elevaba sus ojos al cielo y esperaba tranquilo la muerte, cuando se oyó fuera del sagrado recinto una vocería terrible, bramidos de trompas que hacían señales de ojeo y gritos de: «¡Al jabalí! ¡Por las breñas! ¡Hacia el monte!» Teobaldo, al anuncio de la deseada res, corrió a las puertas del santuario, ebrio de alegría; tras él fueron sus servidores, y con sus servidores, los caballos y los lebreles.

VI

—¿Por dónde va el jabalí? —preguntó el barón, subiendo a su corcel sin apoyarse en el estribo ni desarmar la ballesta.

—Por la cañada que se extiende al pie de esas colinas —le respondieron.

Sin escuchar la última palabra, el impetuoso ca-

zador hundió su acicate de oro en el ijar del caba-
llo, que partió a escape. Tras él partieron todos.

Los habitantes de la aldea, que fueron los pri-
meros en dar la voz de alarma, y que al aprooximar-
se al terrible animal se habían guarecido en sus
chozas, asomaron tímidamente la cabeza a los qui-
cios de las ventanas, y cuando vieron desaparecer
la infernal comitiva por entre el follaje de la espe-
sura se santiguaron en silencio.

VII

Teobaldo iba adelante de todos. Su corcel, más
ligero o más castigado que los de sus servidores,
seguía tan de cerca a la res, que dos o tres veces,
dejándole la brida sobre el cuello al fogoso bruto,
se había empinado sobre los estribos y echándose al
hombro la ballesta para herirlo. Pero el jabalí,
al que sólo divisaba a intervalos entre los espesos
matorrales, tornaba a dsaparecer de su vista para
mostrársele de nuevo fuera del alcance de su arma.

Así corrió muchas horas, atravesó las cañadas
del valle y el pedregoso lecho del río, e internándose
en un bosque inmenso, se perdió entre sus sombrías
revueltas, siempre fijos los ojos en la codiciada res,
siempre creyendo alcanzarla, siempre viéndose bur-
lado por su agilidad maravillosa.

VIII

Por último, pudo encontrar ocasión propicia:
tendió el brazo y voló la saeta, que fue a clavarse
temblando en el lomo del terrible animal, que dio un
salto y un espantoso bufido.

—¡Muerto está! —exclama con un grito de ale-
gría el cazador, volviendo a hundir por centésima

vez el acicate en el sangriento ijar de su caballo—
¡Muerto está! En balde huye. El rastro de la sangre que arroja marca su camino —y esto diciendo, comenzó a hacer con la bocina la señal del triunfo para que la oyeran sus servidores.

En aquel instante, el corcel se detuvo, flaquearon sus piernas, un ligero temblor agitó sus contraídos músculos y cayó al suelo desplomado, arrojando por la hinchada nariz, cubierta de espuma, un caño de sangre.

Había muerto de fatiga, había muerto cuando la carrera del herido jabalí comenzaba a acostarse, cuando bastab aun solo esfuerzo más para alcanzarlo.

IX

Pintar la ira del colérico Teobaldo sería imposible. Repetir sus maldiciones y sus blasfemias, sólo repetirlas, fuera escandaloso e impío. Llamó a grandes voces a sus servidores, y únicamente le contestó el eco en aquellas inmensas soledades, y se arrancó los cabellos y se mesó las barbas, presa de la más espantosa desesperación.

—Lo seguiré a la carrera, aun cuando haya de reventame —exclamó, al fin, armando de nuevo su ballesta y disponiéndose a seguir a la res; pero en aquel momento sintió ruido a sus espaldas, se entreabrieron las ramas de la espesura y se presentó a sus ojos un paje que traía del diestro un corcel negro como la noche.

—El cielo me lo envía —dijo el cazador lanzándose sobre sus lomos, ágil como un gamo.

El paje, que era delgado, muy delgado, y amarillo como la muerte, se sonrió de una manera extraña al presentarle la brida.

X

El caballo relinchó con una fuerza que hizo estremecerse el bosque; dio un bote increíble, un bote en que se levantó más de diez varas del suelo, y el aire comenzó a zumbar en los oídos del jinete como zumba una piedra arrojada por la honda. Había partido a escape; pero a un escape tan rápido, que, temeroso de perder los estribos y caer a tierra turbado por el vértigo, tuvo que cerrar los ojos y agarrarse con ambas manos a sus flotantes crines.

Y sin agitar sus riendas, sin herirlo con el acicate ni animarlo con la voz, el corcel corría, corría sin detenerse. ¿Cuánto tiempo corrió Teobaldo con él sin saber por dónde, sintiendo que las ramas le abofeteaban el rostro al pasar, y los zarzales desgarraban sus vestidos, y el viento silbaba a su alrededor? Nadie lo sabe.

XI

Cuando, recobrado en ánimo, abrió sus ojos un instante para arrojar en torno suyo una mirada inquieta, se encontró lejos, muy lejos de Montagut y en unos lugares para él completamente extraños. El corcel corría, corría sin detenerse, y árboles, rocas, castillos y aldeas pasaban a su lado como una exhalación. Nuevos y nuevos horizontes se abrían ante su vista; horizontes que se borraban para dejar lugar a otros más y más desconocidos. Valles angostos, erizados de colosales fragmentos de granito que las tempestades habían arrancado de la cumbre de las montañas; alegres campiñas cubiertas de un tapiz de verdura y sembradas de blancos caseríos: desiertos sin límites, en donde hervían las arenas calcinadas por los rayos de un sol de fuego; vastas soledades, llanuras inmensas, regiones de eternas

nieves, donde los gigantescos témpanos asemejaban, destacándose sobre un cielo gris y oscuro, blancos fantasmas que extendían sus brazos para asirlo por los cabellos al pasar; todo esto, y mil y mil otras cosas que yo no podré deciros, vio en su fantástica carrera, hasta tanto que, envuelto en una niebla oscura, dejó de percibir el ruido que producían los cascos del caballo al herir la tierra.

<center>* * *</center>

I

Nobles caballeros, sencillos pastores, hermosas niñas que escucháis mi relato; si os maravilla lo que os cuento, no creáis que es una fábula tejida a mi antojo para sorprender vuestra credulidad. De boca en boca ha llegado hasta mí esta tradición, y la leyenda del sepulcro, que aún subsiste en el monasterio de Montagut, es un testimonio irrecusable de la veracidad de mis palabras.

Creed, pues, lo que he dicho, y creed lo que aún me resta por decir, que es tan cierto como lo anterior, aunque más maravilloso. Yo podré acaso adornar con algunas galas de la poesía el desnudo esqueleto de esta sencilla y terrible historia; pero nunca me apartaré un punto de la verdad a sabiendas.

II

Cuando Teobaldo dejó de percibir las pisadas de su corcel y se sintió lanzado en el espacio, no pudo reprimir un involuntario estremecimiento de terror. Hasta entonces había creído que los objetos que se representaban a sus ojos eran fantasmas de una imaginación, turbada por el vértigo, y que su corcel corría desbocado, es verdad; pero corría

260

sin salir del término de su señorío. Ya no le quedaba duda de que era el juguete de un poder sobrenatural que lo arrastraba, sin que supiese adónde, a través de aquellas nieblas oscuras, de formas caprichosas y fantásticas, en cuyo seno, que se iluminaba a veces con el resplandor de un relámpago, creía distinguir las hirvientes centellas, próximas a desprenderse.

El corcel corría o, mejor dicho, nadaba en aquel océano de vapores caliginosos y encendidos, y las maravillas del cielo comenzaron a desplegarse, unas tras otras, ante los espantados ojos de su jinete.

III

Cabalgando sobre las nubes, vestidos de luengas túnicas con orlas de fuego, suelta al huracán la encendida cabellera y blandiendo sus espadas, que relampagueaban arrojando chispas de cárdena luz, vio a los ángeles, ministros de la cólera del Señor, cruzar, como un formidable ejército sobre las alas de la tempestad.

Y subió más alto y creyó divisar a lo lejos las tormentosas nubes, semejantes a un mar de lava, y oyó mujir el trueno a sus pies como muge el Océano azotando la roca cuya cima lo contempla el atónito peregrino.

IV

Y vio al arcángel, blanco como la nieve, que, sentado sobre un inmenso globo de cristal, lo dirige por el espacio en las noches serenas, como un bajel de plata sobre la superficie de un lago azul.

Y vio el sol volteando encendido sobre sus ejes de oro en una atmósfera de colores y de fuego, y en su foco a los ígneos espíritus que habitan in-

cólumes entre las llamas, y desde su ardiente seno, entonan al Creador himnos de alegría.

Vio los hilos de luz imperceptibles que atan los hombres a las estrellas, y vio el arco iris, echado como un puente colosal sobre el abismo que separa al primer cielo del segundo.

V

Por una escala misteriosa vio bajar las almas a la Tierra; vio bajar muchas y subir pocas. Cada una de aquellas almas inocentes iba acompañada de un arcángel purísimo, que la cubría con las sombras de sus alas. Los que tornaban solos, tornaban en silencio y con lágrimas en los ojos; los que no, subían cantando como suben las alondras en las mañanas de abril.

Después, las nieblas rosadas y azules, que flotaban en el espacio como cortinas de gasa transparente, se rasgaron como el día de Gloria se rasga en nuestros templos el velo de los altares, y el paraíso de los justos se ofreció a sus miradas deslumbrador y magnífico.

VI

Allí estaban los santos profetas que habréis visto groseramente esculpidos en las portadas de piedra de nuestras catedrales; allí las vírgenes luminosas, que intenta en vano copiar de sus sueños el pintor en los vidrios de colores de las ojivas; allí los querubines, con sus largas y flotantes vestiduras y sus nimbos de oro, como los de las tablas de los altares; allí, en fin, coronada de estrellas, vestida de luz, rodeada de todas las jerarquías celestes, y hermosa sobre toda ponderación, Nuestra Señora de Montserrat, la Madre de Dios, la Reina de los arcángeles,

el amparo de los pecadores y el consuelo de los afligidos.

VII

Más allá del paraíso de los justos; más allá del trono do se sienta la Virgen María. El ánimo de Teobaldo se sobrecogió temeroso, y un hondo pavor se apoderó de su alma. La eterna soledad, el eterno silencio, viven en aquellas regiones que conducen al misterioso santuario del Señor. De cuando en cuando azotaba su frente una ráfaga de aire, frío como la hoja de un puñal, que crispaba sus cabellos de horror y penetraba hasta la médula de sus huesos, ráfagas semejantes a las que anunciaban a los profetas la aproximación del espíritu divino. Al fin llegó a un punto donde creyó percibir un rumor sordo, que pudiera compararse al zumbido lejano de un enjambre de abejas cuando, en las tardes de otoño, revolotean en derredor de las últimas flores.

VIII

Atrabesaba esa fantástica región adonde van todos los acentos de la Tierra, los sonidos que decimos que se desvanecen, las palabras que juzgamos que se pierden en el aire, los lamentos que creemos que nadie oye.

Aquí, en un círculo armónico, flotan las plegarias de los niños, las oraciones de las vírgenes, los salmos de los piadosos eremitas, las peticiones de los humildes, las castas palabras de los limpios de corazón, las resignadas quejas de los que padecen, las aves de los que sufren y los himnos de los que esperan. Teobaldo oyó entre aquellas voces, que palpitaban aún en el éter luminoso, la voz de su santa madre, que pedía a Dios por él; pero no oyó la suya.

IX

Más allá hirieron sus oídos, con un estrépito discordante, mil y mil acentos ásperos y roncas blasfemias, gritos de venganzas, cantares de orgías, palabras lúbricas, maldiciones de la desesperación, amenazas de la impotencia y juramentos sacrílegos de la impiedad.

Teobaldo atravesó el segundo círculo con la rapidez con que el meteoro cruza el cielo en una tarde de verano, por no oír su voz, que vibraba allí sonante y atronadora, sobreponiéndose a las otras voces en medio de aquel concierto infernal.

—¡No creo en Dios! ¡No creo en Dios! —decía aún su acento, agitándose en aquel océano de blasfemias; y Teobaldo comenzaba a creer.

X

Dejó atrás aquellas regiones y atravesó otras inmensidades llenas de visiones terribles, que ni él pudo comprender, ni yo tampoco acierto a concebir, y llegó, al cabo, al último círculo de la espiral de los cielos, donde los serafines adoran al Señor, cubierto el rostro con las triples alas y prosternados a sus pies.

Él quiso mirarlo.

Un aliento de fuego abrasó su cara, un mar de luz oscureció sus ojos, un trueno gigante retumbó en sus oídos, y arrancado del corcel y lanzado al vacío como la piedra candente que arroja un volcán, se sintió bajar y bajar, sin caer nunca; ciego, abrasado y ensordecido, como cayó el ángel rebelde cuando Dios derribó el pedestal de su orgullo con un soplo de sus labios.

I

La nohe había cerrado y el viento gemía agitando las hojas de los árboles, por entre cuyas frondosas ramas se deslizaba un suave rayo de luna, cuando Teobaldo, incorporándose sobre el codo y restregándose los ojos como si despertara de un profundo sueño, tendió alrededor una mirada y se encontró en el mismo bosque donde hirió al jabalí, donde cayó muerto su corcel, donde le dieron aquella fantástica cabalgadura que lo había arrastrado a unas regiones desconocidas y misteriosas.

Un silencio de muerte reinaba a su alrededor; un silencio que sólo interrumpía el lejano bramido de los ciervos, el temeroso murmullo de las hojas y el eco de una campana distante que de vez en cuando traía el viento en sus ráfagas.

—Habré soñado —dijo el barón, y emprendió su camino a través del bosque, y salió, al fin, a la llanura.

II

En lontananza, y sobre las rocas de Montagut, vio destacarse la negra silueta de su castillo sobre el fondo azulado y transparente del cielo de la noche.

—Mi castillo está lejos y estoy cansado —murmuró—; esperaré el día en un lugar cercano —y se dirigió al lugar. Llamó a una puerta.

—¿Quién sois? —le preguntaron.

—El barón de Fortcastell —respondió, y se le rieron en sus barbas. Llamó a otra.

—¿Quién sois y qué queréis? —tornaron a preguntarle.

—Vuestro señor —insistió el caballero, sorprendido de que no lo conociesen—: Teobaldo de Montagut.

—¡Teobaldo de Montagut! —dijo colérica su interlocutora, que lo era una vieja—. ¡Teobaldo de Montagut, el del cuento! ... ¡Bah! ... Seguid vuestro camino y no vengáis a sacar de su sueño a gentes honradas para decirles chanzonetas insulsas.

III

Teobaldo, lleno de asombro, abandonó la aldea y se dirigió al castillo, a cuyas puertas llegó cuando apenas clareaba el día. El foso estaba cegado con los sillares de las derruidas almenas; el puente levadizo, inútil ya, se pudría colgado aún de sus fuertes tirantes de hierro, cubiertos de orín por la acción de los años; en la torre del homenaje tañía lentamente una campana; frente al arco principal de la fortaleza, y sobre un pedestal de granito, se elevaba una cruz; en los muros no se veía un solo soldado, y confuso y sordo, parecía que de su seno se elevaba como un murmullo lejano, un himno religioso, grave, solemne y magnífico.

—¡Y éste es mi castillo, no hay duda! —decía Teobaldo, paseando su inquieta mirada de un punto a otro, sin acertar a comprender lo que le pasaba—. ¡Aquél es mi escudo, grabado aún sobre la clave del arco! ¡Ése es el valle del Montagut! Estas tierras que domino, el señorío de Fortcastell.

En aquel instante, las pesadas hojas de la puerta giraron sobre los goznes y apareció en su umbral un religioso.

—¿Quién sois y qué hacéis aquí? —le preguntó Teobaldo al monje.

—Yo soy —le contestó éste— un humilde servidor de Dios, religioso del monasterio de Montagut.

—Pero ... —interrumpió el barón— Montagut ¿no es un señorío?

—Lo fue... —prosiguió el monje— hace mucho tiempo... A su último señor, según cuentan, se lo llevó el diablo, y como no tenía a nadie que lo sucediese en el feudo, los condes soberanos hicieron donación de estas tierras a los religiosos de nuestra regla, que están aquí desde hará cosa de ciento o ciento veinte años. Y vos ¿quién sois?

—Yo... —balbucea el barón de Fortcastell, después de un largo rato de silencio—, yo soy... un miserable pecador, que, arrepentido de sus faltas, viene a confesarlas a vuestro abad y a pedirle que lo admita en el seno de su religión.

LA CUEVA DE LA MORA

Frente al establecimiento de baños de Fitero, y sobre unas rocas cortadas a pico, a cuyos pies corre el río Alhama, se ven todavía los restos abandonados de un castillo árabe, célebre en los fastos gloriosos de la Reconquista por haber sido teatro de grandes y memorables hazañas, así por parte de los que lo defendieron como de los que valerosamente clavaron sobre sus almenas el estandarte de la Cruz.

De los muros no quedan más que algunos ruinosos vestigios; las piedras de la atalaya han caído

unas sobre otras al foso y lo han cegado por completo; en el patio de armas crecen zarzales y matas de jaramago; por todas partes adonde se vuelven los ojos no se ven más que arcos rotos, sillares oscuros y carcomidos; aquí un lienzo de barbacana, por entre cuyas hendiduras nace la hiedra; allí un torreón que aún se tiene en pie como por milagro; más allá los postes de argamasa con las anillas de hierro que sostienen el puente colgante.

Durante mi estancia en los baños, ya por hacer ejercicio, que, según me decían, era conveniente al estado de mi salud, ya arrastrado por la curiosidad, todas las tardes tomaba entre aquellos vericuetos el camino que conduce a las ruinas de la fortaleza árabe y allí me pasaba las horas y las horas escarbando el suelo por ver si encontraba algunas armas, dando golpes en los muros para observar si sonaban a hueco y sorprender el escondrijo de un tesoro, y metiéndome por todos los rincones con la idea de encontrar la entrada de algunos de esos subterráneos que es fama existen en todos los castillos moros.

Mis diligentes pesquisas fueron por demás infructuosas.

Sin embargo, una tarde en que, ya desesperanzado de hallar algo nuevo y curioso en lo alto de la roca sobre que se asienta el castillo, renuncié a subir a ella, y limité mi paseo a las orillas del río que corre a sus pies, andando, andando a lo largo de la ribera, vi una especie de boquerón abierto en la peña viva y medio oculto por frondosos y espesísimos matorrales. No sin mi poquito de temor, separé el ramaje que cubría la entrada de aquello que me pareció cueva formada por la Naturaleza y que, des-

pués que anduve algunos pasos, vi era un subterráneo abierto a pico.

No pudiendo penetrar hasta el fondo, que se perdía entre las sombras, me limité a observar cuidadosamente las particularidades de la bóveda y del piso, que me pareció que elevaba formando como unos grandes peldaños en dirección a la altura en que se halla el castillo de que ya he hecho mención, y en cuyas ruinas recordé haber visto una poterna cegada. Sin duda, había descubierto uno de esos caminos secretos, tan comunes en las obras militares de aquella época, el cual debió de servir para hacer salidas falsas o coger, estando sitiados, el agua del río que corre allí inmediato.

Para cerciorarme de la verdad que pudiera haber en mis inducciones, después que salí de la cueva por donde mismo había entrado, trabé conversación con un trabajador que andaba podando unas viñas en aquellos vericuetos, y al cual me acerqué so pretexto de pedirle lumbre para encender un cigarrillo.

Hablamos de varias cosas indiferentes: de las propiedades medicinales de las aguas de Fitero, de la cosecha pasada y la por venir, de las mujeres de Navarra y el cultivo de las viñas; hablamos, en fin, de todo lo que al buen hombre se le ocurrió primero que de la cueva, objeto de mi curiosidad.

Cuando, por último, la conversación recayó sobre este punto, le pregunté si sabía de alguien que hubiese penetrado en ella y visto su fondo.

—¡Penetrar en la cueva de la Mora! —me dijo, como asombrado al oír mi pregunta—. ¿Quién había de atreverse? ¿No sabe usted que de esa sima sale todas las noches *un ánima*?

—¡Un ánima! —exclamé, sonriéndome—. ¿El ánima de quién?

—El ánima de la hija de un alcaide moro que anda todavía penando por estos lugares, y se la ve todas las noches salir vestida de blanco de esa cueva, y llena en el río *una jarrica de agua.*

Por la explicación de aquel buen hombre vine en conocimiento de que acerca del castillo árabe y del subterráneo que yo suponía en comunicación con él había alguna historia, y como yo soy muy amigo de oír todas estas tradiciones, especialmente de labios de la gente de pueblo, le supliqué me la refiriese, lo cual hizo, poco más o menos, en los mismos términos que yo, a mi vez, se la voy a referir a mis lectores.

II

Cuando el castillo, del que ahora sólo restan algunas informes ruinas, se tenía aún por los reyes moros, y sus torres, de las que no ha quedado piedra sobre piedra, dominaban desde lo alto de la roca en que se asientan todo aquel fertilísimo valle que fecunda el río Alhama, tuvo lugar junto a la villa de Fitero una reñida batalla, en la cual cayó herido y prisionero de los árabes un famoso caballero cristiano, tan digno de renombre por su piedad como por su valentía.

Conducido a la fortaleza y cargado de hierros por sus enemigos, estuvo algunos días en el fondo de un calabozo luchando entre la vida y la muerte, hasta que, curado casi milagrosamente de sus heridas, sus deudos lo rescataron a fuerza de oro.

Volvió el cautivo a su hogar; volvió a estrechar entre sus brazos a los que le dieron el ser. Sus hermanos de armas y sus hombres de guerra se alborozaron al verlo, creyendo llegada la hora de emprender nuevos combates; pero el alma del caballero

270

se había llenado de una profunda y extraña melancolía, y ni el cariño paterno ni los esfuerzos de la amistad eran parte a disiparla.

Durante su cautiverio logró ver a la hija del alcaide moro, de cuya hermosura tenía noticias por la fama antes de conocerla; pero cuando la hubo conocido la encontró tan superior a la idea que de ella se había formado, que no pudo resistir a la seducción de sus encantos y se enamoró perdidamente de un objeto para él imposible.

Meses y meses pasó el caballero forjando los proyectos más atrevidos y absurdos; ora imaginaba un medio de romper las barreras que lo separaban de aquella mujer, ora hacía los mayores esfuerzos por olvidarla, y ya se decidía por una cosa, ya se mostraba partidario de otra absolutamente opuesta, hasta que, al fin, un día reunió a sus hermanos y compañeros de armas, mandó llamar a sus hombres de guerra y, después de hacer con el mayor sigilo todos los aprestos necesarios, cayó de improviso sobre la fortaleza que guardaba a la hermosura objeto de su insensato amor.

Al partir esta expedición, todos creyeron que sólo movía a su caudillo el afán de vengarse de cuanto lo habían hecho sufrir aherrojándolo en el fondo de sus calabozos; pero después de tomada la fortaleza, no se ocultó a ninguno la verdadera causa de aquella arrojada empresa, en que tantos buenos cristianos habían perecido para contribuir al logro de una pasión indigna.

El caballero, embriagado en el amor que, al fin, logró encender en el pecho de la hermosísima mora, ni hacía caso de los consejos de sus amigos, ni paraba mientes en las murmuraciones y las quejas de sus soldados. Unos y otros clamaban por salir cuan-

to antes de aquellos muros, sobre los cuales era natural que habían de caer nuevamente los árabes, repuestos del pánico de la sorpresa.

Y, en efecto, sucedió así: el alcaide allegó gentes de los lugares comarcanos, y una mañana el vigía que estaba puesto en la atalaya de la torre bajó a anunciar a los enamorados amantes que por toda la sierra que desde aquella roca se descubre se veía bajar tal nublado de guerreros, que bien podía asegurarse que iba a caer sobre el castillo la morisma entera.

La hija del alcaide se quedó al oírlo pálida como la muerte; el caballero pidió sus armas a grandes voces y todo se puso en movimiento en la fortaleza. Los soldados salieron en tumulto de sus cuadras; los jefes comenzaron a dar órdenes; se bajaron los rastrillos, se levantó el puente colgante y se coronaron de ballesteros las almenas.

Algunas horas después comenzó el asalto.

El castillo podía llamarse con razón inexpugnable. Sólo por sorpresa, como se apoderaron de él los cristianos, era posible rendirlo. Resistieron, pues, sus defensores una, dos y hasta diez embestidas.

Los moros se limitaron, viendo la inutilidad de sus esfuerzos, a cercarlo estrechamente para hacer capitular por hambre a sus defensores.

El hambre comenzó, en efecto, a hacer estragos horrorosos entre los cristianos; pero sabiendo que, una vez rendido el castillo, el precio de la vida de sus defensores era la cabeza de su jefe, ninguno quiso hacerle traición, y los mismos que habían reprobado su conducta juraron perecer en su defensa.

Los moros, impacientes, resolvieron dar un nuevo asalto al mediar la noche. La embestida fue rabiosa, la defensa desesperada y el choque horrible. Du-

rante la pelea, el alcaide, partida la frente de un hachazo, cayó al foso desde lo alto del muro a que había logrado subir con la ayuda de una escala, al mismo tiempo que el caballero recibía un golpe mortal en la brecha de la barbacana, en donde unos y otros combatían cuerpo a cuerpo entre las sombras.

Los cristianos comenzaron a cejar y a replegarse. En este punto la mora se inclinó sobre su amante, que yacía en el suelo, moribundo, y tomándolo en sus brazos con unas fuerzas que hacían mayores la desesperación y la idea del peligro, lo arrastró hasta el patio de armas. Allí tocó un resorte, y por la boca que dejó ver una piedra al levantarse como movida de un impulso sobrenatural, desapareció con su preciosa carga y comenzó a descender hasta llegar al fondo del subterráneo.

III

Cuando el caballero volvió en sí, tendió a su alrededor una mirada de extravío, y dijo:

—¡Tengo sed! ¡Me muero! ¡Me abraso!

Y en su delirio, precursor de la muerte, de sus labios secos, por los cuales silbaba la respiración al pasar, sólo se oían salir estas palabras angustiosas:

—¡Tengo sed! ¡Me abraso! ¡Agua! ¡Agua!

La mora sabía que aquel subterráneo tenía una salida al valle por donde corre el río. El valle y todas las alturas que lo coronaban estaban llenos de soldados moros, que, una vez rendida la fortaleza, buscaban en vano por todas partes al caballero y a su amada para saciar en ellos su sed de exterminio. Sin embargo, no vaciló un instante, y tomando el casco del moribundo, se deslizó como una som-

bra por entre los matorrales que cubrían la boca de la cueva y bajó a la orilla del río.

Ya había tomado el agua, ya iba a incorporarse para volver de nuevo al lado de su amante, cuando silbó una caeta y resonó un grito.

Dos guerreros moros que velaban alrededor de la fortaleza habían disparado sus arcos en la dirección en que oyeron las ramas.

La mora, herida de muerte, logró, sin embargo, arrastrarse a la entrada del subterráneo y penetrar hasta el fondo, donde se encontraba el caballero. Este, al verla cubierta de sangre y próxima a morir, recuperó su razón y, conociendo la enormidad del pecado que tan duramente expiaba, volvió los ojos al cielo, tomó el agua que su amante le ofrecía y, sin acercársela a los labios, preguntó a la mora:

—¿Quieres ser cristiana? ¿Quieres morir en mi religión, y, si me salvo, salvarte conmigo?

La mora, que había caído al suelo desvanecida por la falta de sangre, hizo un movimiento imperceptible con la cabeza, sobre la cual derramó el caballero el agua bautismal invocando el nombre del Todopoderoso.

Al otro día, el soldado que disparó la saeta vio un rastro de sangre a la orilla del río, y siguiéndolo entró en la cueva, donde encontró los cadáveres del caballero y su amada, que aún vienen por las noches a vagar por estos contornos.

LOS OJOS VERDES

Hace mucho tiempo que tenía ganas de escribir cualquier cosa con este título. Hoy, que se me ha presentado ocasión, lo he puesto con letras grandes

en la primera cuartilla de papel, y luego he dejado a capricho volar la pluma.

Yo creo que he visto unos ojos como los que he pintado en esta leyenda. No sé si en sueños, pero yo los he visto. De seguro no los podré describir tal cuales ellos eran: luminosos, transparentes como las gotas de la lluvia que se resbalaban sobre las hojas de los árboles después de una tempestad de verano. De todos modos, cuento con una imaginación de mis lectores para hacerme comprender en este que pudiéramos llamar boceto de un cuadro que pintaré algún día.

I

—Herido va el ciervo... herido va; no hay duda. Se ve el rastro de la sangre entre las zarzas del monte, y al saltar uno de esos lentiscos han flaqueado sus piernas... Nuestro joven señor comienza por donde otros acaban... En cuarenta años de montero no he visto mejor golpe... Pero, ¡por San Saturia, patrón de Soria!, cortadle el paso por esas carrascas, azuzad los perros, soplad en esas trompas hasta echar los hígados, y hundid a los corceles una cuarta de hierro en los ijares: ¿no veis que se dirige hacia la fuente de los Álamos, y si la salva antes de morir podemos darlo por perdido?

Las cuencas del Moncayo repitieron de eco en eco el bramido de las trompas, el latir de la jauria desencadenada, y las voces de los pajes resonaron con nueva furia, y el confuso tropel de hombres, caballos y perros se dirigió al punto que Íñigo, el montero mayor de los marqueses de Almenar, señalara como el más a propósito para cortarle el paso a la res.

Pero todo fue inútil. Cuando el más ágil de los lebreles llegó a las carrascas, jadeante y cubiertas las fauces de espuma, ya el ciervo, rápido como una saeta, las había salvado de un solo brinco, perdiéndose entre los matorrales de una trocha que conducía a la fuente.

—¡Alto!... ¡Alto todo el mundo! —gritó Íñigo entonces. —Estaba de Dios que había de marcharse.

Y la cabalgata se detuvo, y enmudecieron las trompas, y los lebreles dejaron refunfuñando la pista a la voz de los cazadores.

En aquel momento se reunía a la comitiva el héroe de la fiesta, Fernando de Argensola, el primogénito de Almenar.

—¿Qué haces? —exclamó, dirigiéndose a su montero, y en tanto, ya se pintaba el asombro en sus facciones, ya ardía la cólera en sus ojos—. ¿Qué haces, imbécil? Ves que la pieza está herida, que es la primera que cae por mi mano, y abandonas el rastro y la dejas perder para que vaya a morir en el fondo del bosque. ¿Crees acaso que he venido a matar ciervos para festines de lobos?

—Señor —murmuró Íñigo entre dientes—, es imposible pasar de este punto.

—¡Imposible! Y ¿por qué?

—Porque esa trocha —prosiguió el montero— conduce a la fuente de los Álamos: la fuente de los Álamos, en cuyas aguas habita un espíritu del mal. El que osa enturbiar su corriente paga caro su atrevimiento. Ya la res habrá salvado sus márgenes. ¿Cómo la salvaréis vos sin atraer sobre vuestra cabeza alguna calamidad horrible? Los cazadores somos reyes del Moncayo, pero reyes que pagan un tri-

buto. Pieza que se refugia en esta fuente misteriosa, pieza perdida.

—¡Pieza perdida! Primero perderé yo el señorío de mis padres, y primero perderé el ánima en manos de Satanás, que permitir que se me escape ese ciervo, el único que ha herido mi venablo, la primicia de mis excursiones de cazador... ¿Lo ves? ¿Lo ves?... Aún se distingue a intervalos desde aquí: las piernas le fallan, su carrera se acorta; déjame... déjame; suelta esa brida o te revuelco en el polvo... ¿Quién sabe si no le daré lugar para que llegue a la fuente? Y si llegase, al diablo ella, su limpidez y sus habitantes. ¡Sus Relámpagos!: ¡sus, caballo mío! Si lo alcanzas, mando engarzar los diamantes de mi joyel en tu serreta de oro.

Caballo y jinete partieron como un huracán, Íñigo los siguió con la vista hasta que se perdieron en la maleza; después volvió los ojos en derredor suyo; todos, como él, permanecían inmóviles y consternados.

El montero exclamó al fin:

—Señores, vosotros lo habéis visto; me he expuesto a morir entre los pies de su caballo por detenerlo. Yo he cumplido con mi deber. Con el diablo no sirven valentías. Hasta aquí llega el montero con su ballesta; de aquí en adelante, que pruebe a pasar el capellán con su hisopo.

II

—Tenéis la color quebrada; andáis mustio y sombrío. ¿Qué os sucede? Desde el día, que yo siempre tendré por funesto, en que llegasteis a la fuente de los Álamos en pos de la res herida, diríase que una mala bruja os ha encanijado con sus he-

277

chizos. Ya no vais a los montes precedido de la ruidosa jauría, ni el clamor de vuestras trompas despierta sus ecos. Sólo con esas vacilaciones que os persiguen, todas las mañanas tomáis la ballesta para enderezaros a la espesura y permanecer en ella hasta que el sol se esconde. Y cuando la noche oscurece y volvéis pálido y fatigado al castillo, en balde busco en la bandolera los despojos de la caza. ¿Qué os ocupa tan largas horas lejos de los que más os quieren?

Mientras Íñigo hablaba. Fernando, absorto en sus ideas, sacaba maquinalmente astillas de su escaño de ébano con el cuchillo de monte.

Después de un largo silencio, que sólo interrumpía el chirrido de la hoja al resbalar sobre la pulimentada madera, el joven exclamó, dirigiéndose a su servidor, como si no hubiera escuchado una sola de sus palabras:

—Íñigo, tú que eres viejo, tú que conoces todas las guaridas del Moncayo, que has vivido en sus faldas persiguiendo a las fieras, y en tus errantes excursiones de cazador subiste más de una vez a su cumbre, dime: ¿has encontrado, por acaso, una mujer que vive entre sus rocas?

—¡Una mujer! —exclamó el montero con asombro y mirándolo de hito en hito.

—Sí —dijo el joven—; es una cosa extraña lo que me sucede, muy extraña... Creí poder guardar ese secreto eternamente, pero ya no es posible; rebosa en mi corazón y asoma a mi semblante. Voy, pues, a revelártelo... Tú me ayudarás a desvanecer el misterio que envuelve a esa criatura que, al parecer, sólo para mí existe, pues nadie la conoce, ni la ha visto, ni puede darme razón de ella.

El montero, sin despegar los labios, arrastró su banquillo hasta colocarse junto al escaño de su señor, del que no apartaba un punto los espantados ojos... Éste, después de coordinar sus ideas, prosiguió así:

—Desde el día en que, a pesar de tus funestas predicciones, llegué a la fuente de los Álamos y, atravesando sus aguas, recobré el ciervo que vuestra superstición hubiera dejado huir, se llenó mi alma del deseo de la soledad.

«Tú no conoces aquel sitio. Mira: la fuente brota escondida en el seno de una peña, y cae, resbalándose gota a gota, por entre las verdes y flotantes hojas de las plantas que crecen al borde de su cuna. Aquellas gotas, que al desprenderse brillan como puntos de oro y suenan como las notas de un instrumento, se reúnen entre los céspedes, y, susurrando, susurrando, con un ruido semejante al de las abejas que zumban en torno de las flores, se alejan por entre las arenas y forman un cauce, y luchan con los obstáculos que se oponen a su camino, y se repliegan sobre sí mismas, y saltan, y saltan, y huyen, y corren, unas veces con risas; otras, con suspiros, hasta caer en un lago. En el lago caen con un rumor indescriptible. Lamentos, palabras, nombres, cantares, yo no sé lo que he oído en aquel rumor cuando me he sentado solo y febril sobre el peñasco a cuyos pies saltan las aguas de la fuente misteriosa, para estancarse en una balsa profunda, cuya inmóvil superficie apenas riza el viento de la tarde.

»Todo es allí grande. La soledad, con sus mil rumores desconocidos, vive en aquellos lugares y embriaga el espíritu en su inefable melancolía. En las plateadas hojas de los álamos, en los huecos

de las peñas, en las ondas del agua, parece que nos hablan los invisibles espíritus de la Naturaleza, que reconocen un hermano en el inmortal espíritu del hombre.

»Cuando al despuntar la mañana me veías tomar la ballesta y dirigirme al monte. no fue nunca para perderme entre sus matorrales en pos de la caza, no; iba a sentarme al borde de la fuente, a buscar en sus ondas... no sé qué, ¡una locura! El día en que salté sobre ella con mi *Relámpago*, creí haber visto brillar en su fondo una cosa extraña... muy extraña... : los ojos de una mujer.

»Tal vez sería un rayo de sol que serpenteó fugitivo entre su espuma; tal vez una de esas flores que flotan entre las algas de su seno y cuyos cálices parecen esmeraldas... no sé; yo creí ver una mirada que se clavó en la mía, una mirada que encendió en mi pecho un deseo absurdo, irrealizable: el de encontrar una persona con unos ojos como aquéllos. En su busca fui un día y otro a aquel sitio.

»Por último, una tarde... yo me creí juguete de un sueño... pero no, es verdad; le he hablado ya muchas veces como te hablo a ti ahora... una tarde encontré sentada en mi puesto, vestida con unas ropas que llegaban hasta las aguas y flotaban sobre su haz, una mujer hermosa sobre toda ponderación. Sus cabellos eran como el oro; sus pestañas brillaban como hilos de luz, y entre las pestañas volteaban inquietas unas pupilas que yo había visto... sí, porque los ojos de aquella mujer eran los ojos que yo tenía clavados en la mente, unos ojos de un color imposible, unos ojos...»

—¡Verdes! —exclamó Íñigo con un acento de

profundo terror e incorporándose de un salto en su asiento.

Fernando lo miró a su vez como asombrado de que concluyese lo que iba a decir, y le preguntó con una mezcla de ansiedad y de alegría:

—¿La conoces?

—¡Oh, no! —dijo el montero—. ¡Líbreme Dios de conocerla! Pero mis padres, al prohibirme llegar hasta esos lugares, me dijeron mil veces que el espíritu, trasgo, demonio o mujer que habita en sus aguas tiene los ojos de ese color. Yo os conjuro por lo que más améis en la tierra a no volver a la fuente de los Álamos. Un día u otro os alcanzará su venganza y expiaréis, muriendo, el delito de haber encenagado sus ondas.

—¡Por lo que más amo! —murmuró el joven con una triste sonrisa.

—Sí —prosiguió el anciano—, por vuestros padres, por vuestros deudos, por las lágrimas de la que el Cielo destina para vuestra esposa, por las de un servidor, que os ha visto nacer.

—¿Sabes tú lo que más amo en el mundo? ¿Sabes tú por qué daría yo el amor de mi padre, los besos de la que me dio la vida y todo el cariño que puedan atesorar todas las mujeres de la tierra? Por una mirada, por una sola mirada de esos ojos... ¡Mira cómo podré yo dejar de buscarlos!

Dijo Fernando estas palabras con tal acento, que la lágrima que temblaba en los párpados de Íñigo se resbaló silenciosa por su mejilla, mientras exclamó con acento sombrío:

—¡Cúmplase la voluntad del Cielo!

—¿Quién eres tú? ¿Cuál es tu patria? ¿En dónde habitas? Yo vengo un día y otro en tu busca, y ni veo el corcel que te trae a estos lugares ni a los servidores que conducen tu litera. Rompe de una vez el misterioso velo en que te envuelves como en una noche profunda. Yo te amo, y, noble o villana, seré tuyo, tuyo siempre.

El sol había traspuesto la cumbre del monte, las sombras bajaban a grandes pasos por su falda; la brisa gemía entre los álamos de la fuente, y la niebla, elevándose poco a poco de la superficie del lago, comenzaba a envolver las rocas de su margen.

Sobre una de estas rocas, sobre una que parecía próxima a desplomarse en el fondo de las aguas, en cuya superficie se retrataba, temblando, el primogénito Almenar, de rodillas a los pies de su misteriosa amante, procuraba en vano arrancarle el secreto de su existencia.

Ella era hermosa, hermosa y pálida como una estatua de alabastro. Uno de sus rizos caía sobre sus hombros, deslizándose entre los pliegues del velo como un rayo de sol que atraviesa las nubes, y en el cerco de sus pestañas rubias brillaban sus pupilas como dos esmeraldas sujetas en una joya de oro.

Cuando el joven acabó de hablarle, sus labios se removieron como para pronunciar algunas palabras; pero sólo exhalaron un suspiro, un suspiro débil, doliente, como el de la ligera onda que empuja una brisa al morir entre los juncos.

—¡No me respondes! —exclamó Fernando al ver burlada su esperanza—. ¿Querrás que dé crédito a lo que de ti me han dicho? ¡Oh, no!... Há-

blame; yo quiero saber si me amas; yo quiero saber si puedo amarte, si eres una mujer...

—O un demonio... ¿Y si lo fuese?

El joven vaciló un instante; un sudor frío corrió por sus miembros; sus pupilas se dilataron al fijarse con más intensidad en las de aquella mujer, y fascinado por su brillo fosfórico, demente casi, exclamó en un arrebato de amor:

—Si lo fueses... te amaría... te amaría como te amo ahora, como es mi destino amarte, hasta más allá de esta vida, si hay algo más allá de ella.

—Fernando —dijo la hermosa entonces con una voz semejante a una música—, yo te amo más aún que tú me amas; yo, que desciendo hasta un mortal siendo un espíritu puro. No soy una mujer como las que existen en la Tierra; soy una mujer digna de ti, que eres superior a los demás hombres. Yo vivo en el fondo de estas aguas, incorpórea como ellas, fugaz y transparente: hablo con sus rumores y ondulo con sus pliegues. Yo no castigo al que osa turbar la fuente donde moro; antes lo premio con mi amor, como a un mortal superior a las supersticiones del vulgo, como a un amante capaz de comprender mi cariño extraño y misterioso.

Mientras ella hablaba así, el joven, absorto en la contemplación de su fantástica hermosura, atraído como por una fuerza desconocida, se aproximaba más y más al borde de la roca. La mujer de los ojos verdes prosiguió así:

—¿Ves, ves el límpido fondo de este lago? ¿Ves esas plantas de largas y verdes hojas que se agitan en su fondo?... Ellas nos darán un lecho de esmeraldas y corales... y yo... yo te daré una felicidad sin nombre, esa felicidad que has soñado en

tus horas de delirio y que no puede ofrecerte nadie... Ven; la niebla del lago flota sobre nuestras frentes como un pabellón de lino...; las ondas nos llaman con sus voces incomprensibles; el viento empieza entre los álamos sus himnos de amor; ven... ven...

La noche comenzaba a extender sus sombras; la luna rielaba en la superficie del lago; la niebla se arremolinaba al soplo del aire, y los ojos verdes brillaban en la oscuridad como los fuegos fatuos que corren sobre el haz de las aguas infectas... «Ven, ven...» Estas palabras zumbaban en los oídos de Fernando como un conjuro. «Ven...», y la mujer misteriosa lo llamaba al borde del abismo donde estaba suspendida, y parecía ofrecerle un beso... un beso...

Fernando dio un paso hacia ella... otro... y sintió unos brazos delgados y flexibles que se liaban a su cuello, y una sensación fría en sus labios ardorosos, un beso de nieve... y vaciló... y perdió pie y cayó al agua con un rumor sordo y lúgubre.

Las aguas saltaron en chispas de luz y se cerraron sobre su cuerpo, y sus círculos de plata fueron ensanchándose, ensanchándose, ensanchándose, hasta expirar en las orillas.

LA VOZ DEL SILENCIO

(Tradición de Toledo)

En una de las visitas que como remanso en la lucha diaria hago a la vetusta y silenciosa Toledo, sucedieron estos pequeños acontecimientos que,

agrandados por mi fantasía, traslado a las blancas cuartillas.

Vagaba una tarde por las estrechas calles de la imperial ciudad con mi carpeta de dibujo debajo del brazo, cuando sentí que una voz como un inmenso suspiro pronunciaba a mi lado vagas y confusas palabras; me volví apresuradamente y cual no sería mi asombro al encontrarme completamente solo en la estrecha calleja. Y, sin embargo indudablemente una voz, una voz extraña, mezcla de lamento, voz de mujer sin duda, había sonado a pocos pasos de donde yo estaba. Cansado de buscar inútilmente la boca que a mi espalda había lanzado su confusa queja, y habiendo ya sonado el *Ángelus* en el reloj de un cercano convento, me dirigí a la posada que me servía de refugio en las interminables horas de la noche.

Al quedarme solo en mi habitación, y a la luz de la débil y vacilante bujía, tracé en mi álbum una silueta de mujer.

Dos días después, y cuando ya casi había olvidado mi pasada aventura, la casualidad me llevó nuevamente a la torcida encrucijada teatro de ella. Empezaba a morir el día; el sol teñía el horizonte de manchas rojas, moradas; caía grave en el silencio la voz de bronce de las horas. Mi paso era lento, una vaga melancolía ponía un gesto de duda en mi semblante.

Y otra vez la voz, la misma voz del pasado día, volvió a turbar el silencio y mi tranquilidad. Esta vez decidí no descansar hasta encontrar la clave del enigma, y cuando ya desconfiaba de mis investigaciones, descubrí en una vieja casa, de antiquísima arquitectura, una pequeña ventana cerrada por una

reja caprichosa y artística. De aquella ventana salía, indudablemente la armoniosa y silente voz de mujer.

Era completamente de noche, la voz-suspiro había callado y decidí volver a mi posada, en cuya habitación de enjalbegadas paredes, y tendido en el duro lecho, ha creado mi fantasía una novela que, desgraciadamente... nunca podrá ser realidad.

Al día siguiente, un viejo judío que tiene su puesto de quincalla frente a la vieja casa en que sonó la misteriosa voz, me contó que dicha casa está deshabitada desde hace mucho tiempo. Vivía en ella una bellísima mujer acompañada de su esposo, un avaro mercader de mucha más edad que ella. Un día el mercader salió de la casa cerrando la puerta con llave, y no volvió a saberse de él ni de su hermosa mujer. La leyenda cuenta que desde entonces todas las noches un fantasma blanco con formas de mujer vaga por el ruinoso caserón, y se escuchan confusas voces mezcladas de maldición y lamento.

Y la misma leyenda cree ver en el blanco fantasma a la bella mujer del mercader avaro.

Voz de mujer que como música celeste, como suspiro de alma enamorada, viniste a mí, traída por la caricia del aire lleno de aromas de primavera. ¿Qué misterio hay en tus palabras confusas, en tus débiles quejas, en tus armoniosas y extrañas canciones?

EL RAYO DE LUNA

(Leyenda Soriana)

Yo no sé si esto es una historia que parece cuen-

to o un cuento que parece historia; lo que puedo decir es que en su fondo hay una verdad, una verdad muy triste, de la que acaso yo seré uno de los últimos en aprovecharme, dadas mis condiciones de imaginación.

Otro, con esta idea, tal vez hubiera hecho un tomo de filosofía lacrimosa; yo he escrito esta leyenda que, a los que nada vean en su fondo, al menos podrá entretenerlos un rato.

I

Era noble: había nacido entre el estruendo de las armas, y el insólito clamor de una trompa de guerra no le hubiera hecho levantar la cabeza un instante, ni apartar sus ojos un punto del oscuro pergamino en que leía la última cantiga de un trovador.

Los que quisieran encontrarlo no lo debían buscar en el anchuroso patio de su castillo, donde los palafreneros domaban los potros, los pajes enseñaban a volar a los halcones y los soldados se entretenían los días de reposo en afilar el hierro de su lanza contra una piedra.

—¿Dónde está Manrique? ¿Dónde está vuestro señor? —preguntaba algunas veces su madre.

—No sabemos —respondían sus servidores—; acaso estará en el claustro del monasterio de la Peña, sentado al borde de una tumba, prestando oído a ver si sorprende alguna palabra de la conversación de los muertos; o en el puente, mirando correr una tras otra las olas del río por debajo de sus arcos; o acurrucado en la quiebra de una roca y entretenido en contar las estrellas del cielo, en seguir una nube

con la vista o contemplar los fuegos fatuos que cruzan como exhalaciones sobre el haz de las lagunas. En cualquiera parte estará menos en donde esté todo el mundo.

En efecto, Manrique amaba la soledad, y la amaba de tal modo, que algunas veces hubiera deseado no tener sombra, porque su sombra no lo siguiese a todas partes.

Amaba la soledad porque en su seno, dando rienda suelta a la imaginación, forjaba un mundo fantástico, habitado por extrañas creaciones, hijas de sus delirios y sus ensueños de poeta, porque Manrique era poeta; ¡tanto, que nunca le habían satisfecho las formas en que pudiera encerrar sus pensamientos, y nunca los había encerrado al escribirlos!

Creía que entre las rojas ascuas del hogar habitaban espíritus de fuego de mil colores, que corrían como insectos de oro a lo largo de los troncos encendidos ,o danzaban en una luminosa ronda de chispas en la cúspide de las llamas, y se pasaba las horas muertas sentado en un escabel, junto a la chimenea gótica, inmóvil y con los ojos fijos en la lumbre.

Creía que en el fondo de las ondas del río, entre los musgos de la fuente y sobre los vapores del lago vivían unas mujeres misteriosas, hadas, sílfides u ondinas, que exhalaban lamentos y suspiros o cantaban y se reían en el monótono rumor del agua, rumor que oía en silencio, intentando traducirlo.

En las nubes, en el aire, en el fondo de los bosques, en las grietas de las peñas, imaginaba percibir formas o escuchar sonidos misteriosos, formas

de seres sobrenaturales, palabras ininteligibles que no podía comprender.

¡Amar! Había nacido para soñar el amor, no para sentirlo. Amaba a todas las mujeres un instante: a ésta porque era rubia, a aquélla porque tenía los labios rojos, a la otra porque se cimbreaba, al andar, como un junco.

Algunas veces llegaba su delirio hasta el punto de quedarse una noche entera mirando a la luna, que flotaba en el cielo entre un vapor de plata, o a las estrellas, que temblaban a lo lejos como los cambiantes de las piedras preciosas. En aquellas largas noches de poético insomnio exclamaba:

—Si es verdad, como el prior de la Peña me ha dicho, que es posible que esos puntos de luz sean mundos; si es verdad que en ese globo de nácar que rueda sobre las nubes habitan gentes, ¡qué mujeres tan hermosas serán las mujeres de esas regiones luminosas! Y yo no podré verlas, y yo no podré amarlas... ¿Cómo será su hermosura?... ¿Cómo será su amor?...

Manrique no estaba aún lo bastante loco para que lo siguiesen los muchachos, pero sí lo suficiente para hablar y gesticular a solas, que es por donde se empieza.

II

Sobre el Duero, que pasa lamiendo las carcomidas y oscuras piedras de las murallas de Soria, hay un puente que conduce de la ciudad al antiguo convento de los Templarios, cuyas posesiones se extendían a lo largo de la opuesta margen del río.

En la época a que nos referimos, los caballeros

de la Orden habían ya abandonado sus históricas fortalezas; pero aún quedaban en pie restos de los anchos torreones de sus muros: aún se veían, como en parte se ven hoy, cubiertos de hiedra y campanillas blancas, los macizos arcos de su claustro, las prolongadas galerías ojivales de sus patios de armas, en las que suspiraba el viento con un gemido, agitando las altas hierbas.

En los huertos y en los jardines, cuyos senderos no hollaban hacía muchos años las plantas de los religiosos, la vegetación, abandonada a sí misma, desplegaba todas sus galas, sin temor de que la mano del hombre la mutilase, creyendo embellecerla.

Las plantas trepadoras subían encaramándose por los añosos troncos de los árboles; las sombrías calles de álamos, cuyas copas se tocaban y se confundían entre sí, se habían cubierto de césped; los cardos silvestres y las ortigas brotaban en medio de los enarenados caminos, y en los trozos de fábrica próximos a desplomarse, el jaramago, flotando al viento como el penacho de una cimera y las campanillas blancas y azules balanceándose como un columpio sobre sus largos y flexibles tallos, pregonaban la victoria de la destrucción y la ruina.

Era de noche; una noche de verano, templada, llena de perfumes y de rumores apacibles, y con una luna blanca y serena en mitad de un cielo azul, luminoso y transparente.

Manrique, presa su imaginación de un vértigo de poesía, después de atravesar el puente, desde donde contempló un momento la negra silueta de la ciudad que se destacaba sobre el fondo de algunas nubes blanquecinas y ligeras arrolladas en el

horizonte, se internó en las desiertas ruinas de los Templarios.

La medianoche tocaba a su punto. La luna, que se había ido remontando lentamente, estaba ya en lo más alto del cielo, cuando al entrar en una oscura alameda que conducía desde el derruido claustro a la margen del Duero, Manrique exhaló un grito, un grito leve y ahogado, mezcla extraña de sorpresa, de temor y de júbilo.

En el fondo de la sombría alameda había visto agitarse una cosa blanca que flotó un momento y desapareció en la oscuridad. La orla del traje de una mujer, de una mujer que había cruzado el sendero y se ocultaba entre el follaje, en el mismo instante en que el loco soñador de quimeras o imposibles penetraba en los jardines.

—¡Una mujer desconocida!... ¡En este sitio!... ¡A estas horas! Esa, esa es la mujer que yo busco —exclamó Manrique, y se lanzó en su seguimiento, rápido como una saeta.

III

Llegó al punto en que había visto perderse entre la espesura de las ramas, a la mujer misteriosa. Había desaparecido. ¿Por dónde? Allá lejos, muy lejos, creyó divisar por entre los cruzados troncos de los árboles como una claridad o una forma blanca que se movía.

—¡Es ella, es ella, que lleva alas en los pies y huye como una sombra! —dijo, y se precipitó en su busca, separando con las manos las redes de hiedra que se extendían como un tapiz de unos en otros álamos. Llegó, rompiendo por en-

tre la maleza y las plantas parásitas, hasta una especie de rellano que iluminaba la claridad del cielo... ¡Nadie!—. ¡Ah!... Por aquí, por aquí va —exclamó entonces—. Oigo sus pisadas sobre las hojas secas, y el crujido de su traje, que arrastra por el suelo y roza en los arbustos —y corría y corría como un loco, de aquí para allá, y no la veía—. Pero siguen sonando sus pisadas —murmuró otra vez—; creo que ha hablado; no hay duda, ha hablado... El viento, que suspira entre las ramas; las hojas, que parece que rezan en voz baja, me han impedido oír lo que ha dicho; pero no hay duda, va por ahí, ha hablado... ha hablado... ¿En qué idioma? No sé; pero es una lengua extranjera...

Y tornó a correr en su seguimiento, unas veces creyendo verla, otras pensando oírla; ya notando que las ramas por entre las cuales había desaparecido se movían, ya imaginando distinguir en la arena la huella de sus breves pies; luego, firmemente persuadido de que un perfume especial, que aspiraba a intervalos, era un aroma perteneciente a aquella mujer que se burlaba de él complaciéndose en huirlo por entre aquellas intrincadas malezas. ¡Afán inútil!

Vagó algunas horas de un lado a otro, fuera de sí, ya parándose para escuchar, ya deslizándose con las mayores precauciones sobre la hierba, ya en una carrera frenética y desesperada.

Avanzando, avanzando por entre los inmensos jardines que bordeaban la margen del río, llegó al fin al pie de las rocas sobre que se eleva la ermita de San Saturio.

—Tal vez desde esta altura podré orientarme para seguir mis pesquisas a través de ese confuso

laberinto —exclamó, trepando de peña en peña con la ayuda de su daga.

Llegó a la cima, desde la que se descubren la ciudad en lontananza y una gran parte del Duero, que se retuerce a sus pies, arrastrando una corriente impetuosa y oscura por entre las corvas márgenes que lo encarcelan.

Manrique, una vez en lo alto de las rocas, tendió la vista a su alrededor; pero al tenderla y fijarla al cabo en un punto, no pudo contener una blasfemia.

La luz de la luna rielaba chispeando en la estela que dejaba en pos de sí una barca que se dirigía a todo remo a la orilla opuesta.

En aquella barca había creído distinguir una forma blanca y esbelta, una mujer sin duda, la mujer que había visto en los Templarios, la mujer de sus sueños, la realización de sus más locas esperanzas. Se descolgó de las peñas con la agilidad de un gamo, arrojó al suelo la gorra, cuya redonda y larga pluma podía embarazarlo para correr, y desnudándose del ancho capotillo de terciopelo, partió como una exhalación hacia el puente.

Pensaba atravesarlo y llegar a la ciudad antes que la barca tocase en la otra orilla. ¡Locura! Cuando Manrique llegó, jadeante y cubierto de sudor, a la entrada, ya los que habían atravesado el Duero por la parte de San Saturio entraban en Soria por una de las puertas del muro, que en aquel tiempo llegaba hasta la margen del río, en cuyas aguas se retrataban sus pardas almenas.

IV

Aunque desvanecida su esperanza de alcanzar a

293

los que habían entrado por el postigo de San Saturio, no por eso nuestro héroe perdió la de saber la casa que en la ciudad podía albergarlos. Fija en su mente esta idea, penetró en la población y, dirigiéndose hacia el barrio de San Juan, comenzó a vagar por sus calles a la ventura.

Las calles de Soria eran entonces, y lo son todavía, estrechas, oscuras y tortuosas. Un silencio profundo reinaba en ellas, silencio que sólo interrumpían, ora el lejano ladrido de un perro, ora el rumor de una puerta al cerrarse, ora el relincho de un corcel que piafando hacía sonar la cadena que lo sujetaba al pesebre en las subterráneas caballerizas.

Manrique, con el oído atento a estos rumores de la noche, que unas veces le parecían los pasos de alguna persona que había doblado ya la última esquina de un callejón desierto; otras, voces confusas de gentes que hablaban a sus espaldas y que a cada momento esperaba ver a su lado, anduvo algunas horas corriendo al azar de un sitio a otro.

Por último, se detuvo al pie de un caserón de piedra, oscuro y antiquísimo, y al detenerse brillaron sus ojos con una indescriptible expresión de alegría.

En una de las altas ventanas ojivales de aquel que pudiéramos llamar palacio se veía un rayo de luz templada y suave, que pasando a través de unas ligeras colgaduras de seda color de rosa, se reflejaba en el negruzco y agrietado paredón de la casa de enfrente.

—No cabe duda, aquí vive mi desconocida —murmuró el joven en voz baja y sin apartar un punto sus ojos de la ventana gótica—; aquí vive...

Ella entró por el postigo de San Saturio... Por el postigo de San Saturio se viene a este barrio... En este barrio hay una casa donde, pasada la medianoche, aún hay gente en vela... ¿En vela? ¿Quién si no ella, que vuelve de sus nocturnas excursiones, puede estarlo a estas horas?... No hay más: ésta es su casa. En esta firme persuasión, y revolviendo en su cabeza las más locas y fantásticas imaginaciones, esperó el alba frente a la ventana gótica, de la que en toda la noche no faltó la luz ni él separó la vista un momento.

Cuando llegó el día, las macizas puertas del arco que daban entrada al caserón, y sobre cuya clave se veían esculpidos los blasones de su dueño, giraron pesadamente sobre los goznes, con un chirrido prolongado y agudo. Un escudero apareció en el umbral con un manojo de llaves en la mano, estregándose los ojos y enseñando al bostezar una caja de dientes capaces de dar envidia a un cocodrilo.

Verlo Manrique y lanzarse a la puerta, todo fue obra de un instante.

—¿Quién habita en esta casa? ¿Cómo se llama ella? ¿De dónde es? ¿A qué ha venido a Soria? ¿Tiene esposo? Responde, responde, animal —esta fue la salutación que, sacudiéndole el brazo violentamente, dirigió al pobre escudero, el cual, después de mirarlo un buen espacio de tiempo con los ojos espantados y estúpidos, le contestó con voz entrecortada por la sorpresa:

—En esta casa vive el muy honrado señor don Alonso de Valdecuellos, montero mayor de nuestro señor el rey, que, herido en la guerra contra moros, se encuentra en esta ciudad reponiéndose de sus fatigas.

—Pero ¿y su hija? —interrumpió el joven, impaciente—. ¿Y su hija, o su hermana, o su esposa, o lo que sea?

—No tiene ninguna mujer consigo.

—¡No tiene ninguna!... Pues ¿quién duerme allí en aquel aposento, donde toda la noche he visto arder una luz?

—¿Allí? Allí duerme mi señor don Alonso, que, como se halla enfermo, mantiene encendida su lámpara hasta que amanece.

Un rayo cayendo de improviso a sus pies no le hubiera causado más asombro que el que le causaron estas palabras.

V

—Yo la he de encontrar, la he de encontrar; y si la encuentro, estoy casi seguro de que he de conocerla... ¿En qué? Eso es lo que no podré decir... pero he de conocerla. El eco de sus pisadas o una sola palabra suya que vuelva a oír; un extremo de su traje, un solo extremo que vuelva a ver, me bastarán para conseguirlo. Noche y día estoy mirando flotar delante de mis ojos aquellos pliegues de una tela diáfana y blanquísima; noche y día me están sonando aquí dentro, dentro de la cabeza, el crujido de su traje, el confuso rumor de sus ininteligibles palabras... ¿Qué dijo?... ¿Qué dijo?... ¡Ah!, si yo pudiera saber lo que dijo, acaso...; pero aun sin saberlo, la encontraré... la encontraré; me lo da el corazón, y mi corazón no me engaña nunca. Verdad es que ya he recorrido inútilmente todas las calles de Soria; que he pasado noches y noches al sereno, hecho poste de una esquina; que he gastado

más de veinte doblas de oro en hacer charlar a dueñas y escuderos; que he dado agua bendita en San Nicolás a una vieja, arrebujada con tal arte en su manto de anascote, que se me figuró una deidad: y al salir de la Colegiata, una noche de maitines, he seguido como un tonto la litera del arcediano, creyendo que el extremo de sus hopalandas era el traje de mi desconocida; pero no importa... yo la he de encontrar, y la gloria de poseerla excederá seguramente al trabajo de buscarla.

»¿Cómo serán sus ojos?... Deben de ser azules, azules y húmedos como el cielo de la noche; me gustan tanto los ojos de ese color... son tan expresivos, tan melancólicos, tan... Sí... no hay duda, azules deben de ser, azules son seguramente, y sus cabellos, negros, muy negros y largos para que floten... Me parece que los vi flotar aquella noche, al par que su traje, y eran negros...; no me engaño, no, eran negros.

»¡Y qué bien hacen unos ojos azules muy rasgados y adormidos, y una cabellera suelta, flotante y oscura, a una mujer alta...; porque... ella es, alta y esbelta como esos ángeles de las portadas de nuestras basílicas, cuyos ovalados rostros envuelven en un misterioso crepúsculo las sombras de sus doseles de granito!

»¡Su voz!... Su voz la he oído... su voz es suave como el rumor del viento en las hojas de los álamos, y su andar, acompasado y majestuoso como las cadencias de una música.

»Y esa mujer, que es hermosa como el más hermoso de mis sueños de adolescente, que piensa como yo pienso, que gusta de lo que yo gusto, que odia lo que yo odio, que es un espíritu hermano de

mi espíritu, que es el complemento de mi ser, ¿no se ha de sentir conmovida al encontrarme? ¿No me ha de amar como yo la amaré, como la amo ya, con todas las fuerzas de mi vida, con todas las facultades de mi alma?

»Vamos, vamos al sitio donde la vi la primera y única vez que la he visto... ¿Quién sabe si, caprichosa como yo, amiga de la soledad y el misterio, como todas las almas soñadoras, se complace en vagar por entre las ruinas en el silencio de la noche?»

Dos meses habían transcurrido desde que el escudero de don Alonso de Valdecuellos desengañó al iluso Manrique: dos meses durante los cuales en cada hora había formado un castillo en el aire, que la realidad desvanecía con un soplo; dos meses durante los cuales había buscado en vano a aquella mujer desconocida, cuyo absurdo amor iba creciendo en su alma, merced a sus aún más absurdas imaginaciones, cuando, después de atravesar, absorto en estas ideas, el puente que conduce a los Templarios, el enamorado joven se perdió entre las intrincadas sendas de sus jardines.

VI

La noche estaba serena y hermosa; la luna brillaba en toda su plenitud en lo más alto del cielo, y el viento suspiraba con un rumor dulcísimo entre las hojas de los árboles.

Manrique llegó al claustro, tendió la vista por su recinto y miró a través de las macizas columnas de sus arcadas... Estaba desierto.

Salió de él, encaminó sus pasos hacia la oscura

298

alameda que conduce al Duero, y aún no había penetrado en ella, cuando de sus labios se escapó un grito de júbilo.

Había visto flotar un instante y desaparecer el extremo del traje blanco, del traje blanco de la mujer de sus sueños, de la mujer que ya amaba como un loco.

Corre, corre en su busca; llega al sitio en que la ha visto desaparecer; pero al llegar se detiene, fija los espantados ojos en el suelo, permanece un rato inmóvil; un ligero temblor nervioso agita sus miembros, un temblor que va creciendo, que va creciendo, y ofrece los síntomas de una verdadera convulsión, y prorrumpe, al fin, en una carcajada, en una carcajada sonora, estridente, horrible.

Aquella cosa blanca, ligera, flotante, había vuelto a brillar ante sus ojos; pero había brillado a sus pies un instante, no más que un instante.

Era un rayo de luna, un rayo de luna que penetraba a intervalos por entre la verde bóveda de los árboles cuando el viento movía sus ramas.

. .

Habían pasado algunos años. Manrique, sentado en un sitial junto a la alta chimenea gótica de su castillo, inmóvil casi, y con una mirada vaga e inquieta como la de un idiota, apenas prestaba atención ni a las caricias de su madre ni a los consuelos de sus servidores.

—Tú eres joven, tú eres hermoso —le decía aquélla—. ¿Por qué te consumes en la soledad? ¿Por qué no buscas una mujer a quien ames, y que amándote pueda hacerte feliz?

—¡El amor!... El amor es un rayo de luna —murmuraba el joven.

—¿Por qué no despertáis de ese letargo? —le decía uno de sus escuderos—. Os vestís de hierro de pies a cabeza; mandáis desplegar al aire vuestro pendón de ricohombre, y marchamos a la guerra. En la guerra se encuentra la gloria.

—¡La gloria!... La gloria es un rayo de luna.

—¿Queréis que os diga una cantiga, la última que ha compuesto Mosén Arnaldo, el trovador provenzal?

—¡No! ¡No! —exclamó el joven, incorporándose colérico en su sitial—. No quiero nada...: es decir, sí quiero: quiero que me dejéis solo... Cantigas... mujeres... glorias... felicidad... mentira todo, fantasmas vanos que formamos en nuestra imaginación y vestimos a nuestro antojo, y los amamos y corremos tras ellos, ¿para qué?, ¿para qué? Para encontrar un rayo de luna.

Manrique estaba loco; por lo menos, todo el mundo lo creía así. A mí, se me figura que lo que había hecho era recuperar el juicio.

EL GNOMO

(Leyenda Aragonesa)

I

Las muchachas del lugar volvían de la fuente con sus cántaros en la cabeza. Volvían cantando y riendo con un ruido y una algaraza que sólo pudiera compararse a la alegre algarabía de una banda de golondrinas cuando revolotean espesas como el granizo alrededor de la veleta de un campanario.

En el pórtico de la iglesia, y sentado al pie de un enebro, estaba el tío Gregorio. El tío Gregorio

era el más viejecito del lugar. Tenía cerca de noventa navidades, el pelo blanco, la boca de risa, los ojos alegres y las manos temblonas. De niño fue pastor; de joven, soldado. Después cultivó una pequeña heredad, patrimonio de sus padres, hasta que, por último, le faltaron las fuerzas y se sentó tranquilamente a esperar la muerte que ni temía ni deseaba. Nadie contaba un chascarrillo con más gracia que él, ni sabía historias más estupendas, ni traía a cuento tan oportunamente un refrán, una sentencia o un adagio.

Las muchachas, al verlo, apresuraron el paso con ánimo de irle a hablar, y cuando estuvieron en el pórtico, todas comenzaron a suplicarle que les contase una historia con qué entretener el tiempo que aún faltaba para hacerse de noche, que no era mucho, pues el sol poniente hería de soslayo la tierra y las sombras de los montes se dilataban por momentos a lo largo de la llanura.

El tío Gregorio escuchó sonriendo la petición de las muchachas, las cuales, una vez obtenida la promesa de que las referiría alguna cosa, dejaron los cántaros en el suelo y, sentándose a su alrededor, formaron un corro, en cuyo centro quedó el viejecito, que comenzó a hablarles de esta manera:

—No os contaré una historia, porque aunque recuerdo algunas en este momento, atañen a cosas tan graves que ni vosotras, que sois unas locuelas, me prestaríais atención para escucharlas, ni a mí, por lo avanzado de la tarde, me quedaría espacio para referirlas. Os daré en su lugar un consejo.

—¡Un consejo! —exclamaron las muchachas con aire visible de mal humor—. ¡Bah! No es para oír

consejos para lo que nos hemos detenido. Cuando nos hagan falta, ya nos los dará el señor cura.

—Es —prosiguió el anciano con su habitual sonrisa y su voz cascada y temblona— que el señor cura acaso no sabría dároslo en esta ocasión tan oportuno como os lo puede dar el tío Gregorio, porque él, ocupado en sus rezos y letanías, no habrá echado, como yo, de ver que cada día vais por agua a la fuente más temprano y volvéis más tarde.

Las muchachas se miraron entre sí con una imperceptible sonrisa de burla, no faltando algunas de las que estaban colocadas a sus espaldas que se tocasen la frente con el dedo, acompañando su acción con un gesto significativo.

—Y ¿qué mal encontráis en que nos detengamos en la fuente charlando un rato con las amigas y las vecinas? —dijo una de ellas— ¿Andan acaso chismes en el lugar porque los mozos salen al camino a echarnos flores o vienen a brindarse para traer nuestros cántaros hasta la entrada del pueblo?

—De todo hay —contestó el viejo a la moza que le había dirigido la palabra en nombre de sus compañeras—. Las viejas del lugar murmuraban de que hoy vayan las muchachas a loquear y entretenerse a un sitio al cual ellas llegaban de prisa y temblando a tomar el agua, pues sólo de allí puede traerse, y yo encuentro mal que perdáis poco a poco el temor que a todos inspira el sitio donde se halla la fuente, porque podía acontecer que alguna vez os sorprendiese en él la noche.

El tío Gregorio pronunció estas últimas palabras con un tono tan lleno de misterio, que las muchachas abrieron los ojos espantadas para mirarlo y,

con mezcla de curiosidad y burla, tornaron a insistir:

—¡La noche! Pues ¿qué pasa de noche en ese sitio, que tales aspevientos hacéis y con tan temerosas y oscuras palabras nos habláis de lo que allí podría acontecernos? ¿Se nos comerán acaso los lobos?

—Cuando el Moncayo se cubre de nieve, los lobos, arrojados de sus guaridas, bajan en rebaños por su falda, y más de una vez los hemos oído aullar en horroroso concierto, no sólo en los alrededores de la fuente, sino en las mismas calles ael lugar; pero no son los lobos los huéspedes más terribles del Moncayo. En sus profundas simas, en sus cumbres solitarias y ásperas, en su hueco seno, viven unos espíritus diabólicos que durante la noche bajan por sus vertientes como un enjambre, y pueblan el vacío y hormiguean en la llanura, y saltan de roca en roca, juegan entre las aguas o se mecen en las desnudas ramas de los árboles. Ellos son los que aúllan en las grietas de las peñas; ellos los que forman y empujan esas inmensas bolas de nieve que bajan rodando desde los altos picos y arrollan y aplastan cuanto encuentran a su paso; ellos los que llaman con el granizo a nuestros cristales en las noches de lluvia y corren como llamas azules y ligeras sobre el haz de los pantanos. Entre estos espíritus que, arrojados de las llanuras por las bendiciones y exorcismos de la Iglesia, han ido a refugiarse a las crestas inaccesibles de las montañas, los hay de diferente naturaleza y que, al parecer, a nuestros ojos, se revisten de formas variadas. Los más peligrosos, sin embargo, los que se insinúan con dulces palabras en el corazón de las jóvenes y

las deslumbran con promesas magníficas, son los gnomos. Los gnomos viven en las entrañas de los montes. Conocen sus caminos subterráneos y, eternos guardadores de los tesoros que encierran, velan día y noche junto a los veneros de los metales y las piedras preciosas. ¿Veis —prosiguió el viejo, señalando con el palo que le servía de apoyo la cumbre del Moncayo, que se levantaba a su derecha, destacándose oscura y gigantesca sobre el cielo violado y brumoso del crepúsculo—, veis esa inmensa mole coronada aún de nieve? Pues en su seno tienen sus moradas esos diabólicos espíritus. El palacio que habitan es horroroso y magnífico a la vez.[1]

»Hace muchos años que un pastor, siguiendo a una res extraviada, penetró por la boca de una de esas cuevas, cuyas entradas cubren espesos matorrales y cuyo fin no ha visto ninguno. Cuando volvió al lugar estaba pálido como la muerte. Había sorprendido el secreto de los gnomos, había respirado su envenenada atmósfera y pagó su atrevimiento con la vida; pero antes de morir refirió cosas estupendas. Andando por aquella caverna adelante había encontrado, al fin, unas galerías subterráneas e inmensas, alumbradas con un resplandor dudoso y fantástico, producido por las fosforescencias de las rocas, semejanes allí a grandes pedazos de cristal cuajados en mil formas caprichosas y extrañas. El suelo, la bóveda y las paredes de aquellos extensos salones, obra de la Naturaleza, parecían jaspeados como los mármoles más ricos; pero las vetas que los cruzaban eran de oro y de plata, y entre aquellas vetas brillantes se veían como incrustadas multitud de piedras preciosas de todos los colores y tamaños. Allí había jacintos y esmeraldas en mon-

tón, y diamantes, y rubíes, y zafiros, y, qué sé yo, otras muchas piedras desconocidas que él no supo nombrar, pero tan grandes y tan hermosas, que sus ojos se deslumbraron al contemplarlas. Ningún ruido exterior llegaba al fondo de la fantástica caverna. Sólo se percibían a intervalos unos gemidos largos y lastimeros del aire que discurría por aquel laberinto encantado, un rumor confuso de fuego subterráneo que hervía comprimido, y murmullos de aguas corrientes que pasaban sin saberse por dónde.

»El pastor, solo y perdido en aquella inmensidad, anduvo no sé cuantas horas sin hallar la salida; hasta que, por último, tropezó con el nacimiento del manantial cuyo murmullo había oído. Éste brotaba del suelo como una fuente maravillosa, con un salto de agua coronado de espuma, que caía formando una vistosa cascada y produciendo un murmullo sonoro al alejarse resbalando por entre las quebraduras de las peñas. A su alrededor crecían unas plantas nunca vistas, con hojas anchas y gruesas las unas, delgadas y largas como cintas flotantes las otras.

»Medio escondidos entre aquella húmeda frondosidad discurrían unos seres extraños, en parte hombres, en parte reptiles, o ambas cosas a la vez, pues, transformándose continuamente, ora parecían criaturas humanas deformes y pequeñuelas, ora salamandras luminosas o llamas fugaces que danzaban en círculos sobre la cúspide del surtidor. Allí, agitándose en todas direcciones, corriendo por el suelo en forma de enanos repugnantes y contrahechos, encaramándose en las paredes, babeando y retorciéndose en figura de reptiles o bailando con apariencia de fuegos fatuos sobre el haz del agua, an-

daban los gnomos, señores de aquellos lugares, cantando y removiendo sus fabulosas riquezas. Ellos saben dónde guardan los avaros esos tesoros que en vano buscan después los herederos; ellos conocen el lugar donde los moros, antes de huir, ocultaron sus joyas, y las alhajas que se pierden, las monedas que se extravían, todo lo que tiene algún valor y deaparece, ellos son los que lo buscan, lo encuentran y lo roban para esconderlo en sus guaridas, porque ellos saben andar todo el mundo por debajo de la tierra y por caminos secretos e ignorados. Allí tenían, pues, hacinados en montón toda clase de objetos raros y preciosos. Había joyas de un valor inestimable, collares y gargantillas de perlas y piedras finas, ánforas de oro de forma antiquísima llenas de rubíes, copas cinceladas, armas ricas, monedas con bustos y leyendas imposibles de conocer o descifrar, tesoros, en fin, tan fabulosos e inmensos, que la imaginación apenas puede concebirlos. Y todo brillaba a la vez, lanzando unas chispas de colores y unos reflejos tan vivos, que parecía como que todo estaba ardiendo y se movía y temblaba. Al menos, el pastor refirió que así le había parecido.

Al llegar aquí, el anciano se detuvo un momento. Las muchachas, que comenzaron a oír la relación del tío Gregorio con una sonrisa de burla, guardaban entonces un profundo silencio, esperando a que continuase, con los ojos espantados, los labios ligeramente entreabiertos y la curiosidad y el interés pintados en el rostro. Una de ellas rompió al fin el silencio y exclamó sin poderse contener, entusiasmada al oír la descripción de las fabulosas riquezas que se habían ofrecido a la vista del pastor:

—Y qué, ¿no se trajo nada de aquello?

—Nada —contestó el tío Gregorio.

—¡Qué tonto! —exclamaron en coro las muchachas.

—El Cielo lo ayudó en aquel trance —prosiguió el anciano—, pues en aquel momento en que la avaricia que a todo se sobrepone, comenzaba a disipar su miedo y, alucinado a la vista de aquellas joyas, de las cuales una sola bastaría a hacerlo poderoso, el pastor iba a apoderarse de algunas, dice que oyó ¡maravillaos del suceso!, oyó claro y distinto en aquellas profundidades, y a pesar de las carcajadas y las voces de los gnomos, del hervidero de fuego subterráneo, del rumor de las aguas corrientes y de los lamentos del aire, oyó, digo, como si estuviese al pie de la colina en que se encuentra, el clamor de la campana que hay en la ermita de Nuestra Señora del Moncayo. Al oír la campana, que tocaba al Avemaría, el pastor cayó al suelo invocando a la Madre de Nuestro Señor Jesucristo, y, sin saber cómo ni por dónde, se encontró fuera de aquellos lugares y en el camino que conduce al pueblo, echado en una senda y presa de un gran estupor, como si hubiera salido de un sueño. Desde entonces se explicó todo el mundo por qué la fuente del lugar trae a veces entre sus aguas como un polvo finísimo de oro, y cuando llega la noche, en el rumor que produce se oyen palabras confusas, palabras engañosas con que los gnomos que la inficionan desde su nacimiento procuran seducir a los incautos que les prestan oídos, prometiéndoles riquezas y tesoros que han de ser su condenación.

Cuando el tío Gregorio llegaba a este punto de su historia, ya la noche había entrado y la cam-

pana de la iglesia comenzó a tocar las oraciones. Las muchachas se persignaron devotamente, murmuraron un avemaría en voz baja, y después de despedirse del tío Gregorio, que les tornó a aconsejar que no perdieran el tiempo en la fuente, cada cual tomó su cántaro, y todas juntas salieron silenciosas y preocupadas del atrio de la iglesia. Ya lejos del sitio en que encontraron al viejecito, y cuando estuvieron en la plaza del lugar, donde habían de separarse, exclamó la más resuelta y decidida de ellas:

—¿Vosotras creéis algo de las tonterías que nos ha contado el tío Gregorio?

—¡Yo, no! —dijo una.

—¡Yo, tampoco! —exclamó la otra.

—¡Ni yo! ¡Ni yo! —repitieron las demás, burlándose con risas de su credulidad de un momento.

El grupo de mozuelas se disolvió alejándose cada cual hacia uno de los extremos de la plaza. Luego que doblaron las esquinas de las diferentes calles que venían a desembocar en aquel sitio, dos muchachas, las únicas que no habían despegado aún los labios para protestar con sus burlas contra la veracidad del tío Gregorio, y que, preocupadas con la maravillosa relación, parecían absortas en sus ideas, se marcharon juntas, y con esa lentitud propia de las personas distraídas, por una calleja sombría, estrecha y tortuosa.

De aquellas dos muchachas, la mayor, que parecía tener unos veinte años, se llamaba Marta, y la más pequeña, que aún no había cumplido los dieciséis, Magdalena.

El tiempo que duró el camino, ambas guardaron un profundo silencio; pero cuando llegaron a los umbrales de la casa y dejaron los cántaros en el

asiento de piedra del portal, Marta dijo a Magda·
lena:

—¿Y tú crees en las maravillas del Moncayo y
en los espíritus de la fuente...?

—Yo —contestó Magdalena con sencillez—, yo
creo en todo. ¿Dudas tú acaso?

—¡Oh, no! —se apresuró a interrumpir Mar·
ta—. Yo también creo en todo. En todo... lo que
deseo creer.

II

Marta y Magdalena eran hermanas. Huérfanas
desde los primeros años de su niñez, vivían misera-
blemente a la sombra de una parienta de su madre,
que las había recogido por caridad, y que a cada
paso les hacía sentir con sus dicterios y sus humi-
llantes palabras el peso de su beneficio. Todo pare-
cía contribuir a que se estrechasen los lazos del
cariño entre aquellas dos almas hermanas, no sólo
por el vínculo de la sangre, sino por los de la mise-
ria y el sufrimiento, y sin embargo, entre Marta y
Magdalena existía una sorda emulación, una secre-
ta antipatía, que sólo pudiera explicar el estudio
de sus caracteres, tan en absoluta contraposición
como sus tipos.

Marta era altiva, vehemente en sus inclinacio-
nes y de una rudeza salvaje en la expresión de sus
afectos. No sabía ni reír ni llorar, y por eso no ha-
bía llorado ni reído nunca. Magdalena, por el con-
trario, era humilde, amante, bondadosa, y en más
de una ocasión se la vio llorar y reír a la vez como
los niños.

Marta tenía los ojos más negros que la noche, y

de entre sus oscuras pestañas diríase que a intervalos saltaban chispas de fuego como de un carbón ardiente.

La pupila azul de Magdalena parecía nadar en un fluido de luz dentro del cerco de oro de sus pestañas rubias. Y todo era en ellas armónico con la diversa expresión de sus ojos. Marta, enjuta de carnes, quebrada de color, de estatura esbelta, movimientos rígidos y cabellos crespos y oscuros, que sombreaban su frente y caían por sus hombros como un manto de terciopelo, formaba un singular contraste con Magdalena, blanca, rosada, pequeña, infantil en su fisonomía y sus formas, y con unas trenzas rubias que rodeaban sus sienes, semejantes al nimbo dorado de la cabeza de un ángel.

A pesar de la inexplicable repulsión que sentían la una por la otra, las dos hermanas habían vivido hasta entonces en una especie de indiferencia, que hubiera podido confundirse con la paz y el afecto. No habían tenido caricias que disputarse ni preferencias que envidiar, iguales en la desgracia y el dolor. Marta se había encerrado para sufrir en un egoísta y altivo silencio, y Magdalena, encontrando seco el corazón de su hermana, lloraba a solas cuando las lágrimas se agolpaban involuntariamente a sus ojos.

Ningún sentimiento era común entre ellas. Nunca se confiaron sus alegrías y pesares, y, sin embargo, el único secreto que procuraban esconder en lo más profundo del corazón se lo habían adivinado mutuamente, con ese instinto maravilloso de la mujer enamorada y celosa. Marta y Magdalena tenían, efectivamente, puestos sus ojos en un mismo hombre.

La pasión de la una era el deseo tenaz, hijo

de un carácter indomable y voluntarioso; en la otra, el cariño se parecía a esa vaga y espontánea ternura de la adolescencia, que, necesitando un objeto en qué emplearse, ama el primero que se ofrece a su vista. Ambas guardaban el secreto de su amor, porque el hombre que lo había inspirado tal vez hubiera hecho mofa de un cariño que se podía interpretar como ambición absurda en unas muchachas plebeyas y miserables. Ambas, a pesar de la distancia que las separaba del objeto de su pasión, alimentaban una esperanza remota de poseerlo.

Cerca del lugar, y sobre un alto que dominaba los contornos, había un antiguo castillo abandonado por sus dueños. Las viejas, en las noches de velada, referían una historia llena de maravillas acerca de sus fundadores. Contaban que hallándose el rey de Aragón en guerra con sus enemigos, agotados ya sus recursos, abandonado de sus parciales y próximo a perder el trono, se le presentó un día una pastorcita de aquella comarca y, después de revelarle la existencia de unos subterráneos por donde podía atravesar el Moncayo sin que se apercibiesen sus enemigos, le dio un tesoro en perlas finas, riquísimas piedras preciosas y barras de oro y plata, con las cuales el rey pagó sus mesnadas, levantó un poderoso ejército y, marchando por debajo de la tierra durante toda una noche, cayó al otro día sobre sus contrarios y los desbarató, asegurando la corona en su cabeza.

Después que hubo alcanzado tan señalada victoria, cuentan que dijo el rey a la pastorcita: «Pídeme lo que quieras, que, aun cuando fuese la mitad de mi reino, juro que te lo he de dar al instante.» «Yo no quiero más que volverme a cuidar de

mi rebaño», respondió la pastorcita. «No cuidarás sino de mis fronteras», le replicó el rey, y le dio el señorío de toda la raya y le mandó edificar una fortaleza en el pueblo más fronterizo a Castilla, adonde se trasladó la pastora, casada ya con uno de los favoritos del rey, noble, galán, valiente y señor asimismo de muchas fortalezas y muchos feudos.

La estupenda relación del tío Gregorio de los gnomos del Moncayo, cuyo secreto estaba en la fuente del lugar, exaltó nuevamnte las locas fantasías de las dos enamoradas hermanas, completando, por decirlo así, la ignorada historia del tesoro hallado por la pastorcita de la conseja, tesoro cuyo recuerdo había turbado más de una vez sus noches de insomnio y de amargura, presentándose a su imaginación como un débil rayo de esperanza.

La noche siguiente a la tarde del encuentro con el tío Gregorio, todas las muchachas del lugar hicieron conversación en sus casas de la estupenda historia que les había referido. Marta y Magdalena guardaron un profundo silencio, y ni en aquella noche ni en todo el día que amaneció después volvieron a cambiar una sola palabra relativa al asunto, tema de todas las conversaciones y objeto de los comentarios de sus vecinas.

Cuando llegó la hora de costumbre, Magdalena tomó su cántaro y le dijo a su hermana:

—¿Vamos a la fuente?

Marta no contestó, y Magdalena volvió a decirle:

—¿Vamos a la fuente? Mira que si no nos apresuramos, se pondrá el sol antes de la vuelta.

Marta exclamó al fin, con acento breve y áspero:

—Yo no quiero ir hoy.

Ni yo tampoco —añadió Magdalena después de un instante de silencio, durante el cual mantuvo

los ojos clavados en los de su hermana, como si quisiera adivinar en ellos la causa de su resolución

III

Las muchachas del lugar hacía cerca de una hora que estaban de vuelta en sus casas. La última luz del crepúsculo se había apagado en el horizonte y la noche comenzaba a cerrar de cada vez más oscura, cuando Marta y Magdalena, esquivándose mutuamente y cada cual por diverso camino, salieron del pueblo con dirección a la fuente misteriosa. La fuente brotaba escondida entre unos riscos cubiertos de musgo en el fondo de una larga alameda de álamos.

Después que se fueron apagando poco a poco los rumores del día y no se escuchaba el lejano eco de la voz de los labradores que vuelven, caballeros en sus yuntas, cantando al compás del timón del arado que arrastraban por la tierra; después que se dejó de percibir el monótono ruido de las esquilas del ganado, y las voces de los pastores, y el ladrido de los perros que reúnen las reses, y sonó en la torre del lugar la postrera campanada del toque de oraciones, reinó ese doble y augusto silencio de la noche y la soledad, silencio lleno de murmullos extraños y leves, que lo hacen aún más perceptible.

Marta y Magdalena se deslizaron por entre el laberinto de los árboles y, protegidas por la oscuridad, llegaron sin verse al fin de la alameda. Marta no conocía el temor, y sus pasos eran firmes y seguros. Magdalena temblaba con sólo el ruido que producían sus pies al hollar las hojas secas que tapizaban el suelo.

Cuando las dos hermanas estuvieron junto a la fuente, el viento de la noche comenzó a agitar las copas de los álamos, y al murmullo de sus soplos desiguales parecía responder el agua del manantial con un rumor acompasado y uniforme.

Marta y Magdalena prestaron atención a aquellos ruidos que pasaban bajo sus pies como un susurro constante y sobre sus cabezas como un lamento que nacía y se apagaba para tornar a crecer y dilatarse por la espesura. A medida que transcurrían las horas, aquel sonar eterno del aire y el agua empezó a producir una extraña exaltación, una especie de vértigo que, turbando la vista y zumbando en el oído, parecía trastornarlas por completo.

Entonces, a la manera que se oye hablar entre sueños con un eco lejano y confuso, les pareció percibir entre aquellos rumores sin nombre sonidos inarticulados, como los de un niño que quiere y no puede llamar a su madre; luego, palabras que se repetían una vez y otra, siempre lo mismo; después, frases inconexas y dislocadas, sin orden ni sentido, y, por último... por último comenzaron a hablar el viento vagando entre los árboles y el agua saltando de risco en risco.

Y hablaban así:

EL AGUA.—¡Mujer!... ¡Mujer!... Óyeme... óyeme y acércate para oírme, que yo besaré tus pies mientras tiemblo al copiar tu imagen en el fondo sombrío de mis ondas. ¡Mujer!... Óyeme, que mis murmullos son palabras.

. .

EL VIENTO.—¡Niña!... Niña gentil, levanta tu cabeza; déjame en paz besar tu frente, en tanto que agito tus cabellos. Niña gentil, escúchame, que yo

314

sé hablar también y te murmuraré al oído frases
cariñosas.

. .

MARTA.—¡Oh! ¡Habla, habla, que yo te com-
prenderé, porque mi inteligencia flota en un vértigo
como flotan tus palabras indecisas! Habla, misterio-
sa corriente.

. .

MAGDALENA.—Tengo miedo. ¡Aire de la noche,
aire de perfumes, refresca mi frente que arde! Dime
algo que me infunda valor, porque mi espíritu vacila.

. .

EL AGUA.—Yo he cruzado el tenebroso seno de
la tierra, he sorprendido el secreto de su maravillo-
sa fecundidad y conozco todos los fenómenos de
sus entrañas, donde germinan las futuras creacio-
nes. Mi rumor adormece y despierta. Despierta tú,
que lo comprendes.

. .

EL VIENTO.—Yo soy el aire que mueve los án-
geles con sus alas inmensas al cruzar por el espacio.
Yo amontono en el Occidente las nubes que ofre-
cen al sol un lecho de púrpura y traigo al amane-
cer, con las neblinas que se deshacen en gotas, una
lluvia de perlas sobre las flores. Mis suspiros son
un bálsamo. Ábreme tu corazón y lo inundaré de
felicidad.

. .

MARTA.—Cuando yo oí por primera vez el mur-
mullo de una corriente subterránea, no en balde me
inclinaba a la tierra prestándole oído. Con ella iba
un misterio que yo debía de comprender al cabo.

. .

MAGDALENA.—Suspiros del viento, yo os conoz-

co. Vosotros me acariciabais dormida cuando, fatigada por el llanto, me rendía al sueño en mi niñez, y vuestro rumor se me figuraban las palabras de una madre que arrulla a su hija.

<center>*</center>

El agua enmudeció por algunos instantes, y no sonaba sino como agua que se rompe entre peñas. El viento calló también, y su ruido no fue otra cosa que ruido de hojas movidas. Así pasó algún tiempo, y después volvieron a hablar, y hablaron así:

EL AGUA.—Después de infiltrarme gota a gota a través del filón de oro de una mina inagotable; después de correr por un lecho de plata y saltar como sobre guijarros entre un sinnúmero de zafiros y amatistas, arrastrando, en vez de arenas, diamantes y rubíes, me he unido en misterioso consorcio a un genio. Rica con su poder y con las ocultas virtudes de las piedras preciosas y los metales, de cuyos átomos vengo saturada, puedo ofrecerte cuanto ambicionas. Yo tengo la fuerza de un conjuro, el poder de un talismán y la virtud de las siete piedras y los siete colores.

. .

EL VIENTO.—Yo vengo de vagar por la llanura. y como la abeja que vuelve a la colmena con su botín de perfumadas mieles, traigo suspiros de mujer, plegarias de niño, palabras de casto amor y aromas de nardos y azucenas silvestres. Yo no he recogido a mi paso más que perfumes y ecos de armonías. Mis tesoros son inmateriales; pero ellos dan la paz del alma y la vaga felicidad de los sueños venturosos.

Mientras su hermana, atraída como por un encanto, se inclinaba al borde de la fuente para oir

mejor, Magdalena se iba instintivamente separando de los riscos entre los cuales brotaba el manantial.

Ambas tenían sus ojos fijos, la una en el fondo de las aguas, la otra en el fondo del cielo.

Y exclamaba Magdalena, mirando brillar los luceros en la altura:

—Ésos son los nimbos de la luz de los ángeles invisibles que nos custodian.

El tanto decía Marta, viendo temblar en la linfa de la fuente el reflejo de las estrellas:

—Ésas son las partículas de oro que arrastra el agua en su misterioso curso.

El manantial y el viento, que por segunda vez habían enmudecido un instante, tornaron a hablar, y dijeron:

EL AGUA.—Remonta mi corriente, desnúdate del temor como de una vestidura grosera y osa traspasar los umbrales de lo desconocido. Yo he adivinado que tu espíritu es de la esencia de los espíritus superiores. La envidia te habrá arrojado tal vez del cielo para revolcarte en el lodo de la miseria. Yo veo, sin embargo, en tu frente sombría un sello de altivez que te hace digna de nosotros, espíritus fuertes y libres.... Ven; yo te voy a enseñar palabras mágicas de tal virtud, que al pronunciarlas se abrirán las rocas y te brindarán con los diamantes que están en su seno, como las perlas en las conchas que sacan del fondo del mar los pescadores. Ven; te daré tesoros para que vivas feliz, y más tarde, cuando se quiebre la cárcel que lo aprisiona, tu espíritu se asimilará a los nuestros, que son espíritus hermanos, y todos confundidos, seremos la fuerza motora, el rayo vital de la creación, que circula como un fluido por sus arterias subterráneas.

EL VIENTO.—El agua lame la tierra y vive en el cieno. Yo discurro por las regiones etéreas y vuelo en el espacio sin límites. Sigue los movimientos de tu corazón, deja que tu alma suba como la llama y las azules espirales del humo. ¡Desdichado el que, teniendo alas, desciende a las profundidades para buscar el oro, pudiendo remontarse a la altura para encontrar amor y sentimiento! Vive oscura como la violeta, que yo te traeré en un beso fecundo el germen vivificante de otra flor hermana tuya y rasgaré las nieblas para que no falte un rayo de sol que ilumine tu alegría. Vive oscura, vive ignorada, que cuando tu espíritu se desate, yo lo subiré a las regiones de la luz en una nube roja.

Callaron el viento y el agua y apareció el gnomo. El gnomo era como un hombrecillo transparente; una especie de enano de luz semejante a un fuego fatuo, que se reía a carcajadas, sin ruido, y saltaba de peña en peña y mareaba con su vertiginosa movilidad. Unas veces se sumergía en el agua y continuaba brillando en el fondo como una joya de piedras de mil colores; otras salía a la superficie y agitaba los pies y las manos, y sacudía la cabeza a un lado y otro con una rapidez que tocaba en prodigio.

Marta vio al gnomo y le estuvo siguiendo con la vista extraviada en todas sus extravagantes evoluciones, y cuando el diabólico espíritu se lanzó al fin por entre las escabrosidades del Moncayo como una llama que corre, agitando su cabellera de chispas, sintió una especie de atracción irresistible y siguió tras él con una carrera frenética.

—¡Magdalena! —decía en tanto el aire, que se alejaba lentamente.

Y Magdalena, paso a paso y como una sonámbula guiada en el suelo por una voz amiga, siguió tras la ráfaga, que iba suspirando por la llanura. Después todo quedó otra vez en el silencio en la oscura alameda, y el viento y el agua siguieron resonando con los murmullos y los rumores de siempre.

IV

Magdalena tornó al lugar pálida y llena de asombro. A Marta la esperaron en vano toda la noche.

Cuando llegó la tarde del otro día, las muchachas encontraron un cántaro roto al borde de la fuente de la alameda. Era el cántaro de Marta, de la cual nunca volvió a saberse. Desde entonces las muchachas del lugar van por agua tan temprano, que madrugan con el sol. Algunas me han asegurado que de noche se ha oído en más de una ocasión el llanto de Marta, cuyo espíritu vive aprisionado en la fuente. Yo no sé qué crédito dar a esta última parte de la historia, porque la verdad es que desde entonces ninguno se ha atrevido a penetrar para oírla en la alameda después del toque del Avemaría.

LA AJORCA DE ORO

(Leyenda Toledana)

I

Ella era hermosa, hermosa con esa hermosura

que inspira el vértigo, hermosa con esa hermosura que no se parece en nada a la que soñamos en los ángeles y que, sin embargo, es sobrenatural, hermosura diabólica, que tal vez presta el demonio a algunos seres para hacerlos sus instrumentos en la tierra.

Él la amaba; la amaba con ese amor que no conoce freno ni límites; la amaba con ese amor en que se busca un goce y sólo se encuentran martirios, amor que se asemeja a la felicidad y que, no obstante, diríase que lo infunde el Cielo para la expiación de una culpa.

Ella era caprichosa, caprichosa y extravagante, como todas las mujeres del mundo; él supresticioso, supersticioso y valiente, como todos los hombres de su época. Ella se llamaba María Antúnez; él, Pedro Alfonso de Orellana. Los dos eran toledanos, y los dos vivían en la misma ciudad que los vio nacer.

La tradición que refiere esta maravillosa historia, acaecida hace muchos años, no dice nada más acerca de los personajes que fueron sus héroes.

Yo, en mi calidad de cronista verídico, no añadiré ni una sola palabra de mi cosecha para caracterizarlos mejor.

II

Él la encontró un día llorando, y le preguntó:
—¿Por qué lloras?

Ella se enjugó los ojos, lo miró fijamente, arrojó un suspiro y volvió a llorar.

Pedro, entonces, acercándose a María, le tomó una mano, apoyó el codo en el pretil árabe desde

donde la hermosa miraba pasar la corriente del río, y tornó a decirle:

—¿Por qué lloras?

El Tajo se retorcía gimiendo al pie del mirador, entre las rocas sobre que se asienta la ciudad imperial. El sol trasponía los montes vecinos; la niebla de la tarde flotaba como un velo de gasa azul, y sólo el monótono ruido del agua interrumpía el alto silencio.

María exclamó:

—No me preguntes por qué lloro, no me lo preguntes, pues ni yo sabré contestarte ni tú comprenderme. Hay deseos que se ahogan en nustra alma de mujer, sin que los revele más que un suspiro; ideas locas que cruzan por nuestra imaginación, sin que ose formularlas el labio; fenómenos incomprensibles de nuestra naturaleza misteriosa, que el hombre no puede ni aun concebir. Te lo ruego, no me preguntes la causa de mi dolor; si te la revelase, acaso te arrancaría una carcajada.

Cuando estas palabras expiraron, ella tornó a inclinar la frente y él a reiterar sus preguntas.

La hermosa, rompiendo al fin su obstinado silencio, dijo a su amante con voz sorda y entrecortada:

—Tú lo quieres; es una locura que te hará reir, pero no importa, te lo diré puesto que lo deseas. Ayer estuve en el templo. Se celebraba la fiesta de la Virgen; su imagen, colocada en el altar mayor sobre un escabel de oro, resplandecía como un ascua de fuego; las notas del órgano temblaban, dilatándose de eco en eco por el ámbito de la iglesia, y en el coro los sacerdotes entonaban el *Salve, Regina*. Yo rezaba, absorta en mis pensamientos religiosos, cuando maquinalmente levanté la cabeza y

321

mi vista se dirigió al altar. No sé por qué mis ojos se fijaron, desde luego, en la imagen; digo mal, en la imagen, no; se fijaron en un objeto que, hasta entonces, no había visto, un objeto que, sin que pudiése explicármelo, llamaba sobre sí toda mi atención... No te rías..., aquel objeto era la ajorca de oro que tiene la Madre de Dios en uno de los brazos en que descansa su Divino Hijo... Yo aparté la vista y torné a rezar... ¡Imposible! Mis ojos se volvían involuntariamente al mismo punto. Las luces del altar, reflejándose en las mil facetas de sus diamantes, se reproducían de una manera prodigiosa. Millones de chispas de luz rojas y azules, verdes y amarillas, volteaban alrededor de las piedras como un torbellino de átomos de fuego, como una vertiginosa ronda de esos espíritus de las llamas que fascinan con su brillo y su increíble inquietud... Salí del templo, vine a casa, pero vine con aquella idea fija en la imaginación. Me acosté para dormir; no pude... Pasó la noche, eterna con aquel pensamiento... Al amanecer se cerraron mis párpados, y, ¿lo creerás?, aun en el sueño veía cruzar, perderse y tornar de nuevo una mujer, una mujer morena y hrmosa, que llevaba la joya de oro y pedrería; una mujer, sí, porque ya no era la Virgen que yo adoro y ante quien me humillo; era una mujer, otra mujer como yo, que me miraba y se reía mofándose de mí. «¿La ves? —parecía decirme, mostrándome la joya—. ¡Cómo brilla! Parece un círculo de estrellas arrancadas del cielo de una noche de verano. ¿La ves? Pues no es tuya, no lo será nunca, nunca... Tendrás acaso otras mejores, más ricas, si es posible; pero ésta, que resplandece de un modo tan fantástico, tan fascinador... nunca... nunca...» Desperté; pero con la misma

idea fija aquí, entonces como ahora, semejante a un clavo ardiendo, diabólica, incontrastable, inspirada sin duda por el mismo Satanás... ¿Y qué?... Callas, callas y doblas la frente... ¿No te hace reír mi locura?

Pedro, con un movimiento convulsivo, oprimió el puño de su espada, levantó la cabeza, que, en efecto, había inclinado, y dijo con voz sorda:

—¿Qué Virgen tiene esa presea?

—La del Sagrario —murmuró María.

—¡La del Segrario! —repitió el joven con acento de terror—. ¡La del Sagrario de la catedral!...

Y en sus facciones se retrató un instante el estado de su alma, espantada de una idea.

—¡Ah! ¿Por qué no la posee otra Virgen? —prosiguió con acento enérgico y apasionado—. ¿Por qué no la tiene el arzobispo en su mitra, el rey en su corona o el diablo entre sus garras? Yo se la arrancaría para ti, aunque me costase la vida o la condenación. Pero a la Virgen del Sagrario, a nuestra Santa Patrona, yo... yo, que he nacido en Toledo, ¡imposible!

—¡Nunca! —murmuró María con voz casi imperceptible—. ¡Nunca!

Y siguió llorando.

Pedro fijó una mirada estúpida en la corriente del río; en la corriente, que pasaba y pasaba sin cesar ante sus extraviados ojos, quebrándose al pie del mirador, entre las rocas sobre que se asienta la ciudad imperial.

III

¡La catedral de Toledo! Figuraos un bosque de

gigantescas palmeras de granito que al entrelazar sus ramas forman una bóveda colosal y magnífica bajo la que se guarece y vive, con la vida que le ha prestado el genio, toda una creación de seres imaginarios y reales.

Figuraos un caos incomprensible de sombra y luz, en donde se mezclan y confunden con las tinieblas de las naves los rayos de colores de las ojivas, donde lucha y se pierde con la oscuridad del santuario el fulgor de las lámparas.

Figuraos un mundo de piedra, inmenso como el espíritu de nuestra religión, sombrío como sus tradiciones, enigmático como sus parábolas, y todavía no tendréis una idea remota de ese eterno monumento del entusiasmo y la fe de nuestros mayores, sobre el que los siglos han derramado a porfía el tesoro de sus creencias, de su inspiración y de sus artes.

En su seno viven el silencio, la majestad, la poesía del misticismo y un santo horror que defiende sus umbrales contra los pensamientos mundanos y las mezquinas pasiones de la tierra. La consunción material se alivia respirando el aire puro de las montañas; el ateísmo debe curarse respirando su atmósfera de fe.

Pero si grande, si imponente se presenta la catedral a nuestros ojos a cualquiera hora que se penetra en su recinto misterioso y sagrado, nunca produce una impresión tan profunda como en los días en que despliega todas las galas de su pompa religiosa, en que sus tabernáculos se cubren de oro y pedrería; sus gradas, de alfombras, y sus pilares, de tapices.

Entonces, cuando arden despidiendo un torren-

te de luz sus mil lámparas de plata; cuando flota en el aire una nube de incienso, y las voces del coro y la armonía de los órganos y las campanas de la torre estremecen el edificio desde sus cimientos mas profundos hasta las más altas agujas que lo coronan, entonces es cuando se comprende, al sentirla, la tremenda majestad de Dios, que vive en él, y lo anima con su soplo, y lo llena con el reflejo de su omnipotencia.

El mismo día en que tuvo lugar la escena que acabamos de referir se celebraba en la catedral de Toledo el último de la magnífica octava de la Virgen.

La fiesta religiosa había traído a ella una multitud inmensa de fieles; pero ya ésta se había dispersado en todas direcciones, ya se habían apagado las luces de las capillas y del altar mayor, y las colosales puertas del templo habían rechinado sobre sus goznes para cerrarse detrás del último toledano, cuando de entre las sombras, y pálido, tan pálido como la estatua de la tumba en que se apoyó un instante mientras dominaba su emoción, se adelantó un hombre que vino deslizándose con el mayor sigilo hasta la verja del crucero. Allí, la claridad de una lámpara permitía distinguir sus facciones.

Era Pedro.

¿Qué había pasado entre los dos amantes para que se aprestara, al fin, a poner por obra una idea que sólo el concebirla había erizado sus cabellos de horror? Nunca pudo saberse. Pero él estaba allí, y estaba allí para llevar a cabo su criminal propósito. En su mirada inquieta, en el temblor de sus rodillas, en el sudor que corría en anchas gotas por su frente, llevaba escrito su pensamiento.

La catedral estaba sola, completamente sola y sumergida en un silencio profundo. No obstante, de cuando en cuando se percibían como unos rumores confusos: chasquidos de madera tal vez, o murmullos del viento, o ¿quién sabe?, acaso ilusión de la fantasía que oye y ve y palpa en su exaltación lo que no existe; pero la verdad era que ya cerca, ya lejos, ora a sus espaldas, ora a su lado mismo, sonaban como sollozos que se comprimen, como roce de telas que se arrastran, como rumor de pasos que van y vienen sin cesar.

Pedro hizo un esfuerzo para seguir en su camino; llegó a la verja y subió la primera grada de la capilla mayor. Alrededor de esta capilla están las tumbas de los reyes, cuyas imágenes de piedra, con la mano en la empuñadura de la espalda, parecen velar noche y día por el santuario, a cuya sombra descansan por toda una eternidad. «¡Adelante!», murmuró en voz baja, y quiso andar y no pudo. Parecía que sus pies se habían clavado en el pavimento. Bajó los ojos, y sus cabellos se erizaron de horror: el suelo de la capilla lo formaban anchas y oscuras losas sepulcrales.

Por un momento creyó que una mano fría y descarnada lo sujetaba en aquel punto con una fuerza invencible. Las moribundas lámparas, que brillaban en el fondo de las naves como estrellas perdidas entre las sombras, oscilaron a su vista, y oscilaron las estatuas de los sepulcros y las imágenes del altar, y osciló el templo todo, con sus arcadas de granito y sus machones de sillería.

«¡Adelante!», volvió a exclamar Pedro como fuera de sí, y se acercó al ara; y trepando por ella, subió hasta el escabel de la imagen. Todo alrededor

suyo se revestía de formas quiméricas y horribles; todo era tinieblas o luz dudosa, más imponente aún que la oscuridad. Sólo la Reina de los cielos, suavemente iluminada por una lámpara de oro, parecía sonreír tranquila, bondadosa y serena en medio de tanto horror.

Sin embargo, aquella sonrisa muda e inmóvil que lo tranquilizara un instante concluyó por infundirle temor, un temor más extraño, más profundo que el que hasta entonces había sentido.

Tornó empero a dominarse, cerró los ojos para no verla, extendió la mano, con un movimiento convulsivo, y le arrancó la ajorca, la ajorca de oro, piadosa ofrenda de un santo arzobispo, la ajorca de oro cuyo valor equivalía a una fortuna.

Ya la presea estaba en su poder; sus dedos crispados la oprimían con una fuerza sobrenatural; sólo restaba huir, huir con ella; pero para esto era preciso abrir los ojos, y Pedro tenía miedo de ver, de ver la imagen, de ver los reyes de las sepulturas, los demonios de las cornisas, las endriagos de los capiteles, las fajas de sombras y los rayos de luz que, semejantes a blancos y gigantescos fantasmas, se movían lentamente en el fondo de las naves, pobladas de rumores temerosos y extraños.

Al fin abrió los ojos, tendió una mirada, y un grito agudo se escapó de sus labios.

La catedral estaba llena de estatuas, estatuas que, vestidas con luengos y no vistos ropajes, había descendido de sus huecos y ocupaba todo el ámbito de la iglesia y lo miraban con sus ojos sin pupila.

Santos, monjes, ángeles, demonios, guerreros, damas, pajes, cenobitas y villanos se rodeaban y confundían en las naves y en el altar. A sus pies

oficiaban, en presencia de los reyes, de hinojos so-
bre sus tumbas, los arzobispos de mármol que él
había visto otras veces inmóviles sobre sus lechos
mortuorios, mientras que, arrastrándose por las lo-
sas, trepando por los mechones, acurrucados en los
doseles, suspendidos de las bóvedas, pululaba, como
los gusanoos de un inmenso cadáver, todo un mun-
do de reptiles y alimañas de granito, quiméricos,
deformes, horrorosos.

Ya no pudo resistir más. Las sienes le latieron
con una violencia espantosa; una nube de sangre
oscureció sus pupilas; arrojó un segundo grito, un
grito desgarrador y sobrehumano, y cayó desvane-
cido sobre el ara.

Cuando al otro día los dependientes de la igle-
sia lo encontraron al pie del altar, tenía aún la
ajorca de oro entre sus manos, y al verlos aproxi-
marse exclamó con una estridente carcajada:

—¡Suya, suya!

El infeliz estaba loco.

LA ROSA DE PASIÓN

(Leyenda Religiosa)

Una tarde de verano, y en un jardín de Toledo,
me refirió esta singular historia una muchacha muy
buena y muy bonita.

Mientras me explicaba el misterio de su for-
ma especial, besaba las hojas y los pistilos que iba
arrancando, uno a uno, de la flor que da nombre
a esta leyenda.

Si yo la pudiera referir con el suave encanto

328

y la tierna sencillez que tenía en su boca, os conmovería, como a mí me conmovió, la historia de la infeliz Sara.

Ya que esto no es posible, ahí va lo que de esa piadosa tradición se me acuerda en este instante.

I

En una de las callejas más oscuras y tortuosas de la ciudad imperial, empotrada y casi escondida entre la alta torre morisca de una antigua parroquia mozárabe y los sombríos blasonados muros de una casa solariega, tenía hace muchos años su habitación raquítica, tenebrosa y miserable como su dueño, un judío llamado Daniel Leví.

Era este judío rencoroso y vengativo, como todos los de su raza, pero más que ninguno engañador e hipócrita.

Dueño, según los rumores del vulgo, de una inmensa fortuna, veíasele, no obstante, todo el día acurrucado en el sombrío portal de su vivienda, componiendo y aderezando cadenillas de metal, cintos viejos o guarniciones rotas, con las que traía un gran tráfico entre los truhanes de Zocodover, las revendedoras del Postigo y los escuderos pobres.

Aborrecedor implacable de los cristianos y de cuanto a ellos pudiera pertenecer, jamás pasó junto a un caballero principal o un canónigo de la primada sin quitarse una y hasta diez veces el mugriento bonetillo que cubría su cabeza calva y amarillenta, ni acogió en su tenducho o uno de sus habituales parroquianos sin agobiarlo a fuerza de humildes salutaciones, acompañada de aduladoras sonrisas.

La sonrisa de Daniel había llegado a hacerse

proverbial en toda Toledo, y su mansedumbre, a prueba de las jugarretas más pesadas y las burlas y rechiflas de sus vecinos, no conocía límites.

Inútilmente los muchachos, para desesperarlo, tiraban piedras a su tugurio; en vano los pajecillos y hasta los hombres de armas del próximo palacio pretendían aburrirlo, llamándole con los nombres más injuriosos, o las viejas devotas de la feligresía se santiguaban al pasar por el umbral de su puerta, como si viesen al mismo Lucifer en persona.

Daniel sonreía eternamente, con una sonrisa extraña e indescriptible. Sus labois delgados y hundidos se dilataban a la sombra de su nariz desmesurada y corva como el pico de un aguilucho, y aunque de sus ojos, pequeños, verdes, redondos y casi ocultos entre las espesas cejas, brotaba una chispa de mal reprimida cólera, seguía impasible golpeando con su martillito de hierro el yunque donde aderezaba las mil baratijas mohosas y, al parecer, sin aplicación alguna, de que se componía su tráfico.

Sobre la puerta de la casucha del judío, y dentro de un marco de azulejos de vivos colores, se abría un ajimez árabe, resto de las antiguas construcciones de los moros toledanos. Alrededor de las caladas franjas del ajimez, y enredándose por la columnilla de mármol que lo partía en dos huecos iguales, subía desde el interior de la vivienda una de esas plantas trepadoras que se mecen verdes y llenas de savia y lozanía sobre los ennegrecidos muros de los edificios ruinosos.

En la parte de la casa que recibía una dudosa luz por los estrechos vanos de aquel ajimez, único abierto en el musgoso y agrietado paredón de la calleja, habitaba Sara, la hija predilecta de Daniel.

Cuando los vecinos del barrio pasaban por delante de la tienda del judío y veían por casualidad a Sara tras las celosías de su ajimez morisco y a Daniel acurrucado junto a su yunque, exclamaban en alta voz, admirados de las perfecciones de la hebrea:

—¡Parece mentira que tan ruin tronco haya dado de sí tan hermoso vástago!

Porque, en efecto, Sara era un prodigio de belleza. Tenía los ojos grandes y rodeados de un sombrío cerco de pestañas negras, en cuyo fondo brillaba el punto de luz de su ardiente pupila como una estrella en el cielo de una noche oscura. Sus labios, encendidos y rojos, parecían recortados hábilmente de un paño de púrpura por las invisibles manos de un hada. Su tez era blanca, pálida y transparente como el alabastro de la estatua de un sepulcro. Contaba apenas dieciséis años, y ya se veía grabada en su rostro esa dulce tristeza de las inteligencias precoces, y ya hinchaban su seno y se escapaban de su boca esos suspiros que anuncian el vago despertar del deseo.

Los judíos más poderosos de la ciudad, prendados de su maravillosa hermosura, la habían solicitado para esposa; pero la hebrea, insensible a los homenajes de sus adoradores y a los consejos de su padre, que la instaba para que eligiese un compañero antes de quedar sola en el mundo, se mantenía encerrada en un profundo silencio, sin dar más razón de su extraña conducta que el capricho de permanecer libre.

Al fin, un día cansado de sufrir los desdenes de Sara y sospechando que su eterna tristeza era indicio cierto de que en su corazón abrigaba algún

secreto importante, uno de sus adoradores se acercó a Daniel y le dijo:

—¿Sabes, Daniel, que entre nuestros hermanos se murmura de tu hija?

El judío levantó un instante los ojos de su yunque, suspendió su continuo martilleo y, sin mostrar la menor emoción, preguntó a su interpelante:

—Y ¿qué dicen de ella?

—Dicen —prosiguió su interlocutor—, dicen... ¡Qué sé yo! Muchas cosas.. Entre otras, que tu hija está enamorada de un cristiano...

Al llegar a este punto, el desdeñado amante de Sara se detuvo para ver el efecto que sus palabras hacían en Daniel.

Daniel levantó de nuevo sus ojos, lo miró un rato fijamente, sin decir palabra, y, bajando otra vez la vista para seguir su interrumpida tarea, exclamó:

—Y ¿quién dice que eso no es una calumnia?

—Quien los ha visto conversar más de una vez en esta misma calle, mientras tú asistes al oculto sanedrín de nuestros rabinos —insistió el joven hebreo, admirado de que sus sospechas primero, y después sus afirmaciones, no hiciesen mella en el ánimo de Daniel.

Éste, sin abandonar su ocupación, fija la mirada en el yunque, sobre el que después de dejar a un lado el martillo se ocupaba en bruñir el broche de metal de una guarnición con una pequeña lima, comenzó a hablar en voz baja y entrecortada, como si maquinalmente fuesen repitiendo sus labios las ideas que cruzaban por su mente.

—¡Je, je, je! —decía, riéndose de una manera extraña y diabólica—. ¿Conque a mí Sara, al orgullo de la tribu, al báculo en que se apoya mi ve-

jez, piensa arrebatármela un perro cristiano? ¿Y vosotros creéis que lo hará? ¡Je! ¡Je! —continuaba, siempre hablando para sí y siempre riéndose mientras la lima chirriaba cada vez con más fuerza, mordiendo el metal con sus dientes de acero—. ¡Je! ¡Je! Pobre Daniel, dirán los míos, ¡ya chochea! ¿Para qué quiere ese viejo moribundo y decrépito esa hija tan hermosa y tan joven, si no sabe guardarla de los codiciosos ojos de nuestros enemigos?... ¡Je, je, je!! ¿Crees tú, por ventura, que Daniel duerme? ¿Crees tú por ventura, que si mi hija tiene un amante... que bien puede ser, y ese amante es cristiano y procura seducirla y la seduce, que todo es posible, y proyecta huir, con ella, que también es fácil, y huye mañana por ejemplo lo cual cabe dentro de lo humano; crees tú que Daniel se dejará así arrebatar su tesoro? ¿Crees tú que no sabrá vengarse?

—Pero —exclamó interrumpiéndole el joven— ¿sabéis acaso...?

—Sé —dijo Daniel, levantándose y dándose un golpecito en la espalda—, sé más que tú, que nada sabes ni nada sabrías si no hubiese llegado la hora de decirlo todo... Adiós, avisa a nuestros hermanos para que cuanto antes se reúnan. Esta noche, dentro de una o dos horas, yo estaré con ellos. ¡Adiós!

Y esto diciendo, Daniel empujó suavemente a su interlocutor hacia la calle, recogió sus trebejos muy despacio y comenzó a cerrar con dobles cerrojos y aldabas la puerta de la tiendecilla.

El ruido que produjo ésta al encajarse rechinando sobre sus premiosos goznes impidió al que se alejaba oír el rumor de las celosías del ajimez, que en aquel punto cayeron de golpe, como si la judía acabara de retirarse de su alféizar.

II

Era noche de Viernes Santo, y los habitantes de Toledo, después de haber asistido a las tinieblas en su magnífica catedral, acababan de entregarse al sueño, o referían al amor de la lumbre consejas parecidas a la del *Cristo de la Luz,* que, robado por unos judíos, dejó un rastro de sangre por el cual se descubrió el crimen, o la historia del *Santo Niño de la Guarda,* en quien los implacables enemigos de nuestra fe renovaron la cruel Pasión de Jesús.

Reinaba en la ciudad un silencio profundo, interrumpido a intervalos, ya por las lejanas voces de los guardias nocturnos que en aquella época velaban en derredor del alcázar, ya por los gemidos del viento, que hacía girar las veletas de las torres o zumbaba entre las torcidas revueltas de las calles, cuando el dueño de un barquichuelo que se mecía amarrado a un poste cerca de los molinos, que parecen como incrustados al pie de las rocas que baña el Tajo, y sobre las que se asienta la ciudad, vio aproximarse a la orilla, bajando trabajosamente por uno de los estrechos senderos que desde lo alto de los muros conducen al río, a una persona a quien al parecer, aguardaba con impaciencia.

—¡Ella es! —murmuró entre dientes el barquero—. ¡No parece sino que esta noche anda revuelta toda esa endiablada raza de judíos!... ¿Dónde diantres se tendrán dada cita con Satanás, que todos acuden a mi barca, teniendo tan cerca el puente?... No, no irán a nada bueno cuando así evitan toparse de manos a boca con los hombres de armas de San Cervantes, pero, en fin, ello es que

me dan buenos dineros a ganar, y a su alma su palma, que yo en nada entro ni salgo.

Esto diciendo, el buen hombre, sentándose en su barca, aparejó los remos, y cuando Sara, que no era otra la persona a quien al parecer había aguardado hasta entonces, hubo saltado al barquichuelo, soltó la amarra que lo sujetaba y comenzó a bogar en dirección a la orilla opuesta.

—¿Cuántos han pasado esta noche? —preguntó Sara al barquero apenas se hubieron alejado de los molinos y como refiriéndose a algo de que ya habían tratado anteriormente.

—Ni los he podido contar —respondió el interpelado—; ¡un enjambre! Parece que esta noche será la última que se reúnen.

—¿Y sabes de qué tratan y con qué objeto abandonan la ciudad a estas horas?

—Lo ignoro...; pero ello es que aguardan a alguien que debe de llegar esta noche. Yo no sé para qué lo aguardarán, aunque presumo que para nada bueno.

Después de este breve diálogo, Sara se mantuvo algunos instantes sumida en un profundo silencio y como tratando de coordinar sus ideas. «No hay duda —pensaba entre sí—; mi padre ha sorprendido nuestro amor y prepara alguna venganza horrible. Es preciso que yo sepa adónde van, qué hacen, qué intentan. Un momento de vacilación podría perderlo.»

Cuando Sara se puso un instante en pie, y como para alejar las horribles dudas que la preocupaban se pasó la mano por la frente, que la angustia había cubierto de un sudor glacial, la barca tocaba a la orilla opuesta.

—Buen hombre —exclamó la hermosa hebrea, arrojando algunas monedas a su conductor y señalando un camino estrecho y tortuoso que subía serpenteando por entre las rocas— ¿es ése el camino que siguen?

—Ese es, y cuando llegan a la *Cabeza del Moro*, desaparecen por la izquierda. Después, el diablo y ellos sabrán adónde se dirigen —respondió el barquero.

Sara se alejó en la dirección que éste le había indicado. Durante algunos minutos se la vio aparecer y desaparecer alternativamente entre aquel oscuro laberinto de rocas oscuras y cortadas a pico; después, y cuando hubo llegado a la cima llamada la *Cabeza del Moro*, su negra silueta se dibujó un instante sobre el fondo azul del cielo, y, por último, desapareció entre las sombras de la noche.

III

Siguiendo el camino donde hoy se encuentra la pintoresca ermita de la Virgen del Valle, y como a dos tiros de ballesta del picacho que el vulgo conoce en Toledo por la *Cabeza del Moro*, existían aún en aquella época los ruinosos restos de una iglesia bizantina, anterior a la conquista de los árabes.

En el atrio, que dibujaban algunos pedruscos diseminados por el suelo, crecían zarzales y hierbas parásitas, entre los que yacían, medio ocultos, ya el destrozado capitel de una columna, ya un sillar groseramente esculpido con hojas entrelazadas, endriagos horribles, grotescas e informes figuras humanas. Del templo sólo quedaban en pie los mu-

336

ros laterales y algunos arcos rotos ya y cubiertos de hiedra.

Sara, a quien parecía guiar un sobrenatural presentimiento, al llegar al punto que le había señalado su conductor ,vaciló algunos instantes, indecisa acerca del camino que debía seguir; pero, por último, se dirigió con paso firme y resuelto hacia las abandonadas ruinas de la iglesia.

En efecto, su instinto no la había engañado. Daniel, que ya no sonreía; Daniel, que no era ya el viejo débil y humilde, sino que, antes bien, despidiendo cólera de sus pequeños y redondos ojos, parecía animado del espíritu de la venganza, rodeado de una multitud como él, ávida de saciar su sed de odio en uno de los enemigos de su religión, estaba allí y parecía multiplicarse dando órdenes a los unos, animando en el trabajo a los otros, disponiendo, en fin, con una horrible solicitud los aprestos necesarios para la consumación de la espantosa obra que había estado meditando días y días, mientras golpeaba impasible el yunque de su covacha de Toledo.

Sara, que a favor de la oscuridad había logrado llegar hasta el atrio de la iglesia, tuvo que hacer un esfuerzo para no arrojar un grito de horror al penetrar en su interior con la mirada.

Al rojizo resplandor de una fogata que proyectaba las sombras de aquel círculo infernal en los muros del templo, había creído ver que algunos hacían esfuerzos por levantar en alto una pesada cruz, mientras otros tejían una corona con las ramas de los zarzales o afilaban sobre una piedra las puntas de enormes clavos de hierro. Una idea espantosa cruzó por su mente: recordó que a los de su

raza los habían acusado más de una vez de misteriosos crímenes; recordó vagamente la aterradora historia del *Niño Crucificado,* que ella hasta entonces había creído una grosera calumnia inventada por el vulgo para apostrofar y zaherir a los hebreos.[1]

[1] *La leyenda tuvo enorme desarrollo y fue llevada al teatro por Lope de Vega: El Santo niño de la Guarda.*

Pero ya no le cabía duda alguna; allí, delante de sus ojos, estaban aquellos horribles instrumentos de martirio, y los feroces verdugos sólo aguardaban la víctima.

Sara, llena de una santa indignación, rebosando en generosa ira y animada de esa fe inquebrantable en el verdadero Dios que su amante le había revelado, no pudo contenerse a la vista de aquel espectáculo y, rompiendo por entre la maleza que la ocultaba, presentóse de improviso en el umbral del templo.

Al verla aperecer, los judíos arrojaron un grito de sorpresa, y Daniel, dando un paso hacia su hija, en ademán amenazante, le preguntó con voz ronca:

—¿Qué buscas aquí, desdichada?

—Vengo a arrojar sobre vuestras frentes —dijo Sara con voz firme y resuelta— todo el baldón de vuestra infame obra, y vengo a deciros que en vano esperáis la víctima para el sacrificio, si ya no es que intentáis cebar en mí vuestra sed de sangre, porque el cristiano a quien aguardáis no vendrá yo lo he prevenido de vuestras asechanzas.

—¡Sara! —exclamó el judío, rugiendo de cólera—. Sara, eso no es verdad; tú no puedes habernos hecho traición, hasta el punto de revelar nuestros misteriosos ritos, y si es verdad que los has revelado, tú no eres mi hija...

—No; ya no lo soy; he encontrado otro Padre, un Padre todo amor para los suyos, un Padre a quien vosotros enclavasteis en una afrentosa cruz y que murió en ella por redimirnos, abriéndonos para una eternidad las puertas del cielo. No; ya no soy vuestra hija, porque soy cristiana y me avergüenzo de mi origen.

Al oír estas palabras, pronunciadas con esa enérgica entereza que sólo pone el cielo en boca de los mártires, Daniel, ciego de furor, se arrojó sobre la hermosa hebrea y, derribándola en tierra y asiéndola por los cabellos, la arrastró, como poseído de un espíritu infernal, hasta el pie de la cruz, que parecía abrir sus descarnados brazos para recibirla, exclamando al dirigirse a los que la rodeaban:

—Ahí os la entrego; haced vosotros justicia de esa infame, que ha vendido su honra, su religión y a sus hermanos.

IV

Al día siguiente, cuando las campanas de la catedral asordaban los aires tocando a gloria, y los honrados vecinos de Toledo se entretenían en tirar ballestazos a los Judas de paja, ni más ni menos que como todavía lo hacen en algunas de nuestras poblaciones, Daniel abrió la puerta de su tenducho, como tenía de costumbre, y con su eterna sonrisa

en los labios comenzó a saludar a los que pasaban, sin dejar por eso de golpear en el yunque con su martillito de hierro; pero las celosías del morisco ajimez de Sara no volvieron a abrirse, ni nadie vio más a la hermosa hebrea recostada en su alféizar de azulejos de colores.

Cuentan que algunos años después un pastor trajo al arzobispo una flor hasta entonces nunca vista, en la cual se veían figurados todos los atributos del martirio del Salvador del mundo, flor extraña y misteriosa, que había crecido y enredado sus tallos por entre los ruinosos muros de la derruida iglesia.

Cavando en aquel lugar, y tratando de inquirir el origen de aquella maravilla, añaden que se halló el esqueleto de una mujer, y enterrados con ella otros tantos atributos divinos como la flor tenía.

El cadáver, aunque nunca se pudo averiguar de quién era, se conservó por largos años con veneración especial en la ermita de San Pedro el Verde, y a la flor, que hoy se ha hecho bastante común, la llamaron *Rosa de Pasión*.

EL BESO

(Leyenda Toledana)

I

Cuando una parte del ejército francés se apoderó a principios de este siglo de la histórica Toledo, sus jefes, que no ignoraban el peligro a que se exponían en las poblaciones españolas diseminándose en alojamientos separados, comenzaron por habili-

tar para cuarteles los más grandes y mejores edificios de la ciudad.

Después de ocupado el suntuoso Alcázar de Carlos V, echóse mano de la casa de Consejos; cuando ésta no pudo contener más gente, comenzaron a invadir el asilo de las comunidades religiosas, acabando a la postre por transformar en cuadras hasta las iglesias consagradas al culto. En esta conformidad se encontraban las cosas en la población donde tuvo lugar el suceso que voy a referir, cuando una noche, ya a hora bastante avanzada, envueltos en sus oscuros capotes de guerra y ensordeciendo las estrechas y solitarias calles que conducen desde la Puerta del Sol a Zocodover con el choque de sus armas y el ruidoso golpear de los cascos de sus corceles, que sacaban chispas de los pedernales, entraron en la ciudad hasta unos cien dragones de aquellos —altos, arrogantes y fornidos— de que todavía nos hablan con admiración nuestras abuelas.

Mandaba la fuerza un oficial bastante joven, el cual iba como a distancia de unos treinta pasos de su gente, hablando a media voz con otro, también militar, a lo que podía colegirse por su traje.

Éste, que caminaba a pie delante de su interlocutor, llevando en la mano un farolillo, parecía servirlo de guía por entre aquel laberinto de calles oscuras, enmarañadas y revueltas.

—En verdad —decía el jinete a su acompañante— que si el alojamiento que se nos prepara es tal y como me lo pintan, casi, casi sería preferible arrancharnos en el campo o en medio de una plaza.

—Y ¿qué queréis, mi capitán? —contestó el guía, que, efectivamente, era un sargento aposentador—. En el Alcázar no cabe ya un grano de trigo, cuanto

más un hombre. De San Juan de los Reyes no digamos, porque hay celdas de fraile en las que duermen quince húsares. El convento adonde voy a conduciros no era mal local; pero hará cosa de tres o cuatro días nos cayó aquí como de las nubes una de las columnas volantes que recorren la provincia, y gracias que hemos podido conseguir que se amontonen por los claustros y dejen libre la iglesia.

—En fin —exclamó el oficial después de un corto silencio y como resignándose con el extraño alojamiento que la casualidad le deparaba—, más vale incómodo que ninguno. De todas maneras, si llueve, que no será difícil según se agrupan las nubes, estaremos a cubierto, y algo es algo.

Interrumpida la conversación en este punto, los jinetes, precedidos del guía, siguieron en silencio el camino adelante hasta llegar a una plazuela, en cuyo fondo se destacaba la negra silueta del convento con su torre morisca, su campanario de espadaña, su cúpula ojival y sus tejados de crestas desiguales y oscuras.

—He aquí vuestro alojamiento —exclamó el aposentador al divisarle y dirigiéndose al capitán, que, después que hubo mandado hacer alto a la tropa, echó pie a tierra, tomó el farolillo de manos del guía y se dirigió hacia el punto que éste le señalaba.

Como quiera que la iglesia del convento estaba completamente desmantelada, los soldados que ocupaban el resto del edificio habían creído que las puertas le eran ya poco menos que inútiles, y un tablero hoy, otro mañana, habían ido arrancándolas pedazo a pedazo para hacer hogueras con que calentarse por las noches.

Nuestro joven oficial no tuvo, pues, que torcer llaves ni descorrer cerrojos para penetrar en el interior del templo.

A la luz del farolillo, cuya dudosa claridad se perdía entre las espesas sombras de las naves y dibujaba con gigantescas proporciones sobre el muro la fantástica silueta del sargento aposentador, que iba precediéndolo, recorrió la iglesia de arriba abajo y escudriñó una por una todas sus desiertas capillas, hasta que, una vez hecho cargo del local, mandó echar pie a tierra a su gente, y, hombres y caballos revueltos, fue acomodándola como mejor pudo.

Según dejamos dicho, la iglesia estaba completamente desmantelada: en el altar mayor pendían aún de las altas cornisas los rotos jirones del velo con que lo habían cubierto los religiosos al abandonar aquel recinto; diseminados por las naves veíanse algunos retablos adosados al muro; sin imágenes en las hornacinas; en el coro se dibujaban con un ribete de luz los extraños perfiles de la oscura sillería de alerce; en el pavimento, destrozado en varios puntos, distinguíanse aún anchas losas sepulcrales llenas de timbres, escudos y largas inscripciones góticas, y allá a lo lejos, en el fondo de las silenciosas capillas y a lo largo del crucero, se destacaban confusamente entre la obscuridad, semejantes a blancos e inmóviles fantasmas, las estatuas de piedra que, unas tendidas, otras de hinojos sobre el mármol de sus tumbas, parecían ser los únicos habitantes del ruinoso edificio.

A cualquiera otro menos molido que el oficial de dragones, el cual traía una jornada de catorce leguas en el cuerpo, o menos acostumbrado a ver estos sacrilegios como la cosa más natural del mun-

do, hubiéranle bastado dos adarmes de imaginación para no pegar los ojos en toda la noche en aquel obscuro e imponente recinto, donde las blasfemias de los soldados, que se quejaban en alta voz del improvisado cuartel; el metálico golpe de sus espuelas que resonaban sobre las anchas losas sepulcrales del pavimento; el ruido de los caballos, que piafaban impacientes cabeceando y haciendo sonar las cadenas con que estaban sujetos a los pilares, formaban un rumor extraño y temeroso que se dilataba por todo el ámbito de la iglesia y se reproducía cada vez más confuso, repetido de eco en eco en sus altas bóvedas.

Pero nuestro héroe, aunque joven, estaba ya tan familiarizado con estas peripecias de la vida de cámpaña, que, apenas hubo acomodado a su gente, mandó colocar un saco de forraje al pie de la grada del presbiterio y, arrebujándose como mejor pudo en su capote y echando la cabeza en el escalón a, los cinco minutos roncaba con más tranquilidad que el mismo rey José en su palacio de Madrid.

Los soldados, haciéndose almohadas de las monturas, imitaron su ejemplo, y poco a poco fue apagándose el murmullo de sus voces.

A la media hora sólo se oían los ahogados gemidos del aire que entraba por las rotas vidrieras de las ojivas del templo, el atolondrado revolotear de las aves nocturnas que tenían sus nidos en el dosel de piedra de las esculturas de los muros y el alternado rumor de los pasos del vigilante, que se paseaba, envuelto en los anchos pliegues de su capote, a lo largo del pórtico.

En la época a que se remonta la relación de esta historia, tan verídica como extraordinaria, lo mismo que al presente, para los que no sabían apreciar los tesoros del arte que encierran sus muros, la ciudad de Toledo no era más que un poblachón destartalado, antiguo, ruinoso e insufrible.

Los oficiales del ejército francés, que, a juzgar por los actos de vandalismo con que dejaron en ella triste y perdurable memoria de su ocupación, de todo tenían menos de artistas o arqueólogos, no hay para qué decir que se fastidiaban soberanamente en la vetusta ciudad de los Césares.

En esta situación de ánimo, la más insignificante novedad que viniese a romper la monótona quietud de aquellos días eternos e iguales era acogida con avidez entre los ociosos; así es que la promoción al grado inmediato de uno de sus camaradas, la noticia del movimiento estratégico de una columna volante, la salida de un correo de gabinete o la llegada de una fuerza cualquiera a la ciudad convertíanse en tema fecundo de conversación y objeto de toda clase de comentarios, hasta tanto que otro incidente venía a sustituirlo, sirviendo de base a nuevas quejas, críticas y suposiciones.

Como era de esperar, entre los oficiales que, según tenían de costumbre, acudieron al día siguiente a tomar el sol y a charlar un rato en el Zocodover, no se hizo platillo de otra cosa que la llegada de los dragones, a cuyo jefe dejamos en el anterior capítulo durmiendo a pierna suelta y descansando de las fatigas de su viaje.

Cerca de una hora hacía que la conversación giraba alrededor de este asunto, y ya empezaba a in-

terpretarse de diversos modos la ausencia del recién venido, a quien uno de los presentes, antiguo compañero suyo de colegio, había citado para el Zocodover, cuando en una de las bocacalles de la plaza apareció al fin nuestro bizarro capitán, despojado de su ancho capotón de guerra, luciendo un gran casco de metal con penacho de plumas blancas, una casaca azul turquí con vueltas rojas y un magnífico mandoble con vaina de acero, que resonaba arrastrándose al compás de sus marciales pasos y del golpe seco y agudo de sus espuelas de oro.

Apenas lo vio su camarada, salió a su encuentro para saludarlo, y con él se adelantaron casi todos los que a la sazón se encontraban en el corrillo, en quienes habían despertado la curiosidad y la gana de conocerle los pormenores que ya habían oído referir acerca de su carácter original y extraño.

Después de los estrechos abrazos de costumbre y de las exclamaciones, plácemes y presentes de rigor en estas entrevistas; después de hablar largo y tendido sobre las novedades que andaban por Madrid, la varia fortuna de la guerra y los amigotes muertos o ausentes, rodando de uno en otro asunto, la conversación vino a parar al tema obligado, esto es, las penalidades del servicio, a la falta de distracciones de la ciudad y el inconveniente de los alojamientos.

Al llegar a este punto, uno de los de la reunión que, por lo visto, tenía noticias del mal talante con que el joven oficial se había resignado a acomodar su gente en la abandonada iglesia, le dijo con aire de zumba:

—Y a propósito de alojamiento: ¿qué tal se ha pasado la noche en el que ocupáis?

—Ha habido de todo —contestó el interpelado—, pues si bien es verdad que no he dormido gran cosa, el origen de mi vigilia merece la pena de la velada. El insomnio junto a una mujer bonita no es seguramente el peor de los males.

—¡Una mujer! —repitió su interlocutor, como admirándose de la buena fortuna del recién venido—. Eso es lo que se llama llegar y besar el santo.

—Será tal vez algún antiguo amor de la corte que lo sigue a Toledo para hacerle más soportable el ostracismo —añadió otro de los del grupo.

—¡Oh, no! —dijo entonces el capitán —Nada. menos que eso. Juro, a fe de quien soy, que no la conocía y que nunca creí hallar tan bella patrona en ta nincómodo alojamiento. Es todo lo que se llama una verdadera aventura.

—¡Contadla! ¡Contadla! —exclamaron en coro los oficiales que rodeaban al capitán.

Y como éste se dispusiera a hacerlo así, todos prestaron la mayor atención a sus palabras, mientras él comenzó la historia en estos términos:

—Dormía esta noche pasada como duerme un hombre que trae en el cuerpo trece leguas de camino, cuando he aquí que en lo mejor del sueño me hizo despertar sobresaltado e incorporarme sobre el codo un estruendo horrible, un estruendo tal, que me ensordeció un instante para dejarme después los oídos zumbando cerca de un minuto, como si un moscardón me cantase a la oreja. Como os habréis figurado, la causa de mi susto era el primer golpe que oía de esa endiablada campana gorda, especie de sochantre de bronce, que los canónigos de Toledo han colgado en su catedral con el laudable propósito de matar a disgustos a los necesitados de

reposo. Renegando entre dientes de la campana y del campanero que la toca, disponíame, una vez apagado aquel insólito y temeroso rumor, a coger nuevamente el hilo del interrumpido sueño, cuando vino a herir mi imaginación y a ofrecerse ante mis ojos una cosa extraordinaria. A la dudosa luz de la luna que entraba en el templo por el estrecho ajimez del muro de la capilla mayor vi a una mujer arrodillada junto al altar.

Los oficiales se miraron entre sí con expresión entre asombrada e incrédula. El capitán, sin atender al efecto que su narración producía, continuó de este modo:

—No podéis figuraros nada semejante a aquella nocturna y fantástica visión que se dibujaba confusamente en la penumbra de la capilla, como esas vírgenes pintadas en los vidrios de colores que habréis visto algunas veces destacarse a lo lejos, blancas y luminosas, sobre el obscuro fondo de las catedrales. Su rostro ovalado, en donde se veía impreso el sello de una leve y espiritual demacración; sus armoniosas facciones, llenas de una suave y melancólica dulzura; su intensa palidez, las purísimas líneas de su contorno esbelto, su ademán reposado y noble, su traje blanco flotante, me traían a la memoria esas mujeres con que yo soñaba cuando casi era un niño. ¡Castas y celestes imágenes, quimérico objeto del vago amor de la adolescencia! Yo me creía juguete de una alucinación, y, sin quitarle un punto los ojos, ni aun osaba respirar, temiendo que un soplo desvaneciese el encanto. Ella permanecía inmóvil. Antojábaseme, al verla tan diáfana y luminosa, que no era una criatura terrenal, sino un espíritu que, revistiendo por un instante la forma

348

humana, había descendido en el rayo de la luna, dejando en el aire y en pos de sí la azulada estela que desde el alto ajimez bajaba verticalmente hasta el pie del opuesto muro, rompiendo la oscura sombra de aquel recinto lóbrego y misterioso.

—Pero... —exclamó interrumpiéndole su camarada de colegio, que, comenzando por echar a broma la historia, había concluido interesándose en su relato—. ¿Cómo estaba allí aquella mujer? ¿No le dijiste nada? ¿No te explicó su presencia en aquel sitio?

—No me determiné a hablarle porque estaba seguro de que no había de contestarme, ni verme, ni oírme.

—¿Era sorda?

—¿Era ciega?

—¿Era muda? —exclamaron a un tiempo tres o cuatro de los que escuchaban la relación.

—Lo era todo a la vez —exclamó al fin el capitán, después de un momento de pausa—, porque era... de mármol.

Al oír el estupendo desenlace de tan extraña aventura, cuantos había en el corro prorrumpieron en una ruidosa carcajada, mientras uno de ellos dijo al narrador de la peregrina historia, que era el único que permanecía callado y en una grave actitud:

—¡Acabáramos de una vez! Lo que es de ese género tengo yo más de un millar, un verdadero serrallo, en San Juan de los Reyes. Serrallo que desde ahora pongo a vuestra disposición, ya que, a lo que parece, tanto os da una mujer de carne como de piedra.

—¡Oh, no! —continuó el capitán, sin alterarse

en manera alguna por las carcajadas de sus compañeros—. Estoy seguro de que no pueden ser como la mía. La mía es una verdadera dama castellana, que, por un milagro de la escultura, parece que no la han enterrado en su sepulcro, sino que aún permanece en cuerpo y alma de hinojos sobre la losa que lo cubre inmóvil, con las manos juntas en ademán suplicante, sumergida en un éxtasis de místico amor.

—De tal modo te explicas, que acabarás por probarnos la verosimilitud de la fábula de Galatea.

—Por mi parte, puedo deciros que siempre la creía una locura: mas desde anoche comienzo a comprender la pasión del escultor griego.

—Dadas las especiales condiciones de tu nueva dama, creo que no tendrás inconveniente en presentarnos a ella. De mí sé decir que ya no vivo hasta ver esa maravilla. Pero... ¿qué diantres te pasa?... Diríase que esquivas la presentación. ¡Ja, ja, ja! Bonito fuera que ya te tuviéramos hasta celoso.

—Celoso —se apresuró a decir el capitán—, celoso... De los hombres, no... Mas ved, sin embargo, hasta dónde llega mi extravagancia. Junto a la imagen de esa mujer, también de mármol, grave y al parecer con vida como ella, hay un guerrero ...Su marido, sin duda... Pues bien: lo voy a decir todo, aunque os moféis de mi necedad... Si no hubiera temido que me tratasen de loco, creo que ya lo habría hecho cien veces pedazos.

Una nueva y aún más ruidosa carcajada de los oficiales saludó esta original revelación del estrambótico enamorado de la dama de piedra.

—Nada, nada; es preciso que la veamos —decían los unos.

—Sí, sí; es preciso saber si el objeto corresponde a tan alta pasión —añadían los otros.

—¿Cuándo nos reunimos a echar un trago en la iglesia en que os alojáis? —exclamaron los demás.

—Cuando mejor os parezca. Esta misma noche, si queréis —respondió el joven capitán, recobrando su habitual sonrisa, disipada un instante por aquel relámpago de celos—. A propósito: con los bagajes he traído hasta un par de docenas de botellas de *champagne;* verdadero *champagne,* restos de un regalo hecho a nuestro general de brigada, que, como sabéis, es algo pariente.

—¡Bravo! ¡Bravo! —exclamaron los oficiales a una voz, prorrumpiendo en alegres exclamaciones.

—¡Se beberá vino del país!

—¡Y cantaremos una canción de Ronsard!

—Y hablaremos de mujeres, a propósito de la dama del anfitrión.

—Conque... ¡hasta la noche!

—¡Hasta la noche!

III

Ya hacía largo rato que los pacíficos habitantes de Toledo habían cerrado con llave y cerrojo las pesadas puertas de sus antiguos caserones; la campana gorda de la catedral anunciaba la hora de la queda, y en lo alto del Alcázar, convertido en cuartel, se oía el último toque de silencio de los clarines, cuando diez o doce oficiales que poco a poco habían ido reuniéndose en el Zocodover tomaron el camino que conduce desde aquel punto al convento

en que se alojaba el capitán, animados más con la esperanza de apurar las prometidas botellas que con el deseo de conocer la maravillosa escultura.

La noche había cerrado sombría y amenazadora. El cielo estaba cubierto de nubes de color de plomo. El aire, que zumbaba encarcelado en las estrechas y retorcidas calles, agitaba la moribunda luz del farolillo de los retablos o hacía girar con un chirrido agudo las veletas de hierro de las torres.

Apenas los oficiales dieron vista a la plaza en que se hallaba situado el alojamiento de su nuevo amigo, éste, que les aguardaba impaciente, salió a encontrarles, y, después de cambiar algunas palabras a media voz, todos penetraron juntos en la iglesia, en cuyo lóbrego recinto la escasa claridad de una linterna luuchaba trabajosamente con las obscuras y espesísimas sombras.

—¡Por quien soy —exclamó uno de los convidados, tendiendo a su alrededor la vista—, que el local es de los menos a propósito del mundo para una fiesta!

—Efectivamente —dijo otro—. Nos traes a conocer a una dama, y apenas si con mucha dificultad se ven los dedos de la mano.

—Y, sobre todo, hace un frío que no parece sino que estamos en la Siberia —añadió un tercero, arrebujándose en el capote.

—Calma, señores, calma —interrumpió el anfitrión—. Calma, que a todo se proveerá. ¡Eh, muchacho! —prosiguió, dirigiéndose a uno de sus asistentes—, busca por ahí un poco de leña y enciéndenos una buena fogata en la capilla mayor.

El asistente, obedeciendo las órdenes de su capitán, comenzó a descargar golpes en la sillería del

coro, y después que hubo reunido una gran cantidad de leña, que fue apilando al pie de las gradas del presbiterio, tomó la linterna y se dispuso a hacer un auto de fe con aquellos fragmentos tallados de riquísimas labores, entre las que se veían, por aquí, parte de una columnilla salomónica; por allá, la imagen de un santo abad, el torso de una mujer o la disforme cabeza de un grifo asomando entre hojarascas.

A los pocos minutos, una gran claridad que de improviso se derramó por todo el ámbito de la iglesia anunció a los oficiales que había llegado la hora de comenzar el festín.

El capitán, que hacía los honores de su alojamiento con la misma ceremonia con que hubiera hecho los de su casa, exclamó, dirigiéndose a los convidados:

—Si gustáis, pasaremos al *buffet*.

Sus camaradas, afectando la mayor gravedad, respondieron a la invitación con un cómico saludo, y se encaminaron a la capilla mayor precedidos del héroe de la fiesta, que al llegar a la escalinata se detuvo un instante y, extendiendo la mano en dirección al sitio que ocupaba la tumba, les dijo con la finura más exquisita:

—Tengo el placer de presentaros a la dama de mis pensamientos. Creo que convendréis conmigo en que no he exagerado su belleza.

Los oficiales volvieron los ojos al punto que les señalaba su amigo, y una exclamación de asombro se escapó involuntariamente de todos los labios.

En el fondo de un arco sepulcral revestido de

mármoles negros, arrodillada delante de un reclinatorio, con las manos juntas y la cara vuelta hacia el altar, vieron, en efecto, la imagen de una mujer tan bella, que jamás salió otra igual de manos de un escultor, ni el deseo pudo pintarla en la fantasía más soberanamente hermosa.

—En verdad que es un ángel —exclamó uno de ellos.

—¡Lástima que sea de mármol! —añadió otro.

—No hay duda de que, aunque no sea más que la ilusión de hallarse junto a una mujer de este calibre, es lo suficiente para no pegagr los ojos en toda la noche.

—¿Y no sabéis quién es ella? —preguntàron algunos de los que contemplaban la estatua al capitán, que sonreía satisfecho de su triunfo.

—Recordando un poco del latín que en mi niñez supe he conseguido a duras penas descifrar la inscripción de la tumba —contestó el interpelado—, y, a lo que he podido colegir, pertenece a un título de Castilla, famoso guerrero que hizo la campaña. Su nombre lo he olvidado; mas su esposa, que es la que veis, se llama doña Elvira de Castañeda, y, por mi fe, que si la copia se parece al original, debió ser la mujer más notable de su siglo.

Después de estas breves explicaciones, los convidados, que no perdían de vista el principal objeto de la reunión, procedieron a destapar algunas de las botellas, y, sentándose alrededor de la lumbre, empezó a andar el vino a la ronda.

A medida que las libaciones se hacían más numerosas y frecuentes y el vapor del espumoso *champagne* comenzaba a trastornar las cabezas, crecían la animación, el ruido y la algazara de los jóvenes,

de los cuales, éstos arrojaban a los monjes de granito adosados a los pilares los cascos de las botellas vacías, y aquéllos cantaban a toda voz canciones báquicas y escandalosas, mientras los de más allá prorrumpían en carcajadas, batían las palmas en señal de aplauso o disputaban entre sí con blasfemias y juramentos.

El capitán bebía en silencio como un desesperado y sin apartar los ojos de la estatua de doña Elvira.

Iluminada por el rojizo resplandor de la hoguera, y a través del confuso velo que la embriaguez había puesto delante de su vista, parecíale que la marmórea imagen se transformaba a veces en una mujer real: parecíale que entreabría los labios como murmurando una oración, que se alzaba su pecho como oprimido y sollozante, que sus mejillas se coloreaban, en fin, como si se ruborizase ante aquel sacrílego y repugnante espectáculo.

Los oficiales, que advirtieron la taciturna tristeza de su camarada, lo sacaron del éxtasis en que se encontraba sumergido y presentándole una copa, exclamaron en coro:

El joven tomó la copa y, poniéndose de pie y alzándola en alto, dejo, encarándose con la estatua del guerrero arrodillado junto a doña Elvira.

—¡Vamos, brindad vos, que sois el único que

—¡Brindo por el emperador y brindo por la fortuna de sus armas, merced a las cuales hemos podido venir hasta el fondo de Castilla a cortejarle su mujer, en su misma tumba, a un vencedor de Ceriñola!

Los militares acogieron el brindis con una salva de aplausos, y el capitán, balanceándose, dio algunos

pasos hacia el sepulcro.

—No... —prosiguió dirigiéndose siempre a la estatua del guerrero y con esa sonrisa estúpida propia de la embriaguez—, no creas que te tengo rencor alguno porque vea en ti un rival. Al contrario, te admiro como un marido paciente, ejemplo de longanimidad y mansedumbre, y a mi vez quiero también ser generoso. Tú serás bebedor, a fuer de soldado... No se ha de decir que te he dejado morir de sed viéndonos vaciar veinte botellas... ¡Toma!

Y esto diciendo, llevóse la copa a los labios y, después de humedecérselos en el licor que contenia, le arrojó el resto a la cara, prorrumpiendo en una carcajada estrepitosa al ver cómo caía el vino sobre la tumba, goteando de las barbas de piedra del inmóvil guerrero.

—¡Capitán! —exclamó en aquel punto uno de sus camaradas en tono de zumba—. Cuidado con lo que hacéis... Mirad que esas bromas con la gente de piedra suelen costar caras. Acordaos de lo que aconteció a los húsares del quinto en el monasterio de Poblet... Los guerreros del claustro dicen que pusieron mano una noche a sus espaldas de granito y dieron que hacer a los que se entretenían en pintarles bigotes con carbón.

Los jóvenes acogieron con grandes carcajadas esta ocurrencia; pero el capitán, sin hacer caso de sus risas, continuó, siempre fijo en la misma idea:

—¿Creéis que yo le hubiera dado el vino a no saber que se tragaba al menos el que le cayese en la boca?... ¡Oh, no!... Yo no creo, como vosotros, que esas estatuas son un pedazo de mármol tan inerte hoy como el día en que lo arrancaron de la cantera. Indudablemente, el artista, que es casi un dios,

le da a su obra un soplo de vida que no logra hacer que ande y se mueva, pero que le infunde una vida incomprensible y extraña, vida que yo no me explico bien, pero que la siento, sobre todo cuando bebo un poco.

—¡Magnífico! —exclamaron sus camaradas—. Bebe y prosigue.

El oficial bebió y, fijando sus ojos en la imagen de doña Elvira, prosiguió con una exaltación crecreciente:

—¡Miradla!... ¡Miradla!... ¿No veis esos cambiantes rojos de sus carnes mórbidas y transparentes?... ¿No parece que por debajo de esa ligera epidermis azulada y suave de alabastro circula un fluido de luz de color de rosa?... ¿Queréis más vida?... ¿Queréis más realidad?..

—¡Oh, sí, seguramente! —dijo uno de los que lo escuchaban—. Quisiéramos que fuese de carne y hueso.

—¡Carne y hueso!... ¡Miseria, podredumbre!... —exclamó el capitán—. Yo he sentido en una orgía arder mis labios y mi cabeza. Yo he sentido este fuego que corre por las venas hirviente como la lava de un volcán, cuyos vapores caliginosos turban y trastornan el cerebro y hacen ver visiones extrañas. Entonces el beso de esas mujeres materiales me quemaba como un hierro candente, y las apartaba de mí con disgusto, con horror, hasta con asco, porque entonces, como ahora, necesitaba un soplo de brisa del mar para mi frente calurosa, beber hielo y besar nieve... Nieve teñida de suave luz, nieve coloreada por un dorado rayo de sol... Una mujer blanca, hermosa y fría, como esa mujer de piedra que parece incitarme con su fantástica her-

357

mosura, que parece que oscila al compás de la llama y me provoca entreabriendo sus labios y ofreciéndome un tesoro de amor ... ¡Oh, sí! ... Un beso ... sólo un beso tuyo podrá calmar el ardor que me consume.

—¡Capitán! —exclamaron algunos de los oficiales al verlo dirigirse hacia la estatua como fuera de sí, extraviada la vista y con pasos inseguros—. ¿Qué locura vais a hacer? ¡Basta de broma y dejad en paz a los muertos!

El joven ni oyó siquiera las palabras de sus amigos, y, tambaleándose y como pudo, llegó a la tumba y aproximóse a la estatua; pero al tenderle los brazos resonó un grito de horror en el templo. Arrojando sangre por los ojos, boca y nariz, había caído desplomado y con la cara deshecha al pie del sepulcro.

Los oficiales, mudos y espantados, ni se atrevían a dar un paso para prestarle socorro.

En el momento en que su camarada intentó acercar sus labios ardientes a los de doña Elvira, habían visto al inmóvil guerrero levantar la mano y derribarlo con una espantosa bofetada de su guantelete de piedra.

NARRACIONES

TRES FLECHAS

En una cartera de dibujo que conservo aún llena de ligeros apuntes, hechos durante algunas de mis excursiones semiartísticas a la ciudad de Toledo, hay escritas tres fechas.

Los sucesos de que guardan la memoria estos números son, hasta cierto punto, insignificantes. Sin embargo, con su recuerdo me he entretenido en formar en algunas noches de insomnio una novela más o menos sentimental o sombría, según que mi imaginación se hallaba más o menos exaltada y propensa a ideas risueñas o terribles.

Si a la mañana siguiente de uno de estos nocturnos y extravagantes delirios hubiera podido escribir los extraños episodios de las historias imposibles que forjo antes que se cierren del todo mis párpados (historias cuyo vago desenlace flota, por último, indeciso, en ese punto que separa la vigilia del sueño), seguramente formaría un libro disparatado, pero original y acaso interesante.

No es eso lo que pretendo hacer ahora. Esas fantasías ligeras y, por decirlo así, impalpables, son, en cierto modo, como las mariposas, que no pueden cogerse en las manos sin que se quede entre los dedos el polvo de oro de sus alas.

Voy, pues, a limitarme a narrar brevemente tres sucesos que suelen servir de epígrafe a los capítulos de mis soñadas novelas, los tres puntos aislados que yo suelo reunir en mi mente por medio de una serie de ideas, como con un hilo de luz; los tres temas, en fin, sobre que yo hago mil y mil variaciones, en las que pudiéramos llamar absurdas sinfonías de la imaginación.

I

Hay en Toledo a calle estrecha, torcida y oscura, que guarda tan fielmente la huella de las cien generaciones que en ella han habitado, que habla con tanta elocuencia a los ojos del artista y le revela tantos secretos juntos de afinidad entre las ideas y las costumbres de cada siglo, con la forma y el carácter especial impreso en sus obras más insignificantes, que yo cerraría sus entradas con una barrera y pondría sobre la barrera un tarjetón con este letrero:

«En nombre de los poetas y de los artistas, en nombre de los que sueñan y de los que estudian, se prohibe a la civilización que toque a uno solo de estos ladrillos con su mano demoledora y prosaica.»

Da entrada a esta calle, por uno de sus extremos, un arco macizo, achatado y oscuro, que sostiene un pasadizo cubierto.

En su clave hay un escudo, roto ya y carcomido por la acción de los años, en el cual crece la hiedra, que, agitada con el aire, flota, sobre el casco que lo corona, como un penacho de plumas.

Debajo de la bóveda, y enclavado en el muro, se ve un retablo, con su lienzo ennegrecido e imposible de descifrar, su marco dorado y churriguresco, su farolillo pendiente de un cordel y sus exvotos de cera.

Más allá de este arco, que baña con su sombra aquel lugar, dándole un tinte de misterio y tristeza indescriptible, se prolongan a ambos lados dos hileras de casas obscuras, desiguales y extrañas, cada cual de su forma, sus dimensiones y su color. Unas están construidas de piedras toscas y desiguales, sin

más adornos que algunos blasones groseramente esculpidos sobre la portada: otras son de ladrillo, y tienen un arco árabe, que les sirve de ingreso; dos o tres ajimeces, abiertos a capricho en un paredón agrietado, y un mirador que termina en una alta veleta. Las hay con traza que no pertenece a ningún orden de arquitectura y que tienen, sin embargo, un remiendo de todos; que son un modelo acabado de un género especial y conocido, o una muestra curiosa de las extravagancias de un periodo del arte. Estas tienen un balcón de madera con un cobertizo disparatado; aquéllas, una ventana gótica recientemente enlucida y con algunos tiestos de flores; la de más allá, unos pintorreados azulejos en el marco de la puerta, clavos enormes en los tableros y dos fustes de columnas, tal vez procedentes de un alcázar morisco, empotrados en el muro.

El palacio de un magnate, convertido en corral de vecindad; la casa de un alfaquí, habilitada por un canónigo; una sinagoga judía, transformada en oratorio cristiano; un convento levantado sobre las ruinas de una mezquita árabe, de la que aún queda en pie la torre; mil extraños y pintorescos contrastes, mil y mil curiosas muestras de distintas razas, civilizaciones y épocas, compendiadas, por decirlo así, en cien varas de terreno.

He aquí todo lo que se encuentra en esta calle, calle construida en muchos siglos, calle estrecha, deforme, obscura y con infinidad de revueltas, donde cada cual, al levantar su habitación, tomaba una saliente, dejaba un rincón o hacía un ángulo con arreglo a su gusto, sin consultar el nivel, la altura ni la regularidad; calle rica en no calculadas combinaciones de líneas, con un verdadero lujo de detalles

caprichosos, con tantos y tantos accidentes que cada vez, fui a Toledo, mientras me ocupé de sacar algunos apuntes de San Juan de los Reyes, tenía precisión de atravesarla todas las tardes para dirigirme al convento desde la posada con honores de fonda en que me había hospedado.

Casi siempre la atravesaba de un extremo a otro, sin encontrar en ella una persona, sin que turbase su profundo silencio otro ruido que el ruido de mis pasos, sin que detrás de las celosías de un balcón, del cancel de una puerta o la rejilla de una ventana, viese, ni aun por casualidad, el arrugado rostro de una vieja curiosa o los ojos negros y rasgados de una muchacha toledana. Algunas veces me parecía cruzar por en medio de una ciudad desierta, abandonada por sus habitantes desde una época remota.

Una tarde, sin embargo, al pasar frente a un caserón antiquísimo y obscuro, en cuyos altos paredones se veían tres o cuatro ventanas de formas desiguales, repartidas sin orden ni concierto, me fijé casualmente en una de ellas. La formaban un gran arco ojival rodeado de un festón de hojas picadas y agudas. El arco estaba cerrado por un ligero tabique, recientemente construido y blanco como la nieve, en medio del cual se veía, como contenido en la primera, una pequeña ventana con un marco y sus hierros verdes, una maceta de campanillas azules, cuyos tallos subían a enredarse por entre las labores de granito, y unas vidrieras con sus cristales emplomados y su cortinilla de una tela blanca, ligera y transparente.

Ya la ventana, de por sí, era digna de llamar la atención por su carácter; pero lo que más poderosa-

364

mente contribuyó a que me fijase en ella fue el notar que, cuando volví la cabeza para mirarla, las cortinillas se habían levantado un momento para volver a caer, ocultando a mis ojos la persona que sin duda me miraba en aquel instante.

Seguí mi camino, preocupado con la idea de la ventana, o, mejor dicho, de la cortinilla, o, más claro todavía, de la mujer que la había levantado, porque, indudablemente, a aquella ventana tan poética, tan blanca, tan verde, tan llena de flores, sólo una mujer podía asomarse, y cuando digo una mujer, entiéndase que se supone joven y bonita.

Pasé otra tarde, pasé con el mismo cuidado, apreté los tacones, aturdiendo la silenciosa calle con el ruido de mis pasos, que repetían, respondiéndose, dos o tres ecos; miré a la ventna, y la cortinilla se volvió a levantar.

La verdad es que, realmente, detrás de ella no vi nada; pero, con la imaginación, me pareció descubrir un bulto; el bulto de una mujer, en efecto.

Aquel día me distraje dos o tres veces dibujando. Y pasé otros dos días, y siempre que pasaba, la cortinilla se levantaba de nuevo, permaneciendo así hasta que se perdía el ruido de mis pasos, y yo, desde lejos, volvía a ella, por última vez, mis ojos.

Mis dibujos adelantaban poca cosa. En aquel claustro de San Juan de los Reyes, en aquel claustro tan misterioso y bañado en triste melancolía, sentado sobre el roto capitel de una columna, la cartera sobre las rodillas, el codo sobre la cartera y la frente entre las manos, al rumor del agua que corre allí con un murmullo incesante, al ruido de las hojas del agreste y abandonado jardín, que agitaba la brisa del crepúsculo, ¡cuánto no soñaría yo con

aquella ventana y aquella mujer! ¡Qué historias imposibles no forjaría en mi mente! Yo la conocía. Ya sabía cómo se llamaba y hasta cuál era el color de sus ojos.

La miraba cruzar por los extensos y solitarios patios de la antiquísima casa, alegrándolos con su presencia, como el rayo del sol que dora unas ruinas. Otras veces, me parecía verla en un jardín, con unas tapias muy altas y muy oscuras con unos árboles muy corpulentos y añosos, que debía de haber allá, en el fondo de aquella especie de palacio gótico donde vivía; coger flores y sentarse sola en un banco de piedra, y allí, suspirar, mientras las deshojaba, pensando en... ¡Quién sabe! Acaso en mí. ¿Qué digo acaso? En mí seguramente. ¡Oh! ¡Cuántos sueños, cuántas locuras, cuánta poesía despertó en mi alma aquella ventana, mientras permanecí en Toledo!

Pero transcurrió el tiempo que había de permanecer en la ciudad. Un día, pesaroso y cabizbajo, guardé todos mis papeles en la cartera, me despedí del mundo de las quimeras y tomé un asiento en el coche para Madrid.

Antes que se hubiera perdido en el horizonte la más alta de las torres de Toledo, saqué la cabeza por la portezuela para verla otra vez, y me acordé de la calle.

Tenía aún la cartera bajo el brazo, al volverme a mi asiento, mientras doblábamos la colina que ocultó de repente la ciudad a mis ojos, saqué el lápiz y apunté una fecha. Es la primera de las tres. a la que yo llamo la fecha de la ventana.

II

Al cabo de algunos meses, volví a encontrar ocasión de marcharme de la corte por tres o cuatro días. Limpié el polvo de mi cartera de dibujo, me la puse bajo el brazo y, provisto de una mano de papel, media docena de lápices y unos cuantos napoleones, deplorando que aún no estuviese concluida la línea férrea, me encajoné en un vehículo para recorrer en sentido inverso los puntos en que tiene lugar la célebre comedia de Tirso *Desde Toledo a Madrid*.

Ya instalado en la histórica ciudad, me dediqué a visitar de nuevo los sitios que más me llamaron la atención en mi primer viaje, y algunos otros que aún no conocía sino de nombre.

Así dejé transcurrir, en largos y solitarios paseos por entre sus barrios más antiguos, la mayor parte del tiempo de que podía disponer para mi pequeña expedición artística, encontrando un verdadero placer en perderme en aquel confuso laberinto de callejones sin salida, calles estrechas, pasadizos oscuros y cuestas empinadas e impracticables.

Una tarde, la última que por entonces debía permanecer en Toledo, después de una de estas largas excursiones a través de lo desconocido, no sabré decir siquiera por qué calles llegué hasta una plaza grande, desierta, olvidada, al parecer, aun de los mismos moradores de la población y como escondida en uno de sus más apartados rincones.

La basura y los escombros arrojados de tiempo inmemorial en ellas se habían identificado, por decirlo así, con el terreno, de tal modo, que éste ofrecía el aspecto quebrado y montuoso de una Suiza en mi-

niatura. En las lomas y los barrancos formados por sus ondulaciones crecían a su sabor malvas de unas proporciones colosales, corros de gigantescas ortigas, matas rastreras de campanillas blancas, prados de esa hierba sin nombre, menuda, fina y de un verde obscuro, y meciéndose suavemente al leve soplo del aire, descollando como reyes entre todas las otras plantas parásitas, los poéticos a la par que vulgares jaramagos, la verdadera flor de los yermos y las ruinas.

Diseminados por el suelo, medio enterrados unos, casi ocultos por las altas hierbas los otros, veíase allí una infinidad de fragmentos de mil y mil cosas distintas, rotas y arrojadas en diferentes épocas a aquel lugar, donde iban formando capas en las cuales hubiera sido fácil un curso de geología histórica.

Azulejos moriscos esmaltados de colores, trozos de columnas de mármol y de jaspe, pedazos de ladrillos de cien clases diversas, grandes sillares cubiertos de verdín y de musgo, astillas de madera ya casi hechas polvo, restos de antiguos artesonados, jirones de tela, tiras de cuero y otros cien objetos sin forma ni nombre eran los que aparecían a primera vista a la superficie, llamando asimismo la atención y deslumbrando los ojos una miríada de chispas de luz derramadas sobre la verdura como un puñado de diamantes arrojados a granel, y que, examinadas de cerca, no eran otra cosa que pequeños fragmentos de vidrio, de pucheros, platos y vasijas que, refractando los rayos del sol, fingían todo un cielo de estrellas microscópicas y deslumbrantes.

Tal era el pavimento de aquella plaza, empedrado a trechos con pequeñas piedrecitas de varios matices formando labores, a trechos cubierta de

grandes losas de pizarra, y en su mayor parte, según dejamos dicho, semejante a un jardín de plantas parásitas o a un prado yermo e inculto.

Los edificios que dibujaban su forma irregular no eran tampoco menos extraños y dignos de estudio.

Por un lado la cerraba una hilera de casucas obscuras y pequeñas, con sus tejados dentellados de chimeneas, veletas y cobertizos, sus guardacantones de mármol sujetos a las esquinas con una anilla de hierro, sus balcones achatados o estrechos, sus ventanillos con tiestos de flores y su farol rodeado de una red de alambre que defiende sus ahumados vidrios de las pedradas de los muchachos.

Otro frente lo constituía un paredón negruzco lleno de grietas y hendiduras, en donde algunos reptiles asomaban su cabeza de ojos pequeños y brillantes por entre las hojas de musgo. Un paredón altísimo, formado de gruesos sillares, sembrado de huecos de puertas y balcones tapiados con piedra y argamasa, y a uno de cuyos extremos se unía, formando ángulo con él, una tapia de ladrillos desconchada y llena de mechinales, manchada a trechos de tintas rojas, verdes o amarillentas y coronada de un bardal de heno seco, entre el cual corrían algunos tallos de enredaderas.

Esto no era más, por decirlo así, que los bastidores de la extraña decoración que al penetrar en la plaza se presentó de improviso a mis ojos, cautivando mi ánimo y suspendiéndome durante algún tiempo, pues el verdadero punto culminante del panorama, el edificio que le daba el tono general, se veía alzarse en el fondo de la plaza, más caprichoso, más original, infinitamente más bello en su artís-

tico desorden que todos los que se levantaban en su alrededor.

—¡He aquí lo que yo deseaba encontrar! —exclamé al verlo.

Y sentándome en un pedrusco, colocando la cartera sobre mis rodillas y afilando un lápiz de madera me apercibí a trazar, aunque ligeramente, sus formas irregulares y estrambóticas para conservar por siempre su recuerdo.

Si yo pudiera pegar aquí con dos obleas el ligerísimo y mal trazado apunte que conservo de aquel sitio, imperfecto y todo como es, me ahorraría un cúmulo de palabras, dando a mis lectores una idea más aproximada de él que todas las descripciones imaginables.

Ya que no puede ser así, trataré de pintarlo del mejor modo posible, a fin de que, leyendo estos renglones, pueda formarse una idea remota, si no de sus infinitos detalles, al menos de la totalidad de su conjunto.

Figuraos un palacio árabe, con sus puertas en forma de herradura, sus muros engalanados con largas hileras de arcos que se cruzan cien y cien veces entre sí y corren sobre una franja de azulejos brillantes, aquí se ve el hueco de un ajimez partido en dos por un grupo de esbeltas columnas y encuadrado en un marco de labores menudas y caprichosas; allá se eleva una atalaya con su mirador ligero y airoso, su cubierta de tejas vidriadas, verdes y amarillas, y su aguda flecha de oro que se pierde en el vacío; más lejos se divisa la cúpula que cubre un gabinete pintado de oro y azul o las altas galerías cerradas con persianas verdes, que al descorrerse dejan ver los jardines con calles de arrayán,

bosques de laureles y surtidores altísimos. Todo es original, todo armónico, aunque desordenado; todo deja entrever el lujo y las maravillas de su interior; todo deja adivinar el carácter y las costumbres de sus habitadores.

El opulento árabe que poseía este edificio lo abandonó al fin. La acción de los años comienza a desmoronar sus paredes, a deslustrar los colores y a corroer hasta los mármoles. Un monarca castellano acoge entonces para su residencia aquel alcázar que se derrumba, y en este punto rompe un lienzo y abre un arco ojival y lo adorna con una cenefa de escudos, por entre los cuales se enrosca una guirnalda de hojas de cardo y de trébol; en aquél levanta un macizo torreón de sillería con sus saeteras estrechas y sus almenas puntiagudas: en el de más allá construye un ala de habitaciones altas y sombrías, en las cuales se ven, por una parte, trozos de alicatado reluciente; por otra, artesones oobscurecidos, o un ajimez solo, o un arco de herradura ligero y puro, que da entrada a un salón gótico severo e imponente.

Pero llega el día en que el monarca abandona también aquel recinto cediéndolo a una comunidad de religiosas, y éstas, a su vez, fabrican de nuevo, añadiéndole otros rasgos a la ya extraña fisonomía del alcázar morisco. Cierran las ventanas con celosías: entre dos arcos árabes colocan el escudo de su religión esculpido en berroqueña; donde antes crecían tamarindos y laureles, plantan cipreses melancólicos y oscuros, y, aprovechando unos restos y levantando sobre otros, forman las combinaciones más pintorescas y extravagantes que pueden concebirse.

Sobre la portada de la iglesia, en donde se ven como envueltos en el crepúsculo misterioso en que los bañan las sombras de sus doseles, una andanada de santos, ángeles y vírgenes, a cuyos pies se retuercen, entre las hojas de acanto, sierpes, vestigios y endriagos de piedra, se mira elevarse un alminar esbelto y afiligranado con labores moriscas; junto a la saetera del murallón, cuyas almenas están ya rotas, ponen un retablo, y tapian los grandes huecos con tabiques cuajados de pequeños agujeritos y semejantes a una tabla de ajedrez; colocan cruces sobre todos los picos, y fabrican, por último, un campanario de espadañas con sus campanas, que tañen melancólicamente noche y día llamando a la oración, campanas que voltean al impulso de una mano invisible, campanas cuyos sonidos lejanos arrancan a veces lágrimas de involuntaria tristeza.

Después pasn los años y bañan con una veladura de un medio color oscuro todo el edificio, armonizan sus tintas y hacen brotar la hiedra en sus hendiduras.

Las cigüeñas cuelgan su nido en la veleta de la torre; los vencejos, en el ala de los tejados; las golondrinas, en los doseles de granito, y el buho y la lechuza escogen para su guarida los altos mechinales, desde donde en la noche tenebrosa asustan a las viejas crédulas y a los atemorizados chiquillos cono el resplandor fosfórico de sus ojos redondos y sus silbos extraños y agudos.

Todas estas revoluciones, todas estas circunstancias especiales, hubieran podido únicamente dar por resultado un edificio tan original, tan lleno de contraste, de poesía y de recuerdos como el que aquella tarde se ofreció a mi vista y hoy he ensa-

yado, aunque en vano, describir con palabras.

Ya lo había trazado en parte en una de las hojas de mi cartera; el sol doraba apenas las más altas agujas de la ciudad; la brisa del crepúsculo comenzaba a acariciar mi frente, cuando, absorto en las ideas que de improviso me habían asaltado al contemplar aquellos silenciosos restos de otras edades más poéticas que la material en que vivimos y nos ahogamos en pura prosa, dejé caer de mis manos el lápiz y abandoné el dibujo, recostándome en la pared que tenía a mis espaldas y entregándome por completo a los sueños de la imaginación. ¿Qué pensaba? No sé si sabré decirlo. Veía claramente sucederse las épocas y derrumbarse unos muros y levantarse otros. Veía a unos hombres dejar lugar a otras mujeres, y las primeras y las que venían después, convertirse en polvo y volar deshechas, llevando un soplo del viento la hermosura, hermosura que arrancaba suspiros secretos, que engendró pasiones y fue manantial de placeres. Luego... ¡Qué sé yo!... Todo confuso, veía muchas cosas revueltas y tocadores de encajes y de estuco con nubes de aroma y lechos de flores; celdas estrechas y sombrías con un reclinatorio y un crucifijo; al pie del crucifijo un libro abierto, y sobre el libro una calavera; salones severos y grandiosos cubiertos de tapices y adornados con trofeos de guerra, y muchas mujeres que cruzaban y volvían a cruzar ante mis ojos; monjas altas, pálidas y delgadas; odaliscas morenas con labios muy encarnados y ojos muy negros; damas de perfil puro, de continente altivo y andar majestuoso.

Todas estas cosas veía yo, y muchas más de esas que después de pensadas no pueden recordar-

se; de esas tan inmateriales que es imposible ence-
rrar en el círculo estrecho de la palabra, cuando de
pronto di un salto sobre mi asiento y, pasándome
la mano por los ojos para convencerme de que no
seguía soñando, incorporándome como movido de un
resorte nervioso, fijé la mirada en uno de los altos
miradores del convento.

Había visto, no me puede caber duda, la había
visto perfectamente, una mano blanquísima que, sa-
liendo por uno de los huecos de aquellos miradores
de argamasa, semejantes a tableros de ajedrez, se
había agitado varias veces, como saludándome con
un signo mudo y cariñoso. Y me saludaba a mí, no
era posible que me equivocase... Estaba solo, com-
pletamente solo en la plaza.

En balde esperé la noche clavado en aquel sitio
y sin apartar un punto los ojos del mirador. Inútil-
mente volví muchas veces a ocupar la oscura piedra
que me sirvió de asiento la tarde en que vi aparecer
aquella mano misteriosa, objeto ya de mis ensueños
de la noche y de mis delirios del día. No la volví a
ver más...

Y llegó, al fin, la hora en que debía marcharme
de Toledo, dejando allí, como una carga inútil y ri-
dícula, todas las ilusiones que en su seno se habían
levantado en mi mente. Torné a guardar los papeles
en mi cartera con un suspiro; pero antes de guar-
darlos escribí otra fecha, la segunda, la que yo co-
nozco por la fecha de la mano. Al escribirla miré
un momento la anterior, la de la ventana, y no pude
menos de sonreírme de mi locura.

III

Desde que tuvo lugar la extraña aventura que

he referido hasta que volví a Toledo transcurrió cerca de un año, durante el cual no dejó de presentárseme a la imaginación su recuerdo, al principio a todas horas y con todos sus detalles; después, con menos frecuencia, y, por último, con tanta vaguedad, que yo mismo llegué a creer algunas veces que había sido juguete de alguna ilusión o de un sueño.

No obstante, apenas llegué a la ciudad que con tanta razón llaman algunos la Roma española, me asaltó nuevamente, y, llena de él la memoria, salí preocupado a recorrer las calles, sin camino cierto, sin intención preconcebida de dirigirme a ningún punto fijo.

El día estaba triste, con esa tristeza que alcanza a todo lo que se oye, se ve y se siente. El cielo era color de plomo, y a su reflejo melancólico los edificios parecían más antiguos, más extraños y más oscuros. El aire gemía a lo largo de las revueltas y angostas calles, trayendo en sus ráfagas, como notas perdidas de una sinfonía misteriosa, ya palabras ininteligibles, clamor de campanas o ecos de golpes profundos y lejanos. La atmósfera húmeda y fría, helaba el rostro a su contacto, y hasta diríase que helaba el alma con su soplo glacial.

Anduve durante algunas horas por los barrios más apartados y desiertos absorto en mil confusas imaginaciones, y, contra mi costumbre, con la mirada vaga y perdida en el espacio sin que lograse llamar mi atención ni un detalle caprichoso de arquitectura, ni un monumento de orden desconocido, ni una obra de arte maravillosa y oculta. Ninguna cosa, en fin, de aquellas en cuyo examen minucioso me detenía a cada paso cuando sólo ocupaban mi mente ideas de arte y recuerdos históricos.

El cielo cerraba cada vez más oscuro. El aire soplaba con más fuerza y más ruido, y había comenzado a caer en gotas menudas una lluvia de nieve deshecha, finísima y penetrante, cuando, sin saber por dónde, pues ignoraba aún el camino, y como llevado allí por un impulso que me arrastraba misteriosamente al punto en que iban mis pensamientos, me encontré en la solitaria plaza que ya conocen mis lectores.

Al encontrarme en aquel lugar salí de la especie de letargo en que me hallaba sumido como si me hubiesen despertado de un sueño profundo con una violenta sacudida.

Tendí una mirada a mi alrededor. Todo estaba como yo lo dejé. Digo mal: estaba más triste. Ignoro si la oscuridad del cielo, la falta de verdura o el estado de mi espíritu eran la causa de esta tristeza; pero la verdad es que desde el sentimiento que experimenté al contemplar aquellos lugares por la vez primera hasta el que me impresionó entonces, había toda la distancia que existe desde la melancolía a la amargura.

Contemplé por algunos instantes el sombrío convento, en aquella ocasión más sombrío que nunca a mis ojos, y ya me disponía a alejarme, cuando hirió mis oídos el son de una campana, una campana de voz cascada y sorda, que tocaba pausadamente, mientras la acompañaba, formando contraste con ella, una especie de esquiloncillo que comenzó a voltear de pronto con una rapidez y un tañido tan agudo y continuado, que parecía como acometido de un vértigo.

Nada más extraño que aquel edificio, cuya negra silueta se dibujaba sobre el cielo como la de

una roca erizada de mil y mil picos caprichosos, hablando con sus lenguas de bronce por medio de las campanas, que parecían agitarse al impulso de seres invisibles, una como llorando con sollozos ahogados, la otra como riendo con carcajadas estridentes, semejantes a la risa de una mujer loca.

A intervalos, y confundidas con el atolondrador ruido de las campanas, creía percibir también notas confusas de un órgano y palabras de un cántico religioso y solemne.

Varié de idea; y en vez de alejarme de aquel lugar, llegué a la puerta del templo y pregunté a uno de los haraposos mendigos que había sentados en sus escalones de piedra:

—¿Qué hay aquí?

—Una toma de hábito —me contestó el pobre, interrumpiendo la oración que murmuraba entre dientes, para continuarla después, aunque no sin haber besado antes la moneda de cobre que puse en su mano al dirigirle mi pregunta.

Jamás había presenciado esta ceremonia; nunca había visto tampoco el interior de la iglesia del convento. Ambas consideraciones me impulsaron a penetrar en su recinto.

La iglesia era alta y oscura; formaban sus naves dos filas de pilares compuestos de columnas delgadas reunidas en un haz, que descansaban en una base ancha y octógona, y de cuya rica coronación de capiteles partían los arranques de las robustas ojivas. El altar mayor estaba colocado en el fondo, bajo una cúpula de estilo Renacimiento, cuajada de angelones con escudos, grifos cuyos remates fingían profusas hojarascas, cornisas con molduras y florones dorados, y dibujos caprichosos y

elegantes. En torno a las naves se veía una multitud de capillas oscuras, en el fondo de las cuales ardían algunas lámparas, semejantes a estrellas perdidas en el cielo de una noche oscura. Capillas de arquitectura árabe, gótica o churrigueresca: unas, cerradas con magníficas verjas de hierro; otras, con humildes barandales de madera; éstas sumidas en las tinieblas, con una antigua tumba de mármol delante del altar; aquéllas, profusamente alumbradas con una imagen vestida de relumbrones y rodeada de exvotos de plata y cera con lacitos de cinta de colorines.

Contribuía a dar un carácter más misterioso a toda la iglesia, completamente armónica en su confusión y su desorden artístico con el resto del convento, la fantástica claridad que la iluminaba. De las lámparas de plata y cobre pendientes de las bóvedas, de las velas de los altares y de las estrechas ojivas y los ajimeces del muro partían rayos de luz de mil colores diversos: blancos, los que penetraban de la calle por algunas pequeñas claraboyas de la cúpula; rojos, los que se desprendían de los cirios de los retablos; verdes, azules y de otros cien matices diferentes, los que se abrían paso a través de los pintados vidrios de las rosetas. Todos estos reflejos, insuficientes a inundar con la bastante claridad aquel sagrado recinto, parecía como que luchaban confundiéndose entre sí en algunos puntos, mientras que otros los hacían destacar con una mancha luminosa y brillante sobre los fondos velados y oscuros de las capillas.

A pesar de la fiesta religiosa que allí tenía lugar, los fieles reunidos eran pocos. La ceremonia había comenzado hacía bastante tiempo y estaba a

punto de concluir. Los sacerdotes que oficiaban en el altar mayor bajaban en aquel momento sus gradas, cubiertas de alfombras, envueltos en una nube de incienso azulado que se mecía lentamente en el aire, para dirigirse al coro, en donde se oía a las religiosas entonar un salmo.

Yo también me encaminé hacia aquel sitio con el objeto de asomarme a las dobles rejas que lo separaban del templo. No sé; me pareció que había de conocer en la cara a la mujer de quien sólo había visto un instante la mano, y abriendo desmesuradamente los ojos y dilatando la pupila, como queriendo prestarle mayor fuerza y lucidez, la clavé en el fondo del coro. Afán inútil; a través de los cruzados hierros, muy poco o nada podía verse. Como unos fantasmas blancos y negros que se movían entre las tinieblas, contra las que luchaban en vano el escaso resplandor de algunos cirios encendidos, una prolongada fila de sitiales altos y puntiagudos, coronados de doseles, bajo los que se adivinaban, veladas por la oscuridad, las confusas formas de las religiosas, vestidas de luengas ropas talares un crucifijo alumbrado por cuatro velas, que se destacaba sobre el sombrío fondo del cuadro, como esos puntos de luz que en los lienzos de Rembrandt hacen más palpables las sombras: he aquí cuanto pude distinguir desde el lugar que ocupaba.

Los sacerdotes, cubiertos de sus capas pluviales bordadas de oro, precedidos de unos acólitos que conducían una cruz de plata y dos ciriales, y seguidos de otros que agitaban los incensarios, perfumando el ambiente, atravesando por en medio de los fieles, que besaban sus manos y las orlas de sus vestiduras, llegaron al fin, a la reja del coro.

Hasta aquel momento no pude distinguir, entre las otras sombras confusas, cuál era la de la virgen que iba a consagrarse al Señor.

¿No habéis visto nunca en esos últimos instantes del crepúsculo de la noche levantarse de las aguas de un río, del haz de un pantano, de las olas del mar o de la profunda sima de una montaña un jirón de niebla que flota lentamente en el vacío, y, alternativamente, ya parece una mujer que se mueve y anda y que vuela su traje al andar, ya un velo blanco prendido a la cabellera de alguna silfa invisible, ya un fantasma que se eleva en el aire, cubriendo sus huecos amarillos con un sudario sobre el que se cree ver dibujarse sus formas angulosas? Pues una alucinación de ese género experimenté yo al mirar adelantarse hacia la reja, como desasiéndose del fondo tenebroso del coro, aquella figura blanca, alta y ligerísima.

El rostro no se lo podía ver. Vino a colocarse perfectamente delante de las velas que alumbraban el crucifijo, y su resplandor, formando como un nimbo de luz alrededor de su cabeza, la hacía resaltar por oscuro, bañándola en una dudosa sombra.

Reinó un profundo silencio; todos los ojos se fijaron en ella, y comenzó la última parte de la ceremonia.

La abadesa, murmurando algunas palabras ininteligibles, palabras que a su vez repetían los sacerdotes con voz sorda y profunda, le arrancó de las sienes la corona de flores que las ceñía y la arrojó lejos de sí... ¡Pobres flores! Eran las últimas que había de ponerse aquella mujer, hermana de las flores, como todas las mujeres.

Después la despojó del velo, y su rubia cabellera

se derramó como una cascada de oro sobre sus espaldas y sus hombros, que sólo pudo cubrir un instante, porque en seguida comenzó a percibirse, en mitad del profundo silencio que reinaba entre los fieles, un chirrido metálico y agudo que crispaba los nervios, y la magnífica cabellera se desprendió de la frente que sombreaba, y rodaron por su seno y cayeron al suelo después aquellos rizos que el aire perfumado habría besado tantas veces...

La abadesa tornó a murmurar las ininteligibles palabras; los sacerdotes las repitieron, y todo quedó de nuevo en silencio en la iglesia. Sólo de cuando en cuando se oían a lo lejos como unos quejidos largos y temerosos. Era el viento que zumbaba estrellándose en los ángulos de las almenas y los torreones, y estremecía, al pasar, los vidrios de color de las ojivas.

Ella estaba inmóvil, inmóvil y pálida como una Virgen de piedra arrancada del nicho de un claustro gótico.

Y la despojaron de las joyas que le cubrían los brazos y la garganta, y la desnudaron, por último, de su traje nupcial, aquel traje que parecía hecho para que un amante rompiera sus broches con mano trémula de emoción y cariño.

El Esposo místico aguarda a la esposa. ¿Donde? Más allá de la muerte; abriendo, sin duda, la losa del sepulcro y llamándola a traspasarlo, como traspasa la esposa tímida el umbral del santuario de los amores nupciales, porque ella cayó al suelo desplomada como un cadáver. Las religiosas arrojaron, como si fuese tierra, sobre su cuerpo puñados de flores, entonando una salmodia tristísima; se alzó un murmullo de entre la multitud, y los sacer-

dotes, con sus voces profundas y huecas, comenzaron el oficio de difuntos, acompañados de esos instrumentos que parece que lloran, aumentando el hondo temor que inspiran de por sí las terribles palabras que pronuncian.

—*De profundis clamavi ad Te!* —decían las religiosas desde el fondo del coro con voces plañideras y dolientes.

—*Dies irae, dies illa!* —les contestaron los sacerdotes con eco atronador y profundo, y, en tanto, las campanas tañían lentamente tocando a muerto, y de campanada en campanada se oía vibrar el bronce con un zumbido extraño y lúgubre.

Yo estaba conmovido; no; conmovido, no; aterrado. Creía presenciar una cosa sobrenatural, sentir como que me arrancaban algo precioso para mi vida, y que a mi alrededor se formaba el vacío; pensaba que acababa de perder algo, como un padre, una madre o una mujer querida, y sentía ese inmenso desconsuelo sin nombre, que no se puede pintar, y que sólo pueden concebir los que lo han sentido ...

Aún estaba clavado en aquel lugar, con los ojos extraviados, temblorosos y fuera de mí cuando la nueva religiosa se incorporó del suelo. La abadesa le vistió el hábito, las monjas tomaron en sus manos velas encendidas, y formando dos largas hileras la condujeron como en procesión hacia el fondo del coro.

Allí, entre las sombras, vi brillar un rayo de luz; era la puerta claustral que se había abierto. Al poner el pie en el umbral la religiosa se volvió por última vez hacia el altar. El resplandor de todas las luces la iluminó de pronto, y pude verle el rostro.

Al mirarlo tuve que ahogar un grito. Yo conocía a aquella mujer: no la había visto nunca, pero la conocía de haberla contemplado en sueños; era uno de esos seres que adivina el alma o los recuerde acaso de otro mundo mejor, del que, al descender a éste, algunos no pierden del todo la memoria.

Di dos pasos adelante: quise llamarla, quise gritar; no sé; me acometió como un vértigo; pero en aquel instante la puerta claustral se cerró... para siempre. Se agitaron las campanillas, los sacerdotes alzaron un *¡Hosanna!*, subieron por el aire nubes de incienso, el órgano arrojó un torrente de atronadora armonía por sus cien bocas de metal y las campanas de la torre comenzaron a repicar, volteando con una furia espantosa.

Aquella alegría loca y ruidosa me erizaba los cabellos. Volví los ojos a mi alrededor, buscando a los padres, a la familia, huérfanos de aquella mujer. No encontré a nadie.

—Tal vez era sola en el mundo —dije, y no pude contener una lágrima.

—¡Dios te dé en el claustro la felicidad que no te ha dado en el mundo! —exclamó al mismo tiempo una vieja que estaba a mi lado, y sollozaba y gemía agarrada a la reja.

—¿La conoce usted? —le pregunté.

—¡Pobrecita! Sí, la conocía. Y la he visto nacer y se ha criado en mis brazos.

—Y ¿por qué profesa?

—Porque se vio sola en el mundo. Su padre y su madre murieron en el mismo día, del cólera, hace poco más de un año. Al verla huérfana y desvalida, el señor deán le dio el lote para que profesase; y ya veis ... ¿Qué había de hacer?

—Y ¿quién era ella?

—Hija del administrador del conde C***, al cual serví yo hasta su muerte.

—¿Dónde vivía?

Cuando oí el nombre de la calle, no pude contener una exclamación de sorpresa.

Un hilo de luz, ese hilo de luz que se extiende rápido como la idea y brilla en la oscuridad y la confusión de la mente, y reúne los puntos más distantes y los relaciona entre sí de un modo maravilloso, ató mis vagos recuerdos, y todo lo comprendí o creí comprenderlo...

...
...

Esta fecha, que no tiene nombre, no la escribí en ninguna parte. Digo mal; la llevo escrita en el sitio en que nadie más que yo la puede leer, y de donde no se borrará nunca.

Algunas veces, recordando estos sucesos; hoy mismo al consignarlos aquí, me he preguntado: Algún día, en esa hora misteriosa del crepúsculo, cuando el suspiro y la brisa de primavera, tibio y cargado de aromas, penetra hasta el fondo de los más apartados retiros, llevando allí como una ráfaga de recuerdos del mundo, sola, perdida en la penumbra de un claustro gótico, la mano en la mejilla, el codo apoyado en el alféizar de una ojiva, ¿habrá exhalado un suspiro alguna mujer al cruzar su imaginación la memoria de estas fechas? ¡Quién sabe!

¡Oh! Y si ha suspirado, ¿dónde estará ese suspiro?

LA FE SALVA

(Apuntes para una novela)

I

Encontrándome en el balneario de Fitero, en busca de un poco de salud para mi cuerpo dolorido y cansado, conocí a una mujer extraña, de una dulce y marchita belleza. Representaba tener unos veintiocho años, aunque el sufrimiento, sin duda, había puesto en su rostro un sello de prematura vejez. Hacía una vida retirada; su única compañía era una señora anciana, que, fielmente y con aire de servidumbre, la seguía a todas partes.

La extraña belleza de la desconocida; su rostro, donde se reflejaba un oculto dolor; su vida apartada y silenciosa, me impresionaron tan profundamente, que, sin yo quererlo, empezó a forjar mi fantasía una novela absurda y disparatada, de la que ella era la protagonista, el único y central personaje alrededor del cual giraba el mundo entero.

Con motivo de una visita que el mismo día hicimos a la ruinosa abadía (cuyos muros conservan el eco del más extraño y misterioso *Miserere*), conseguí hablar con la enigmática mujer que tan gran interés había despertado en mi insaciable curiosidad.

Buscando un pretexto para empezar la conversación, me ofrecí a ella en calidad de cicerone, puesto que conocía perfectamente la vetusta abadía que íbamos a visitar. Ella, que no sé por quién sabía mi condición de escritor, aceptó encantada mi ofrecimiento. De esta sencilla manera empezó nuestra romántica amistad.

Empezaba a caer la tarde cuando terminamos de visitar el monasterio. Lo que a mi bella compañera más impresionó fue la historia del misterioso *Miserere* que en la biblioteca de la abadía se conserva, y con cuyo extraño asunto le prometí escribir una leyenda.

El sol acababa de hundirse en el ocaso, tiñendo el horizonte de una tonalidad violeta. En el cielo, como una lágrima, temblaba el lucero de la tarde.

Durante nuestro paseo pude adivinar que un gran dolor consumía lentamente su vida. Nada me dijo ella: pero en el fondo de sus ojos grises leí como en un libro abierto.

II

Desde nuestra visita a la ruinosa abadía, nuestra amistad fue haciéndose cada vez más íntima. Por las tardes yo era su acompañante; le di libros, le leí mis versos; la hice, en fin, la confidente de mi vida y mi consejera en horas de duda y vacilación.

Una tarde, visitando una vez más el viejo monasterio, nuestra conversación fue descubriendo, poco a poco, los íntimos anhelos, las ansias secretas de nuestras almas, y sin darse cuenta, como obedeciendo a una oculta fatalidad, empezó a contarme la historia de su vida; una historia triste, humedecida por las lágrimas, llena de renunciaciones, de sueños rotos, de dolor.

Historia que hoy traslada mi pluma a la blanca virginidad de las cuartillas.

III

—En una vieja ciudad castellana, en la que

las milenarias piedras de sus caserones y de sus iglesias guardan, como beso sagrado, la huella de tantas generaciones, y cuyas rúas solitarias y retorcidas conservan el eco de las voces lejanas, vivíamos, acompañadas de nuestro padre, un bravo soldado, héroe de románticas empresas, que supo de conspiraciones, y que muchas veces estuvo a punto de perder la vida por defender la libertad.

»En aquella ciudad, de la que solamente conservo un vago y brumoso recuerdo, el que en mi alma grabaron la verde tonalidad de la hiedra y la grave voz de las campanas, transcurrieron los años de mi niñez. Mi hermana Blanca, algo mayor que yo, por la que no añoré las dulces y perdidas caricias de nuestra madre muerta, era la única nota de alegría en el viejo caserón que nos sirvió de cuna; su clara voz era una música renovadora en nuestra silenciosa tristeza; su risa, un aire de primavera que pasaba besando los espesos muros de los anchos salones sombríos. ¡Cómo brilla en el fondo de mi alma la misteriosa luz de sus apagadas pupilas verdes! ¡Sus magas pupilas de esmeralda, que al perder su luz sumieron mi vida en una eterna noche!

»Catorce años tenía cuando mi padre tuvo que abandonar la muerta ciudad donde recibí el primer beso de luz y nos fuimos a vivir a Madrid. Habitamos un piso segundo en una de las calles más concurridas, por cuyos balcones entraba el sol pródigamente. Nuestra vida pareció cambiar. Aquella luz que el sol nos regalaba hizo el milagro de disipar todas las sombras que la vieja ciudad de Castilla infiltró en nuestras almas.

»Mi padre, preocupado por los acontecimientos

políticos, entró en un periodo de intensa actividad. Comprometido con sus compañeros de profesión desterrados de la patria, preparaba en las sombras el movimiento revolucionario que pocos meses después estalló en España. Nuestra casa se convirtió en un centro de conspiración. Por allí pasaron literatos, políticos, militares, y entre ellos llegó el hombre cuyo nombre es para mí una maldición. ¡El que apagó la intensa luz de sus ojos verdes!

<p style="text-align:center">*</p>

Llegaba la noche, y la campana de la ruinosa abadía nos recordaba la hora de la oración. Una plegaria floreció en nuestros labios, y nuestras manos, obedeciendo a un impulso desconocido, se estrecharon fuertemente, como si sellasen un pacto. Eran ya hermanas nuestras almas, porque las unía el dolor.

Y cuando silenciosos, perdidos en el laberinto de nuestros sueños, regresábamos al pueblo, ¡yo sentí los misteriosos acordes, las extrañas notas, el inmenso gemido del *Miserere* que una noche recogió en su cuaderno un genial peregrino, y que hoy conservan los monjes en su polvorienta biblioteca!

IV

En sucesivos días, aprovechando las excursiones que hacíamos a los pintorescos alrededores del balneario, mi triste y bella confidente fue contándome todos los capítulos de la novela de su vida.

Un vago y grato perfume de flores marchitas; el recuerdo que deja en un alma sensible un bello

crepúsculo, el eco de una canción lejana que dijo su queja en la tarde y que confusamente llegó a nuestro oído. Algo impreciso, inmaterial, de refinada sutileza, era el íntimo drama, la silente tragedia de mi amiga:

—En la tertulia que todas las noches se formaba en nuestra casa, y que era un pequeño centro de conspiración, apareció un día un joven poeta que acababa de llegar de Portugal. Se llamaba Alberto Albert. Sus versos, de un exaltado romanticismo, cantaban la libertad, la lucha; pero los que más llegaron al fondo de mi alma, los que me descubrieron el secreto del llanto, fueron aquellos cortos como suspiros, de ritmo extraño, de los que brotaba un aroma de amor, Tanto simpatizó con nosotros, tan gran afecto le tomó mi padre, que al poco tiempo era uno más en el seno de nuestra familia.

»Y empezó a gestarse la tragedia, la gran tragedia de nuestras almas, la que salvó mi vida por un milagro de la fe, la que apagó para siempre la misteriosa luz esmeralda que brillaba en sus ojos.

»De la intimidad fue naciendo, poco a poco, el amor. Sin darnos cuenta, Blanca y yo, como mariposas que abrasan, inconscientes, sus alas en la llama, nos sentimos atraídas por Alberto, que se presentaba ante nuestro naciente deseo como el príncipe soñado en interminables noches, héroe de aquellas novelas de soldados y trovadores que guardaba la vieja librería de roble de nuestro padre, y que fueron la única distracción de nuestros interrogantes anhelos, en la vieja ciudad de los grises palacios de piedra, bajo el clamor de las campanas. Poeta rodeado de una romántica leyenda de conspiraciones y de luchas, orlada su cabeza por una negra me-

389

lena, un infinito tedio reflejado en sus ojos, ¿qué
más podía pedir nuestra sedienta juventud?

»Nosotras ocultamos nuestra pasión en el fondo
de nuestros pechos. Sabíamos que si el amor triun-
faba en una, en la otra la desilusión troncharía.
agostaría sin piedad. Una primavera en un alma
equivalía a un otoño en la otra. Y callamos.

»Una tarde, Blanca estaba en el balcón, y su
marfileña mano sostenía un libro: los versos de Al-
berto, divinas palabras rimadas, diminutas violetas
de tenue perfume con que la poesía habla a la vida.
Empezaba a morir el día, y la sombra, como un
denso velo, iba extendiéndose por la habitación. La
voz de un piano que llegaba confusamente tenía
toda la melancolía de un adiós.

»Y Alberto llegó a ella. El libro, rota la cárcel
de la mano que lo retenía, rodó por su falda. Toda
la pasión contenida tanto tiempo surgió con toda la
magnificencia de un canto triunfal. La romántica
melena del poeta se confundía con el oscuro y bri-
llante pelo de mi hermana; se buscaron sus manos
y dijeron, al unirse, mucho más que las confusas
palabras que pronunciaban los labios temblorosos.

»Yo, que sin turbar el silencio me deslicé por
el cuarto en sombras, lo contemplaba todo desde
un escondido rincón. Sentí que, poco a poco, iba
apagándose mi vida; el corazón, como pájaro apri-
sionado, quería romper su jaula, su latido parecía
el tictac monótono de un reloj que quisiese acele-
rar la marcha del tiempo.

»Ya era de noche; en el balcón únicamente se
distinguía la silueta, confundida, de los cuerpos
bañados por un rayo de luna. Mi pobre alma no
pudo más; la vida se escapaba de mí como una

frágil hoja seca arrastrada por una ráfaga de muerte. Todo me abandonaba; y como un ave herida en su vuelo, caí al suelo, sin que el más leve grito ni la más leve queja vibrase en mi garganta.

»Cuando desperté me encontré en el lecho, rodeada de todos. Blanca, llenos sus ojos de lágrimas besaba mi frente. Alberto, aprisionándome una mano fuertemente, parecía pedirme perdón.

»La tragedia acababa de extender sus alas sobre nosotros . . .

»Mi inexplicable enfermedad se prolongó días y días, sin que nadie supiese lo que me pasaba. Todos los médicos de algún relieve desfilaron por la cabecera de mi cama, y después de mil ensayos y conjeturas se marchaban, confesando noblemente el fracaso de su ciencia ante mi extraño mal. Y es que los médicos sólo saben de las dolencias materiales, de las que dañan el cuerpo, de las que dejan huella sensible; pero de las del alma, las producidas por el fracaso de una ilusión o por la muerte de un sentimiento, de ésas no saben nada, ni siquiera se atreven a creer en ellas. Larra, cuyas obras me enseñaron el dolor, define muy bien estos estados, acaso porque nadie como él sintió desgarrado su pecho por un inapelable deseo. ¡El amor mata, aunque no mata a todo el mundo! ¡Cuántas cosas me revelaron estas sabias palabras!

»Desde la noche en que empezó a marchitarse mi vida, Blanca y Alberto fueron mis compañeros. Nunca se atrevieron a explicar lo que sucedió; ni siquiera cambiaron una mirada estando yo delante.

»Yo sabía que el dolor de mi hermana era infinito como el mío y supe leer en su cara, en su gesto de melancolía, que por mí sacrificaba todas sus ilu-

siones, sus sueños, sus esperanzas, que ya nunca serían realidades. Su pecho sería desde entonces el sepulcro de un amor.

»En aquellos días estalló en Madrid la revolución que el mes de julio de 1854 hizo de la ciudad un campo de batalla. Mi padre y Alberto, que esperaban el momento, fueron de los primeros en acudir a la lucha, y días enteros estuvimos sin saber de ellos. Muy de tarde en tarde aparecían para tranquilizarnos, y de nuevo volvían a sus barricadas.

<center>*</center>

Cuando mi pobre amiga trajo a mi memoria aquellos días de mi fogosa y romántica juventud todo mi pasado surgió ante mí por el mágico poder de la evocación.

¡Última revolución romántica, que a través del tiempo adquiere toda la grandeza de una epopeya!

Y entonces fui yo el que conté a mi compañera y confidentte todos los acontecimientos de aquel bello pasado, que conservo como una reliquia en el corazón. Y vertí de este modo un bálsamo de olvido en la llaga de su melancolía.

Yo no había llegado aún a Madrid. Ya empezaba a preparar el viaje, y mis carpetas y cuartillas, como llaves que me abrirían las puertas de la inmortalidad, esperaban resignadas en el fondo de una vieja maleta de cuero.

Por las tardes, paseando con Narciso Campillo por las pintorescas afueras de nuestra Sevilla, teniendo como único testigo el Guadalquivir, hacíamos proyectos para la lucha que empezaríamos en breve. Madrid se presentaba ante nuestras inquietas

fantasías como una bella mujer, cuyo amor fuese solamente posible a los elegidos que supieran conquistarlo con el oro de su inteligencia.

Una fuerza desconocida ponía pintorescas alas en nuestra insaciable juventud. Y ¡qué gran dolor el de las alas rotas antes de emprender el primer vuelo!

Luis García Luna, el primer amigo que en Madrid tuve, amistad que el tiempo acrecentó, fue el que me contara, pues de ellos era testigo, todos los acontecimientos de los que el año 54 tuvieron por escenario a Madrid.

La revolución triunfante hizo de la ciudad un gran campo de batalla. En todas las calles se levantaron, con piedras, cajones y enseres domésticos, grandes barricadas que defendían el pueblo con inaudito valor. Sedientos de venganza, grupos de hombres armados recorrían las calles entre lluvia de balas que se cruzaban en todas direcciones; los palacios de aquellos hombres públicos a los que el pueblo acusaba de ser causantes de sus males fueron asaltados, y en medio del arroyo se formaron grandes pirámides con los muebles y obras de arte que a ellos pertenecieron. Y el fuego los redujo a cenizas.

Una tarde, García Luna, vagando curioso por las calles, presenció un espectáculo de profunda y trágica emoción. Sus pasos lo llevaron a la plazuela de los Mostenses, en una de cuyas casas vivía Francisco Chico, jefe entonces de la Policía madrileña y a quien se atribuía, creo que con razón, toda clase de atropellos e injusticias. El populacho rodeaba el edificio en cuyo interior se buscaba, inútilmente, al inquisitorial polizonte. García Luna se unió a los

curiosos que presenciaban el espectáculo de aquella extraña cacería.

Un carto de hora llevaba allí mi amigo, cuando por el ancho portalón apareció una triste y macabra comitiva: en un colchón que sobre una escalera sostenían media docena de hombres, iba, con el sello de la muerte en el semblante, Francisco Chico; atrás, y con una furte cuerda al cuello, marchaba su secretario. Toda clase de maldiciones e insultos salió de aquella masa humana El pueblo se disponía a hacer justicia una vez más.

Y así continuó el trágico cortejo hasta la plazuela de la Cebada, donde Chico y su criado fueron, sin piedad, fusilados.

Todos los episodios de aquella romántica revolución vivieron aquella tarde en mis labios nuevamente, como un bello cuento, como un romance legendario de los que pasan de generación en generación, dejando en las almas una brillante estela de inquietud.

*

La noche tendió, una vez más, sus alas sombrías sobre nosotros. Volvíamos al pueblo por el estrecho camino, que parecía bajo la luna una estrecha cinta de plata.

Formando una compacta masa marfileña, un rebaño de ovejas al redil, rompiendo el silencio con la tenue música de las esquilas. Poco a poco en el cielo se iban encendiendo las estrellas, de clara luz unas, como fantásticos diamantes; otras, débiles, apagadas...

La silueta de la vieja abadía se recortaba en el horizonte como un encantado palacio de leyenda.

V

Durante unos días, en que nos vimos obligados a permanecer en los nada cómodos cuartos de la fonda, a causa del temporal que convirtió el balneario y sus cercanías en una sucia y cenagosa laguna, ella siguió contándome los episodios de su vida, con los que se podía construir la más extraña e interesante novela.

Y ella habla...

VI

—Dos días llevábamos de incertidumbre e intranquilidad, cuando una nueva desgracia vino a complicar de nuevo el curso de nuestras vidas: Alberto fue herido gravemente en la barricada de la calle Mayor, que fue su baluarte desde los comienzos de la revolución. Una noche, ocultándose a toda mirada curiosa fue traído a nuestra casa, en brazos de nuestro padre y de dos de sus mejores amigos. En una de las habitaciones más retiradas se le improvisó un cómodo y limpio lecho, y allí murió en las primeras horas de la mañana del siguiente día. El nombre de mi hermana fue la última palabra que pronunciaron sus labios.

»Y así acabó aquel héroe de leyenda, que supo arrastrar nuestras vidas con el impulso de su romanticismo.

»Mi inexplicable enfermedad, si es que enfermedad podía llamarse a la ráfaga de melancolía que por mi alma pasaba, se agravó de un modo alarmante. Los médicos ya desconfiaban de su ciencia y

veían, impotentes para todo, cómo se iba extinguiendo mi vida lentamente.

»Yo sentía a la muerte, que, con sus frías y descarnadas manos, acariciaba mi frente y apretaba, implacable, mi corazón.

»Y cuando, perdida ya toda esperanza, la eterna noche tendía sobre mí sus alas de sombra, un milagro, un raro milagro, obra de la gigantesca fe de mi hermana, me volvió nuevamente a la vida, a la luz...

»Blanca, arrodillada ante mi lecho, después de rogar inútilmente un poco de clemencia y piedad para mí, ofreció a una antigua imagen que aún existe en una vieja iglesia madrileña, a cambio de mi salud y de mi vida, la luz que brillaba en el fondo de sus pupilas.

»Y el milagro se obró. Poco a poco, una corriente de sangre nueva fue tiñendo de suave carmín mi amarillento rostro y mis exangües labios; mis enfermos pulmones volvieron a respirar nuevamente, libres, de aquella garra implacable que los oprimía; dejó mi corazón de ser aquel reloj loco que parecía querer traspasar los límites del tiempo. En las tinieblas de mi alma había penetrado un rayo de sol. Pero conforme el milagro de mi resurrección iba operándose la Providencia, inflexible, exigía a mi hermana el cumplimiento de su promesa; sus maravillosos ojos verdes iban lentamente perdiendo su luz.

Un día, la deuda fatal quedó cancelada definitivamente: Blanca quedó ciega; quedaron sin vida, para siempre paradas sus encantadoras pupilas, como quedan los ojos de los muertos que no tienen una mano amiga que cierre sus párpados.

»Si algún día entra usted en la iglesia de***.

podría ver, entre los exvotos de la Virgen que tienen su altar en la más oculta capilla, los ojos de mi hermana como dos trágicas joyas fantásticas. Nadie hasta ahora consiguió ver el extraño exvoto y tomaron mi visión como desvarío de mi débil cerebro, prueba acaso de una incipiente locura; pero yo sé que usted sabrá ver lo que se ocultó a las miradas profanas de las gentes vulgares. Si algún día su curiosidad de poeta, buscador infatigable de emociones nuevas, lo lleva a la oculta capilla de la vieja iglesia madrileña y su alma sabe ver el milagro acuérdese de mí.

*

Éstas fueron las confidencias de mi pobre hermana espiritual, frágil, sensitiva de un fantástico jardín. Sus palabras, una a una, quedaron grabadas en mi corazón. ¡Aún creo escuchar su voz fina y apagada cuando a la luz de un bello crepúsculo iba descubriéndome la clave de su incurable tristeza!

Dos días después, la vida destruyó nuestra hermandad. En Madrid me esperaban mis amigos, los periódicos que de pedazos de mi alma nutrían sus columnas, la agobiante lucha diaria, en la que no puede haber un momento de descanso ni vacilación. Y guardando en la vieja maleta cartapacios, libros y papeles, a Madrid volví, llevando en mi alma un poco de melancolía y en mis cabellos algún nuevo hilillo de plata.

Fue muy triste la despedida. En mis labios floreció una promesa, una lágrima rodó por los surcos que en mi cara había labrado el dolor. La crujiente

e incómoda diligencia me esperaba, y los collerones de las mulas rompieron el silencio de la tarde con su argentino tintineo.

Durante un largo rato dos pañuelos se saludaban en la lejanía, como prisioneras palomas blancas...

VII

Cerca de tres meses hacía que estaba de nuevo en Madrid, entregado en cuerpo y alma a la lucha diaria y agotadora. El teatro Real, mi tertulia del Suizo, la tribuna del Congreso, la Redacción. De uno a otro lado marchaba sin cesar, como arrastrado por una desconocida fuerza. Mi cerebro, sacudido por nuevas impresiones, fue olvidando, poco a poco, el romántico idilio, las confidencias de la pobre alma enferma. De todo conservaba únicamente esa secreta armonía, el vago eco que deja en nosotros una bella música que sonó un día en nuestro camino y que nunca volveremos a escuchar. En mi álbum de dibujo, uno de mis más fieles amigos, quedaron también eternizados muchos momentos de mi pasada aventura. Pensé escribir una novela, libro extraño, nueva danza macabra en la que bailaban, en trágico abrazo, el amor y la muerte. Sería mi obra una absurda mezcla de noche y silencio, como aquel *Miserere* que en la ruinosa abadía de Fitero se conserva.

Y la novela se quedó sin hacer. Hoy, que una inexplicable melancolía acaricia mi alma, trazo estos ligeros apuntes, con los que haré algún día un cuadro más acabado. Acariciar el recuerdo es lo único

que hoy puedo hacer: soñar, como el estudioso Fausto soñaba con el beso de Margarita.

VIII

Vagaba una tarde por las estrechas calles del Madrid viejo, viajero sin rumbo definido, perdido en el laberinto de mi fantasía, que de tantos fantasmas y evocaciones llenaba las solitarias rúas. De cada encrucijada, de cada portalón, surgía una sombra evocadora; de cada balcón de los señoriales palacios muertos parecía salir la música de un clave acariciado por una blanca mano de mujer. ¡Palacios viejos! ¡Aún conserváis la luz de las grandes arañas que un día alumbraron vuestros anchos salones, en versallescas fiestas galantes; frágiles marquesinas, tocadas sus cabezas con empolvadas pelucas de nieve, trenzaron ligeros minuetos y valses pausados sobre los mullidos tapices de Oriente que cubrían vuestros suelos! ¡Aún conserváis el eco de los clavicordios, de las palabras de amor de que fuisteis testigos! La vida, toda la vida, con sus alegrías y sus miserias, sus inagotables placeres y sus dolores infinitos, vibró un día en vosotros. Hoy solamente sois el gris fantasma de vuestra perdida grandeza, el recuerdo de un pasado muerto, una reliquia...

Empezaba a ponerse el sol y decidí terminar mi paseo, volver nuevamente a la realidad, dejar otra vez aquel mundo de evocaciones y de sombras, entre que tanto me agradaba perderme. La vida me llamaba con voz fuerte, e imperativa. Caminaba despacio, envuelto en mi ancha capa, cuando pasé por una iglesia, cuya plañidera campana decía su canto en la tarde.

Como una voz desconocida que sonase en mi oído, recordé que aquella era la iglesia que guardaba, en una de sus capillas, la Virgen que dio vida a mi amiga, y que conservaba entre sus exvotos unos verdes ojos de mujer. Entré; una docena escasa de fieles musitaban sus oraciones en el silencio. La función religiosa acababa de terminar hacía un momento, y uno de los servidores del culto apagaba lentamente las luces. Casi en tinieblas iba quedando el templo. Mi curiosidad me hizo buscar la pequeña capilla en que la imagen se venera, y recordando los datos que confusamente guardaba en la memoria, la encontré al instante. Lleno de un vago temor, mezcla de fe y miedo, entré en ella.

¡Y vi el milaggro! En el rostro de la Virgen, un rostro de dolor, obra de algún visionario artífice, en aquella cara ennegrecida por el beso de los años brillaban unos alucinantes ojos de esmeralda. Una trágica luz fosforescente salía de ellos.

Caí de rodillas al pie del viejo altar, mientras mis labios decían una oración; extraña, de palabras confusas, voz de mi fe y canto pagano a la pobre mujercita que apagó la luz de sus pupilas para que de su eterna noche surgiera una vida.

¿Cuánto tiempo estuve allí? No lo sé. De mi éxtasis vino a sacarme el sacristán, agitando un manojo de grandes llaves, y los fieles, que al pasar por mi lado me miraban como a una cosa rara, dudando si aquel hombre que estaba ante el altar era un santo o un loco, inclinándose más a esta segunda idea.

¿Qué sabían ellos, pobres humanos, de las grandes batallas del alma?

LA VENTA
DE LOS GATOS

I

En Sevilla, y en mitad del camino que se dirige al convento de San Jerónimo desde la puerta de la Macarena, hay, entre otros ventorrillos célebres, uno que, por el lugar en que está colocado y las circunstancias especiales que en él concurren, puede decirse que era, y si ya no lo es, el más neto y característico de todos los ventorrillos andaluces.

Figuraos una casita blanca como el ampo de la nieve, con su cubierta de tejas rojizas las unas, verdinegras las otras, y entre las cuales crecen un sinfín de jaramagos y matas de reseda. Un cobertizo de madera baña en sombra el dintel de la puerta, a cuyos lados hay dos poyos de ladrillo y argamasa. Empotrados en el muro, que rompen varios ventanillos abiertos a capricho para dar luz al interior, y de los cuales unos son más bajos y otros más altos, éste en forma cuadrangular, aquél imitando un ajimez o una claraboya, se ven de trecho en trecho algunas estacas y anillas de hierro que sirven para atar las caballerías. Una parra añosísima, que retuerce sus negruzcos troncos por entre la armazón de madera que la sostiene, vistiéndolos de pámpanos y hojas verdes y anchas, cubre como un dosel el estrado, el cual lo componen tres bancos de pino, media docena de sillas de anea desvencijadas y hasta seis o siete mesas cojas y hechas de tablas mal unidas.

Por uno de los costados de la casa sube una madreselva, agarrándose a las grietas de las paredes,

401

hasta llegar al tejado, de cuyo alero penden algunas guías que se mecen en el aire, asemejando flotantes pabellones de verdura. Al pie del otro corre una cerca de cañizo, señalando los límites de un pequeño jardín, que parece una canastilla de juncos rebosando de flores. Las copas de dos corpulentos árboles que se levantan a espaldas del ventorrillo forman el fondo oscuro sobre el cual se destacan sus blancas chimeneas, completando la decoración los vallados de las huertas, llenos de pitas y zarzamoras; los retamares que crecen a la orilla del agua, y el Guadalquivir, que se aleja arrastrando con lentitud su torcida corriente por entre aquellas agrestes márgenes, hasta llegar al pie del antiguo convento de San Jerónimo, el cual se asoma por encima de los espesos olivares que lo rodean y dibuja por oscuro la negra silueta de sus torres sobre un cielo azul y transparente.

Imaginaos este paisaje animado por una multitud de figuras de hombres, mujeres, chiquillos y animales, formando grupos a cual más pintoresco y característico; aquí el ventero, rechoncho y coloradote, sentado al sol en una sillita baja, deshaciendo entre las manos el tabaco para liar un cigarrillo y con el papel en la boca; allí, un regatón de la Macarena que canta entornando los ojos y acompañándose con una guitarrilla, mientras otros le llevan el compás con las palmas o golpeando las mesas con los vasos; más allá, una turba de muchachas, con sus pañuelos de espumilla de mil colores y toda una maceta de claveles en el pelo, que tocan la pandereta, y chillan, y ríen, y hablan a voces en tanto que impulsan como locas el columpio colgado entre dos árboles, y los mozos del ventorrillo que van y vie-

nen con bateas de manzanilla y platos de aceitunas, y las bandas de gentes del pueblo que hormiguean en el camino; dos borrachos que disputan con un majo que requiebra al pasar a una buena moza, un gallo que cacarea esponjándose orgulloso sobre las bardas del corral, un perro que ladra a los chiquillos que lo hostigan con palos y piedras, el aceite que hierve y salta en la sartén donde fríen el pescado, el chasquear de los látigos de los caleseros que llegan levantando una nube de polvo, ruido de cantares, de castañuelas, de risas, de voces, de silbidos y de guitarras, y golpes en las mesas, y palmadas, y estallidos de jarros que se rompen, y mil y mil rumores extraños y discordes que forman una alegre algarabía imposible de describir. Figuraos todo esto en una tarde templada y serena, en la tarde de uno de los días más hermosos de Andalucía, donde tan hermosos son siempre, y tendréis una idea del espectáculo que se ofreció a mis ojos la primera vez que, guiados por su fama, fui a visitar aquel célebre ventorrillo.

De esto hace ya muchos años, diez o doce lo menos. Yo estaba allí como fuera de mi centro natural. Comenzando por mi traje y acabando por la asombrada expresión de mi rostro, todo en mi persona disonaba en aquel cuadro de franca y bulliciosa alegría. Parecióme que las gentes, al pasar, volvían la cara a mirarme con el desagrado con que se mira a un importuno.

No queriendo llamar la atención ni que mi presencia se hiciese objeto de burlas más o menos embozadas, me senté a un lado de la puerta del ventorrillo, pedí algo de beber, que no bebí, y, cuando todos se olvidaron de mi extraña aparición, saqué

un papel de la cartera de dibujo, que llevaba conmigo; afilé un lápiz y comencé a buscar con la vista un tipo característico para copiarlo y conservarlo como un recuerdo de aquella escena y de aquel día.

Desde luego, mis ojos se fijaron en una de las muchachas que formaban un alegre corro alrededor del columpio. Era alta, delgada, levemente morena, con unos ojos adormidos, grandes y negros, y un pelo más negro que los ojos. Mientras yo hacía el dibujo, un grupo de hombres, entre los cuales había uno que rasgueaba la guitarra con mucho aire, entonaba a coro cantares alusivos a las prendas personales, los secretillos de amor, las inclinaciones o las historias de celos y desdenes de las muchachas que se entretenían alrededor del columpio, cantares a los que a su vez respondían éstas con otros no menos graciosos, picantes y ligeros.

La muchacha morena, esbelta y decidora que había escogido por modelo, llevaba la voz entre las mujeres y componía las coplas y las decía, acompañada del ruido de las palmas y las risas de sus compañeras, mientras que el tocador parecía ser el jefe de los mozos y el que entre todos ellos despuntaba por su gracia y su desenfadado ingenio.

Por mi parte, no necesité mucho tiempo para conocer que entre ambos existía algún sentimiento de afección, que se revelaba en sus cantares, llenos de alusiones transparentes y frases enamoradas.

Cuando terminé mi obra, comenzaba a hacerse de noche Ya en la torre de la catedral se habían encendido los dos faroles del retablo de las campanas, y sus luces parecían los ojos de fuego de aquel

gigante de argamasa y ladrillo que domina toda la ciudad. Los grupos se iban disolviendo poco a poco y perdiéndose a lo largo del camino entre la bruma del crepúsculo plateada por la línea que empezaba a dibujarse sobre el fondo violado y oscuro del cielo. Las muchachas se alejaban juntas y cantando, y sus voces argentinas se debilitaban gradualmente hasta confundirse con los otros rumores indistintos y lejanos que temblaban en el aire. Todo acababa a la vez: el día, el bullicio, la animación y la fiesta, y de todo no quedaba sino un eco en el oído, y en el alma, como una vibración suavísima, como un dulce sopor parecido al que se experimenta al despertar de un sueño agradable.

Luego que hubieron desaparecido las últimas personas, doblé mi dibujo, lo guardé en la cartera, llamé con una palmada al mozo, pagué el pequeño gasto que había hecho, y ya me disponía a alejarme, cuando sentí que me detenían suavemente por el brazo. Era el muchacho de la guitarra que ya noté antes, y que mientras dibujaba me miraba mucho y con cierto aire de curiosidad, pero que no había reparado que, después de concluida la broma, se acercó disimuladamente hasta el sitio en que me encontraba, con objeto he ver qué hacía yo mirando con tanta insistencia a la mujer por quien él parecía interesarse.

—Señorito —me dijo, con un acento qie él procuró suavizar todo lo posible—, voy a pedirle a usted un favor.

—¡Un favor! —exclamé yo sin comprender cuáles podrían ser sus pretensiones—. Diga usted que, si está en mi mano, es cosa hecha.

—¿Me quiere usted dar esa pintura que ha hecho?

Al oír sus últimas palabras no pude por menos de quedarme un rato perplejo. Extrañaba, por una parte, la petición, que no dejaba de ser bastante rara, y por otra, el tono, que no podía decirse a punto fijo si era de amenaza o de súplica. El hubo de comprender mi duda, y se apresuró en el momento a añadir:

—Se lo pido a usted por la salud de su madre; por la mujer que más quiera en este mundo, si quiere a alguna. Pídame usted en cambio todo lo que yo pueda hacer en mi pobreza.

No supe qué contestar para eludir el compromiso. Casi, casi hubiera preferido que viniese en son de quimera, a trueque de conservar el bosquejo de aquella mujer, cuya vista tanto me había impresionado; pero, sea sorpresa del momento, sea que yo a nada sé decir, no ello es que abrí mi cartera, saqué el papel y se lo alargué sin decir una palabra.

Referir las frases de agradecimiento del muchacho, sus exclamaciones al mirar nuevamente el dibujo a la luz del reverbero de la venta, el cuidado con que lo dobló para guardárselo en la faja, los ofrecimientos que me hizo y las alabanzas hiperbólicas con que ponderó la suerte de haber encontrado lo que él llamaba un señorito *templado* y *neto*, sería tarea dificilísima, por no decir imposible. Sólo diré que como entre unas y otras se había hecho completamente de noche, que quise que no, se empeñó en acompañarse hasta la puerta de la Macarena, y tanto dio en ello, que, por fin, me determiné a que emprendiésemos el camino juntos. El camino es bien corto; pero mientras duró encontró forma de contarme de pe a pa toda la historia de sus amores.

La venta donde había tenido lugar la función

era de su padre, quien le tenía prometido, para cuando se casase, una huerta que lindaba con la casa y que también le pertenecía. En cuanto a la muchacha objeto de su cariño, que me pintó con los más vivos colores y las frases más pintorescas, me dijo que se llamaba Amparo, que se había criado en su casa desde muy pequeñita y que ignoraba quiénes fuesen sus padres. Todo esto y cien otros detalles de más escaso interés me refirió durante el camino. Cuando llegamos a las puertas de la ciudad me dio un fuerte apretón de manos. tornó a ofrecérseme y se marchó entonando un cantar cuyos ecos se dilataban a lo lejos en el silencio de la noche. Yo permanecí un rato viéndolo ir. Su felicidad parecía contagiosa, y me sentía alegre, con una alegría extraña y sin nombre, con una alegría, por decirlo así, de reflejo.

El siguió cantando a más no poder. Uno de sus cantares decía así:

> Compañerillo del alma,
> mira qué bonita era:
> se parecía a la Virgen
> de Consolación de Utrera.

Cuando su voz comenzaba a perderse, oí en las ráfagas de la brisa otra delgada y vibrante que sonaba más lejos aún. Era ella. Ella, que lo aguardaba impaciente...

*

Pocos días después abandoné a Sevilla, y pasaron muchos años sin que volviese a ella, y olvidé muchas cosas que allí me habían sucedido; pero el

recuerdo de tanta y tan ignorada y tranquila felici-
dad no se me borró nunca de la memoria.

II

Como he dicho, transcurrieron muchos años des-
pués que abandoné a Sevilla sin que olvidase del
todo aquella tarde, cuyo recuerdo pasaba algunas
veces por mi imaginación como una brisa bienhe-
chora que refresca el ardor de la frente.

Cuando el azar me condujo de nuevo a la ciu-
dad que los poetas en su hiperbólico lenguaje lla-
man *Reina de la Andalucía,* una de las cosas que
más vivamente me impresionaron fue, sin duda, la
completa transformación que había sufrido en el es-
pacio de tiempo que duró mi ausencia. Yo dejé una
Sevilla y encontraba otra muy diferente. Yo dejé una
ciudad grande, hermosa sin afectación, tal vez con
abandono, llena de un encanto propio, con un as-
pecto y una fisonomía originales y características,
y la hallé tan mudada que sólo puedo comparar el
efecto que me hizo el verla con el que experimenta-
ría un entusiasta de nuestras costumbres y nuestros
trajes típicos al tropezar una cigarrera del barrio
de Triana con una crinolina *a la emperatriz,* un som-
brero de tope alto y el pelo *a lo Fuoco.* Tan extra-
ña, tan antiarmónica, y perdóneme la civilización,
encontré la mezcla de carácter andaluz y barniz
francés que veía en todo lo que me rodeaba.

Visité los edificios más notables; torné a vagar
y a perderme entre las revueltas del antiguo barrio
de Santa Cruz, en el curso de mis paseos extrañé
muchas cosas nuevas que se han levantado no se
cómo; eché de menos muchas cosas viejas que han

408

desaparecido, no sé por qué, y, por último, me dirigí a la orilla del río. La orilla del río ha sido siempre, en Sevilla, el lugar predilecto, de mis excursiones.

Después que hube admirado el magnífico panorama que ofrece en el punto por donde une sus opuestos márgenes el puente de hierro; después que hube recorrido con la mirada absorta los mil detalles a cual más pintorescos de sus curvas riberas, bordeadas de jardines, palacios y blancos caseríos; después que pasé revista a los innumerales buques surtos en sus aguas, que desplegaban al aire los ligeros gallardetes de mil colores, y oí el confuso hervidero del muelle, donde todo respira actividad y movimiento, remontando con la imaginación la corriente del río, me trasladé hasta San Jerónimo.

Me acordaba de aquel paisaje tranquilo, reposado y luminoso, en que la vegetación de Andalucía despliega sin aliño sus galas naturales. Como si hubiera ido en un bote, corriente arriba, vi desfilar otra vez, con ayuda de la memoria, por un lado, la Cartuja, con sus arboledas y sus altas y delgadas torres; por el otro, el barrio de los Humeros, los antiguos murallones de la ciudad, mitad árabes, mitad romanos; las huertas, con sus vallados cubiertos de zarzas, y las norias que sombrean algunos árboles aislados y corpulentos, y, por último, San Jerónimo.

Al llegar aquí, con la imaginación, se me representaron con más viveza que nunca los recuerdos que aún conservaba de la famosa venta, y me figuré que asistía de nuevo a aquellas fiestas populares y oía cantar a las muchachas, meciéndose en el columpio, y veía los corrillos de gentes del pueblo vagar

por los prados, merendar unos, disputar los otros, reír éstos, bailar aquéllos, y todos agitarse rebosando juventud, animación o alegría. Allí estaba ella, rodeada de sus hijos, lejos ya del grupo de las mozuelas, que reían y cantaban, y allí estaba él, tranquilo y satisfecho de su felicidad, mirando con ternura, reunidas a su alrededor y felices, a todas las personas que más amaba en el mundo: su mujer, sus hijos, su padre, que estaba entonces como hacía diez años, sentado a la puerta de su venta, liando impasible su cigarrillo de papel, sin más vacilación que tener blanca como la nieve la cabeza, que era gris.

Un amigo que me acompañaba en el paseo, notando la especie de éxtasis en que estuve abstraído con esas ideas durante algunos minutos, me sacudió, al fin, del brazo, preguntándome:

—¿En qué piensas?

—Pensaba —le contesté— en la Venta de los Gatos, y revolvía aquí dentro de la imaginación todos los agradables recuerdos que guardo de una tarde que estuve en San Jerónimo... En este instante concluía una historia que dejé empezada allí, y la concluía tan a mi gusto, que creo no puede tener otro final que el que yo le he hecho. Y a propósito de la Venta de los Gatos —proseguí, dirigiéndome a mi amigo, ¿cuándo nos vamos allá una tarde a merendar y a tener un rato de jarana?

—¡Un rato de jarana! —exclamó mi interlocutor con una expresión de asombro que yo no acertaba a explicarme entonces—. ¡Un rato de jarana! ¡Pues digo que el sitio es aparente para el caso!

—Y ¿por qué no? —le repliqué, admirándome a mi vez de sus admiraciones.

—La razón es muy sencilla —me dijo, por último—, porque a cien pasos de la venta han hecho el nuevo cementerio.

Entonces fui yo quien lo miró con ojos asombrados, y permanecí algunos instantes en silencio antes de añadir una sola palabra.

Volvimos a la ciudad, y pasó aquel día, y pasaron algunos otros más, sin que yo pudiese desechar del todo la impresión que me había causado una noticia tan inesperada. Por más vueltas que le daba, mi historia de la muchacha morena no tenía ya fin, pues el inventado no podía concebirlo, antojándoseme inverosímil un cuadro de felicidad y alegría con un cementerio por fondo

Una tarde, resuelto a salir de duda, pretexté una ligera indisposición para no acompañar a mi amigo en nuestros acostumbrados paseos, y emprendí solo el camino de la venta. Cuando dejé a mis espaldas la Macarena y su pintoresco arrabal y comencé a cruzar por un estrecho sendero aquel laberinto de huertas, ya me parecía advertir algo de extraño en cuanto me rodeaba.

Bien fuese que la tarde estaba un poco encapotada, bien que la disposición de mi ánimo me inclinaba a las ideas melancólicas, lo cierto es que sentí frío y tristeza y noté un silencio que me recordaba la completa soledad, como el sueño recuerda la muerte.

Anduve un rato sin detenerme, acabé de cruzar las huertas para abreviar la distancia y entré en el camino de San Lázaro, desde donde ya se divisa en lontananza el convento de San Jerónimo.

Tal vez será una ilusión; pero a mí me parece que por el camino que pasan los muertos hasta los árbo-

411

les y las hierbas toman al cabo un color diferente. Por lo menos allí se me antojó que faltaban tonos calurosos y armónicos, frescura en la arboleda, ambiente en el espacio y luz en el terreno. El paisaje era monótono; las figuras, negras y aisladas. Por aquí, un carro que pasa pausadamente, cubierto de luto, sin levantar polvo, sin chasquido de látigo, sin algazara, sin movimiento casi; más allá, un hombre de mala catadura con un azadón en el hombro, o un sacerdote con su hábito talar y oscuro o un grupo de ancianos mal vestidos y de aspecto repugnante, con cirios apagados en las manos, que volvían silenciosos, con la cabeza baja y los ojos fijos en la tierra.

Yo me creía transportado no sé dónde, pues todo lo que veía me recordaba un paisaje cuyos contornos eran los mismos de siempre, pero cuyos colores se habían borrado, por decirlo así, no quedando de ellos sino una media tinta dudosa. La impresión que experimentaba sólo puede compararse a la que sentimos en esos sueños en que, por un fenómeno inexplicable, las cosas son y no son a la vez, y los sitios en que creemos hallarnos se transforman en parte de una manera estrambótica e imposible.

Por último, llegué al ventorrillo. Lo recordé más por el rótulo, que aún conservaba escrito con grandes letras en una de sus paredes, que por nada, pues, en cuanto al caserío, se me figuró que hasta había cambiado de forma y proporciones. Desde luego, puedo asegurar que estaba mucho más ruinoso, abandonado y triste. La sombra del cementerio, que se alzaba en el fondo, parecía extenderse hasta él, envolviéndolo en su oscura proyección como en un sudario.

El ventero estaba solo, completamente solo. Co-

nocí que era el mismo de hacía diez años, y lo conocí no sé por qué, pues en este tiempo, había envejecido hasta el punto de aparentar un viejo decrépito moribundo, mientras que cuando lo vi no representaba apenas cincuenta años, y rebosaba salud, satisfacción y vida.

Sentéme en una de las desiertas mesas, pedí algo de beber que me sirvió el ventero, y de una en otra palabra suelta vinimos al cabo a entrar en una conversación tirada acerca de la historia de amores cuyo último capítulo ignoraba todavía, a pesar de haber intentado adivinarlo varias veces.

—Todo —me dijo el pobre viejo—, todo parece que se ha conjurado contra nosotros desde la época que usted me recuerda. Ya lo sabe usted: Amparo era la niña de nuestros ojos; se había criado aquí desde que nació, casi; era la alegría de la casa. Nunca pudo echar de menos el suyo, porque yo la quería como un padre. Mi hijo se acostumbró también a quererla desde niño, primero como un hermano; después, con un cariño más grande todavía. Ya estaba en vísperas de casarse. Yo les había ofrecido lo mejor de mi poca hacienda, pues con el producto de mi tráfico me parecía tener más que suficiente para vivir con desahogo, cuando no se qué diablo malo tuvo envidia de nuestra felicidad y la deshizo en un momento. Primero empezó a susurrarse que iban a colocar un cementerio por esta parte de San Jerónimo; unos decían que más acá, otros que más allá y mientras todos estábamos inquietos y temerosos, temblando de que se realizase este proyecto, una desgracia mayor y más cierta cayó sobre nosotros. Un día llegaron aquí en carruaje dos señores. Me hicieron mil y mil preguntas

acerca de Amparo, a la cual saqué yo cuando pequeña de la Casa de Expósitos; me pidieron los envoltorios con que la abandonaron, y que yo conservaba, resultando al fin que Amparo era hija de un señor muy rico, el cual trabajó con la Justicia para arrancárnosla. Y trabajó tanto, que logró conseguirlo. No quiero recordar siquiera el día que se la llevaron. Ella lloraba como una Magdalena, mi hijo quería hacer una locura y yo estaba como atontado, sin comprender lo que me sucedía. ¡Se fue! Es decir, no se fue, porque nos quería mucho para irse; pero se la llevaron, y una maldición cayó sobre esta casa. Mi hijo, después de un arrebato de desesperación espantosa, cayó como en un letargo. Yo no sé decir qué me pasó. Creí que se me había acabado el mundo. Mientras esto sucedía, comenzóse a levantar el cementerio. La gente huyó de estos contornos. Se acabaron las fiestas, los cantares y la música, y se acabó toda la alegría de estos campos, como se había acabado toda la de nuestras almas. Y Amparo no era más feliz que nosotros. Criada aquí, al aire libre, entre el bullicio y la animación de la venta, educada para ser dichosa en la pobreza, la sacaron de esta vida y se secó como se secan las flores arrancadas de un huerto para llevarlas a un estrado. Mi hijo. hizo esfuerzos increíbles para verla otra vez, para hablaile un momento. Todo fue inútil: su familia no quería. Al cabo la vio, pero la vio muerta; por aquí pasó su entierro. Yo no sabía nada, y no sé por qué me eché a llorar cuando vi el ataúd. El corazón, que es muy leal, me decía a voces:

«Esa es joven como Amparo. Como ella, sería también hermosa. ¿Quién sabe si sería la misma?» Y era. Mi hijo siguió el entierro, entró en el patio

414

y, al abrirse la caja, dio un grito, cayó sin sentido en tierra y así me lo trajeron. Después se volvió loco, y loco está.

Cuando el pobre viejo llegaba a este punto de su narración, entraron en la venta dos enterradores de siniestra figura y aspecto repugnante. Acabada su tarea, venían a echar un trago a *la salud de los muertos,* como dijo uno de ellos acompañando el chiste con una estúpida sonrisa. El ventero se enjugó una lágrima con el dorso de la mano y fue a servirles.

La noche comenzaba a cerrar, oscura y tristísima. El cielo estaba negro, y el campo, lo mismo. De los brazos de los árboles pendía aún, medio podrida, la soga del columpio agitada por el aire. Me pareció la cuerda de una horca oscilando aún después de haber descolgado a un reo. Sólo llegaban a mis oídos algunos rumores confusos; el ladrido lejano de los perros de las huertas, el chirrido de una noria, largo, quejumbroso y agudo como un lamento; las palabras sueltas y horribles de los sepultureros, que concertaban en voz baja un robo sacrílego... No sé. En mi memoria no ha quedado, lo mismo de esta escena fantástica de desolación que de la otra escena de alegría, más que un recuerdo confuso, imposible de reproducir. Lo que me parece escuchar tal como lo escuché entonces es este cantar que entonó una voz plañidera, turbando de repente el silencio de aquellos lugares:

> En el carro de los muertos
> ha pasado por aquí;
> llevaba una mano fuera,
> por ella la conocí...

Era el pobre muchacho que estaba encerrado en una de las habitaciones de la venta, donde pasaba los días contemplando inmóvil el retrato de su amante, sin pronunciar una palabra, sin comer apenas, sin llorar, sin que se abriesen sus labios más que para cantar esa copla tan sencilla y tan tierna, que encierra un poema de dolor que yo aprendí a descifrar entonces.

¡ES RARO!

Tomábamos el té en casa de una señora amiga mía y se hablaba de esos dramas sociales que se desarrollan ignorados del mundo y cuyos protagonistas hemos conocido, si es que no hemos hecho un papel en algunas de las escenas de esos dramas sociales.

Entre otras muchas personas que no recuerdo, se encontraba allí una niña rubia, blanca y esbelta que, a tener una corona de flores en lugar del legañoso perrillo que gruñía medio oculto entre los anchos pliegues de su falda, hubiérasela comparado, sin exagerar, con la Ofelia de Shakespeare.

Tan puros eran el blanco de su frente y el azul de sus ojos.

De pie, apoyada una mano en la *causeuse* de terciopelo azul que ocupaba la niña rubia, y acariciando con la otra los preciosos dijes de su cadena de oro, hablaba con ella un joven, en cuya afectada pronunciación se notaba un leve acento extranjero, a pesar de que su aire y su tipo eran tan españoles como los del Cid o Bernardo del Carpio.

Un señor de cierta edad, alto, seco, de maneras distinguidas y afables, y que parecía seriamente pre-

ocupado en la operación de dulcificar a punto su taza de té, completaba el grupo de las personas más próximas a la chimenea, al calor de la cual me senté para contar esta historia. Esta historia parece un cuento, pero no lo es; de ella pudiera hacerse un libro; yo lo he hecho algunas veces en mi imaginación. No obstante, la referiré en pocas palabras, pues para el que haya de comprenderla todavía sobrarán algunas.

Andrés, porque así se llamaba el héroe de mi narración, era uno de esos hombres en cuya alma rebosan el sentimiento que no han gastado nunca y el cariño que no pueden depositar en nadie.

Huérfano casi al nacer, quedó al cuidado de unos parientes. Ignoro los detalles de su niñez. Sólo puedo decir que cuando le hablaban de ella se oscurecía su frente y exclamaba con un suspiro: «¡Ya pasó aquello!»

Todos decimos lo mismo, recordando con tristeza las alegrías pasadas. ¿Era ésta la explicación de la suya? Repito que no lo sé, pero sospecho que no.

Ya joven, se lanzó al mundo. Sin que por esto se crea que yo trato de calumniarlo, la verdad es que el mundo, para los pobres, y para cierta clase de pobres sobre todo, no es un paraíso ni mucho menos. Andrés era, como suele decirse, de los que se levantan la mayor parte de los días con veinticuatro horas más. Juzguen, pues, mis lectores, cuál sería el estado de un alma toda idealismo, toda amor, ocupada en la difícil cuanto prosaica tarea de buscarse el pan cotidiano.

No obstante, algunas veces, sentándose en la orilla de su solitario lecho, con los codos sobre las rodillas y la cabeza entre las manos, exclamaba:

—¡Si yo tuviese alguien a quien querer con toda mi alma! ¡Una mujer, un caballo, un perro siquiera!

Como no tenía un cuarto, no le era posible tener nada, ningún objeto en qué satisfacer su hambre de amor. Ésta se exasperó hasta el punto de que en sus crisis llegó a cobrarle cariño al cuchitril donde habitaba, a los mezquinos muebles que le servían, hasta a la patrona, que era su genio del mal.

No hay que extrañarlo. Josefo refiere que durante el sitio de Jerusalén fue tal el hambre, que las madres se comieron a sus hijos.

Un día pudo proporcionarse un escasísimo sueldo para vivir. La noche de aquel día, cuando se retiraba a su casa, al atravesar una calle estrecha, oyó una especie de lamentos, como lloros de una criatura recién nacida. No bien hubo dado algunos pasos más después de haber oído aquellos gemidos, cuando exclamó, deteniéndose:

—Diantre, ¿qué es esto?

Y tocó con la punta del pie una cosa blanda que se movía y tornó a chillar y a quejarse. Era uno de esos perrillos que arrojan a la basura de pequeñuelos.

«La Providencia lo ha puesto en mi camino», dijo para sí Andrés, recogiéndolo y abrigándolo con el faldón de su levita.

Y se lo llevó a su cuchitril.

—¡Cómo es eso! —refunfuñó la patrona al verlo entrar con el perrillo—. No nos faltaba más que ese nuevo embeleco en casa. ¡Ahora mismo lo deja usted donde lo encontró, o mañana busca dónde acomodarse con él!

Al otro día salió Andrés de la casa, y en el discurso de dos o tres meses salió de otras dos-

cientas por la misma cuestión. Pero todos estos disgustos y otros mil que es imposible detallar, los compensaba con usura la inteligencia y el cariño del perro, con el cual se distraía como con una persona
en sus eternas horas de soledad y fastidio. Juntos
comían, juntos descansaban y juntos daban la vuelta
a la ronda o se marchaban a lo largo del camino de
los Carabancheles.

Tertulias, paseos, teatros, cafés, sitios donde no
se permitían o estorbaban los perros, estaban vedados para nuestro héroe, que exclamaba algunas veces con toda efusión de su alma y como correspondiendo a las caricias del suyo:

—¡Animalito! No le falta más que hablar.

II

Sería enfadoso explicar cómo, pero es el caso que
Andrés mejoró algo de posición y, viéndose con algún dinero, dijo:

—¡Si yo tuviese una mujer! Pero para tener una
mujer es preciso mucho. Los hombres como yo, antes de elegirla, necesitan un paraíso que ofrecerle y
hacer un paraíso en Madrid cuesta un ojo de la
cara... Si pudiera comprar un caballo... ¡Un caballo! ¡Un caballo! No hay animal más noble ni
más hermoso. ¡Cómo lo había dé querer mi perro!
¡Cómo se divertirían el uno con el otro y yo con
los dos!

Una tarde fue a los toros y, antes de comenzar
la función, dirigióse maquinalmente al corral, donde esperaban ensillados los que habían de salir a la
lidia.

No sé si mis lectores habrían tenido alguna vez

curiosidad de ir a verlos. Yo de mí puedo asegurarles que, sin creerme tan sensible como el protagonista de esta historia, me han dado algunas veces ganas de comprarlos todos. Tal ha sido la lástima que me ha dado de ellos.

Andrés no pudo menos de experimentar una sensación penosísima al encontrarse en aquel sitio. Unos, cabizbajos, con la piel pegada a los huesos y la crin sucia y descompuesta, aguardaban inmóviles su turno, como si presintiesen la desastrosa muerte que había de poner término dentro de breves horas, a la miserable vida que arrastraban; otros, medio, ciegos, buscaban olfateando el pesebre y comían o, hiriendo el suelo con el casco y dando fuertes soplidos, pugnaban por desasirse y huir del peligro que olfateaban con horror. Y todos aquellos animales habían sido jóvenes y hermosos. ¡Cuántas manos aristócratas habrían acariciado sus cuellos! ¡Cuántas voces cariñosas los habrían alentado en su carrera! Y ahora todo era juramentos por acá, palos acullá, y, por último, la muerte, una muerte con una agonía horrible, acompañada de chanzonetas y silbidos.

—Si piensan algo —decía Andrés—, ¿qué pensarán estos animales, en el fondo de su confusa inteligencia, cuando en medio de la plaza se muerden la lengua y expiran con una contracción espantosa? En verdad que la ingratitud del hombre es algunas veces inconcebible.

De estas reflexiones vino a sacarlo la aguardentosa voz de uno de los picadores, que juraba y maldecía, mientras probaba las piernas de uno de los caballos, dando con el cuento de la garrocha en la pared. El caballo no parecía del todo despreciable.

Por lo visto, debía de ser loco o tener alguna enfermedad de muerte.

Andrés pensó en adquirirlo. Costar, no debería de costar mucho; pero ¿y mantenerlo? El picador le hundió la espuela en el ijar y se dispuso a salir. Nuestro joven vaciló un instante y lo detuvo. Cómo lo hizo, no lo sé; pero en menos de un cuarto de hora convenció al jinete para que lo dejase, buscó al asentista, ajustó el caballo y se quedó con él.

Creo excusado decir que aquella tarde no vio los toros.

Llevóse el caballo; pero el caballo, en efecto, estaba o parecía estar loco.

—Mucha leña en él —le dijo su dueño—. Démosle de comer lo que quiera, dejémosle hacer lo que le dé la gana.

El caballo no era viejo, y comenzó a engordar y a ser más dócil. Verdad que tenía sus caprichos y que nadie podía montarlo más que Andrés; pero decía éste:

—Así no me lo pedirán prestado, y en cuanto a rarezas, ya nos iremos acostumbrando mutuamente a las que tenemos.

Y llegaron a acostumbrarse de tal modo, que Andrés sabía cuándo el caballo tenía ganas de hacer una cosa y cuándo no, y a éste le bastaba una voz de su dueño para saltar, detenerse o partir a escape, rápido como un huracán.

Del perro, no digamos nada; llegó a familiarizarse de tal modo con su nuevo camarada, que ni a beber salían el uno sin el otro. Desde aquel punto, cuando se perdía a escape entre una nube de polvo por el camino de los Carabancheles y su perro lo acompañaba saltando y se adelantaba para tornar

a buscarlos o dejaba pasar para volver a seguirlo, Andrés se creía el más feliz de los hombres.

III

Pasó algún tiempo. Nuestro joven estaba rico o casi rico.

Un día, después de haber corrido mucho, se apeó fatigado junto a un árbol y se recostó a su sombra.

Era un día de primavera luminoso y azul, de esos en que se respira con voluptuosidad una atmósfera tibia e impregnada de deseos, en que se oyen en las ráfagas del aire como armonías lejanas, en que los limpios horizontes se dibujan con líneas de oro y flotan ante nuestros ojos átomos brillantes de no sé qué, átomos que asemejan formas transparentes que nos siguen, nos rodean y nos embriagan a un tiempo de tristeza y de felicidad.

—Yo quiero mucho a estos dos seres —exclamo Andrés, después de sentarse, mientras acariciaba a su perro con una mano y con la otra le daba a su caballo un puñado de hierbas—, mucho; pero todavía hay un hueco en mi corazón que no se ha llenado nunca. Todavía me queda por emplear un cariño más grande, más santo, más puro. Decididamente, necesito una mujer.

En aquel momento pasaba por el camino una muchacha con un cántaro en la cabeza.

Andrés no tenía sed y, sin embargo, le pidió agua. La muchacha se detuvo para ofrecérsela, y lo hizo con tanta amabilidad, que nuestro joven comprendió perfectamente uno de los más patriarcales episodios de la Biblia.

—¿Cómo te llamas? —le preguntó después que hubo bebido.

—Plácida.

—¿Y en qué te ocupas?

—Soy hija de un comerciante que murió arruinado y perseguido por sus opiniones políticas. Después de su muerte, mi madre y yo nos retiramos a una aldea, donde lo pasamos bien mal, con una pensión de tres reales por todo recurso. Mi madre está enferma, y yo tengo que hacerlo todo.

—Y ¿cómo no te has casado?

—No sé. En el pueblo dicen que no sirvo para trabajar, que soy muy delicada, muy señorita.

La muchacha se alejó después de despedirse.

Mientras la miraba alejarse, Andrés permaneció en silencio. Cuando la perdió de vista, dijo con la satisfacción del que resuelve un problema:

—Esa mujer me conviene.

Montó en su caballo y, seguido de su perro, se dirigió a la aldea. Pronto hizo conocimiento con la madre, y casi tan pronto se enamoró perdidamente de la hija. Cuando, al cabo de algunos meses, ésta se quedó huérfana, se casó enamorado de su mujer, que es una de las mayores felicidades de este mundo.

Casarse y establecerse en una quinta situada en uno de los sitios más pintorescos de su país fue obra de algunos días.

Cuando se vio en ella rico, con su mujer, su perro y su caballo, tuvo que restregarse los ojos, porque creía que soñaba. Tan feliz, tan completamente feliz era el pobre Andrés.

Así vivió por espacio de algunos años, dichoso si Dios tenía qué, cuando una noche creyó observar que alguien rondaba su quinta, y más tarde sorprendió a un hombre moldeando el ojo de la cerradura de una puerta del jardín.

—Ladrones tenemos —dijo.

Y determinó avisar al pueblo más cercano, donde había una pareja de guardias civiles.

—¿Adónde vas? —le preguntó su mujer.

—Al pueblo.

—¿A qué?

—A dar aviso a los civiles, porque sospecho que alguien nos ronda la quinta.

Cuando la mujer oyó esto, palideció ligeramente. Él, dándole un beso, prosiguió:

—Me marcho a pie, porque el camino es corto. Adiós, hasta a tarde.

Al pasar por el patio para dirigirse a la puerta entró un momento en la cuadra, vio a su caballo y, acariciándolo, le dijo:

—Adiós, pobrecito, adiós. Hoy descansarás, que ayer te di un mate como para ti solo.

El caballo, que acostumbraba salir todos los días con su dueño, relinchó tristemente al sentirle alejarse.

Cuando Andrés se disponía a abandonar la finca, su perro comenzó a hacerle fiestas.

—No, no vienes conmigo —exclamó hablándole, como si lo entendiese—. Cuando vas al pueblo ladras a los muchachos y corres a las gallinas, y el mejor día del año te van a dar tal golpe, que no te queden ánimos de volver por otra ... No abrirle has-

ta que yo marche —prosiguió, dirigiéndose a un criado, y cerró la puerta para que no lo siguiese.

Ya había dado la vuelta al camino, cuando todavía escuchaba largos aullidos del perro.

Fue al pueblo, despachó su diligencia, se entretuvo un poco con el alcalde, charlando de diversas cosas, y se volvió hacia su quinta. Al llegar a las inmediaciones se extrañó bastante de que no saliese el perro a recibirlo; el perro, que otras veces, como si lo supiera, salía hasta la mitad del camino... Silba... ¡Nada! Entra en la posesión. ¡Ni un criado!

—¿Qué diantre será esto? —exclama con inquietud y se dirige al caserío.

Llega a él, entra en el patio. Lo primero que se ofrece a su vista es el perro tendido en un charco de sangre a la puerta de la cuadra. Algunos pedazos de ropa diseminados por el suelo, algunas hilachas pendientes aún de sus fauces, cubiertas de una rojiza espuma, atestiguan que se ha defendido y que al defenderse recibió las heridas que lo cubren.

Andrés lo llama por su nombre. El perro, moribundo, entreabre los ojos, hace un inútil esfuerzo para levantarse, menea débilmente la cola, lame la mano que lo acaricia y muere.

—Mí caballo... ¿Dónde está mi caballo? —exclama entonces con voz sorda y ahogada por la emoción al ver desierto el pesebre y rota la cuerda que lo sujetaba a él.

Sale de allí como un loco. Llama a su mujer. Nadie responde. A sus criados; tampoco. Recorre toda la casa, fuera de sí... Sola, abandonada. Sale de nuevo al camino. Ve las señales del casco de su caballo, del suyo, no le cabe duda, porque él co-

noce o cree conocer las huellas de su animal favorito.

—Todo lo comprendo —dice como iluminado por una idea repentina—: los ladrones se han aprovechado de mi ausencia para hacer su negocio y se llevan a mi mujer para exigirme por su rescate una gran suma de dinero. ¡Dinero! ¡Mi sangre, la salvación daría por ella! ¡Pobre perro mío! —exclama volviéndolo a mirar, y rompe a correr como un desesperado, siguiendo la dirección de las pisadas.

Y corrió, corrió sin descansar un instante en pos de aquellas señales, una hora, dos, tres.

—¿Habéis visto —preguntaba a todo el mundo— a un hombre a caballo con una mujer a la grupa?

—Sí —le respondían.

—¿Por dónde van?

—Por allí.

Y Andrés tomaba nuevas fuerzas y seguía corriendo.

La noche comenzaba a caer. A la misma pregunta encontraba siempre la misma respuesta. Y corría, corría, hasta que, al fin, divisó una aldea, y junto a la entrada, al pie de una cruz que señalaba el punto en que se dividía en dos el camino, vio un grupo de gente, gañanes y viejos, muchachos que contemplaban con curiosidad una cosa que él no podía distinguir.

Llega, hace la misma pregunta de siempre, y le dice uno de los del grgupo:

—Sí, hemos visto a esa pareja. Mirad, por más señas, el caballo que la conducía que cayó aquí reventado de correr.

Andrés vuelve los ojos en la dirección que le señalaban y ve, en efecto, su caballo, su querido ca-

ballo, que algunos hombres del pueblo se disponían a desollar para aprovecharse de la piel. No pudo apenas resistir la emoción; pero, reponiéndose en seguida, volvió a asaltarlo la idea de su esposa.

—Y decidme —exclamó precipitadamente—: ¿cómo no prestasteis ayuda a aquella mujer desgraciada?

—Vaya si se la prestamos —dijo otro de los del corro—. Como que yo les he vendido otra caballería para que siguiesen su camino con toda la prisa que, al parecer, les importa.

—Pero —interrumpió Andrés— esa mujer va robada. Ese hombre es un bandido que, sin hacer caso de sus lágrimas y sus lamentos, la arrastra no sé adónde.

Los maliciosos patanes cambiaron entre sí una mirada, sonriéndose de compasión.

—¡Quia, señorito! ¿Qué historias está usted contando? —prosiguió con sorna su interlocutor—. ¡Robada! ¡Pues si ella era la que decía con más ahínco: «Pronto, pronto. Huyamos de estos lugares. No me veré tranquila hasta que los pierda de vista para siempre»!

Andrés lo comprendió todo. Una nube de sangre pasó por delante de sus ojos, de los que no brotó ni una lágrima, **y cayó al** suelo desplomado como un cadáver.

Estaba loco. A los pocos días, muerto.

Le hicieron la autopsia. No le encontraron lesión orgánica alguna. ¡Ah! Si pudiera hacerse la disección del alma, ¡cuántas muertes semejantes a ésta se explicarían!

*

—Y, efectivamente, ¿murió de eso? —exclamó el

427

joven, que proseguía jugando con los dijes de su reloj, al concluir mi historia.

Yo lo miré como diciendo: «¿Le parece a usted poco?» Él prosiguió con cierto aire de profundidad:

—¡Es raro! Yo sé lo que es sufrir. Cuando, en las últimas carreras, tropezó mi *Herminia*, mató al *jockey* y se quebró una pierna, la desgracia de aquel animal me causó un disgusto horrible; pero, francamente, no tanto..., no tanto.

Aún proseguía mirándolo con asombro, cuando hirió mi oído una voz armoniosa y ligeramente velada, la voz de la niña de los ojos azules:

—Efectivamente, es raro. Yo quiero mucho a mi *Medoro* —dijo, dándole un beso en el hocico al enteco y legañoso faldero, que gruñó sordamente—; pero si se muriese o me lo mataran, no creo que me volviera loca ni cosa que lo valga.

Mi asombro rayaba en estupor. Aquellas gentes no me habían comprendido o no querían comprenderme.

Al cabo me dirigí al señor que tomaba tè, que, en razón a sus años, debía de ser algo más razonable.

—Y a usted, ¿qué le parece? —le pregunté.

—Le diré a usted —me respondió— Yo soy casado, quise a mi mujer, la aprecio todavía, me parece. Tuvo lugar entre nosotros un disgustillo doméstico que, por su publicidad, exigía una reparación por mi parte; sobrevino un duelo, tuve la fortuna de herir a mi adversario, un chico excelente, decidor y chistoso si los hay, con quien suelo aún tomar café algunas noches en el Iberia. Desde entonces dejé de hacer vida común con mi esposa y me de-

428

diqué a viajar. Cuando estoy en Madrid vivo con ella, pero como dos amigos, y todo esto sin violentarme, sin grandes emociones, sin sufrimientos extraordinarios. Después de este ligero bosquejo de mi carácter y de mi vida, ¡qué le he de decir a usted de esas explosiones fenomenales del sentimiento, sino que todo eso me parece raro, muy raro!

Cuando mi interlocutor acabó de hablar, la niña rubia y el joven que le hacía el amor repasaban juntos un álbum de caricaturas de Gavarni. A los pocos momentos, él mismo servía con una fruición deliciosa la tercera taza de té.

Al pensar que oyendo el desenlace de mi historia habían dicho: «¡Es raro!», exclamé yo para mi mismo: «¡Es natural!»

EL ADEREZO DE ESMERALDAS

Estábamos parados en la carretera de San Jerónimo, frente a la casa de Durán, y leíamos el título de un libro de Méry. Como me llamase la atención aquel título extraño y se lo dijese así al amigo que me acompañaba, éste, apoyándose ligeramente en mi brazo, exclamó:

—El día está hermoso a más no poder; vamos a dar una vuelta por la Fuente Castellana; mientras dura el paseo, te contaré una historia en la que yo soy el héroe principal. Verás cómo, después de oírla, no sólo comprendes el título, sino que te lo explicas de la manera más fácil del mundo.

Yo tenía bastante que hacer; pero como siempre estoy deseando un pretexto para no hacer nada, acepté la proposición, y mi amigo comenzó de esta manera su historia:

—Hace algún tiempo, una noche en que salí a dar vueltas por las calles, sin más objeto que el de dar vueltas después de haber examinado todas las colecciones de estampas y fotografías de los establecimientos, de haber escogido con la imaginación delante de la tienda de los Saboyanos los bronces con que yo adornaría mi casa, si la tuviese; de haber pasado, en fin, una revista minuciosa a todos los objetos de arte y de lujo expuestos al público detrás de los iluminados cristales de las anaquelerías, me detuve un momento ante la de Samper.

»No sé cuánto tiempo haría que estaba allí regalando con la imaginación a todas las mujeres guapas que conozco: a ésta, un collar de perlas; a aquélla, una cruz de brillantes; a la otra, unos pendientes de amatistas y oro. Dudaba en aquel punto a quién ofrecería, que lo mereciese, un magnífico aderezo de esmeraldas, tan rico como elegante, que entre todas las otras joyas llamaba la atención por la hermosura y claridad de sus piedras, cuando oí a mi lado una voz suave y dulcísima exclamar con un acento que no pudo menos que arrancarme de mis imaginaciones:

»—¡Qué hermosas esmeraldas!

»Volví la cabeza en la dirección en que había oído resonar aquella voz de mujer, porque sólo siendo así podía tener un eco semejante, y encontré, en efecto, que lo era, y de una mujer hermosísima. No pude contemplarla más que un momento, y, sin embargo, su belleza me hizo una impresión profunda.

»A la puerta de la joyería de donde había salido estaba un carruaje. La acompañaba una señora de cierta edad, muy joven para ser madre, dema-

siado vieja para ser su amiga. Cuando ambas hubieron subido a la carretela, que por lo visto era suya, partieron los caballos, y yo me quedé hecho un tonto, mirándola ir hasta perderla de vista.

»"¡Qué hermosas esmeraldas!", había dicho. En efecto, las esmeraldas eran bellísimas; aquel collar, rodeado a su garganta de nieve, hubiera parecido una guirnalda de tempranas hojas de almendro salpicadas de rocío; aquel alfiler sobre su seno, una flor de loto cuando se mece sobre su movible onda, coronada de espuma. ¡Qué hermosas esmeraldas! ¿Las desearía acaso? Y si las desea, ¿por qué no las posee? Ella debe de ser rica y pertenecer a una clase elevada; tiene un carruaje elegante, y en la portezuela de ese carruaje he creído ver un noble blasón. Indudablemente, hay en la existencia de esa mujer algún misterio.

»Estos fueron los pensamientos que me agitaron después que la perdí de vista, cuando ya ni el rumor de su carruaje llegaba a mis oídos. Y en efecto, en su vida, al parecer tan apacible y envidiable, había un misterio horrible. No te diré cómo; pero yo llegué a penetrarlo.

»Casada desde muy niña con un libertino que, después de disipar una fortuna propia, había buscado en un ventajoso enlace el mejor expediente para gastar otra ajena; modelo de esposas y de madres, aquella mujer había renunciado a satisfacer el menor de sus caprichos para conservar a su hija alguna parte de su patrimonio, para mantener en el exterior el nombre de su casa a la altura que en la sociedad había tenido siempre.

»Se habla de los grandes sacrificios de algunas mujeres. Yo creo que no hay ninguna comparable.

dada su organización especial, con el sacrificio de un deseo ardiente, en el que se interesan la vanidad y la coquetería.

»Desde el punto en que penetré el misterio de su existencia, por una de esas extravagancias de mi carácter, todas mis aspiraciones se redujeron a una sola: poseer aquel aderezo maravilloso y regalárselo de una manera que no lo pudiera rechazar, de un modo que no supiese ni aun de qué mano podría venir.

»Entre otras muchas dificultades que, desde luego, encontré a la realización de mi idea, no era seguramente la menor el que, ni poco ni mucho, tenía dinero para comprar la joya.

»No desesperé, sin embargo, de mi propósito. "¿Cómo buscar dinero?", decía yo para mí, y me acordaba de los prodigios de *Las mil y una noches*, de aquellas palabras cabalísticas a cuyo eco se abría la tierra y se mostraban los tesoros escondidos; de aquellas varas de virtud tan grande, que tocando con ellas en una roca, brotaba de sus hendiduras un manantial, no de agua, que era pequeña maravilla, sino de rubíes, topacios, perlas y diamantes.

»Ignorando las unas y no sabiendo dónde encontrar la otra, decidí, por último, escribir un libro y venderlo. Sacar dinero de la roca de un editor no deja de ser un milagro; pero lo realicé.

»Escribí un libro original, que gustó poco, porque sólo una persona podía comprenderlo; para las demás sólo era una colección de frases. Al libro lo titulé *El aderezo de esmeraldas*, y lo firmé con mis iniciales solas.

»Como yo no soy Víctor Hugo, ni mucho menos, excuso el decirte que por mi novela no me dieron

lo que por la última que ha escrito el autor de *Nuestra Señora de París*; pero, con todo y con eso, reuní lo suficiente para comenzar mi plan de campaña.

»El aderezo en cuestión vendría a valer como cosa de unos catorce a quince mil duros, y para comprarlo contaba yo con la respetable cantidad de tres mil reales; necesitaba, pues, jugar.

»Jugué, y jugué con tanta decisión y fortuna, que en una sola noche gané lo que necesitaba.

»A propósito del juego, he hecho una observación en la que cada día me confirmo más y más. Como se apunte con la completa seguridad de que se ha de ganar, se gana. Al tapete verde no hay que acercarse con la vacilación del que va a probar su suerte, sino con el aplomo del que llega por algo suyo. De mí sé decirte que auella noche me hubiera sorprendido tanto el perder como si una casa respetable me hubiese negado dinero con la firma de Rothschild.

»Al otro día me dirigí a casa de Samper. ¿Creerás que al arrojar sobre el despacho del joyero aquel puñado de billetes de todos colores, aquellos billetes que representaban para mí, cuando menos, un año de placer, mucas mujeres hermosas, un viaje a Italia y *champagne* y vegueros a discreción, vacilé un momento? Pues no lo creas; los arrojé con la misma tranquilidad, ¡qué digo tranquilidad!, con la misma satisfacción con que Buckingham, rompiendo el hilo que las sujetaba, sembró de perlas la alfombra del palacio de su amante. Y eso que Buckingham era poderoso como un rey.

»Compré las joyas y las llevé a mi casa. No puedes figurarte nada más hermoso que aquel aderezo. No extraño que las mujeres suspiren alguna

vez al pasar delante de esas tiendas que ofrecen a sus ojos tan brillantes tentaciones. No extraño que Mefistófeles escogiese un collar de piedras preciosas como el objeto más a propósito para seducir a Margarita. Yo, con ser hombre y todo, hubiera querido por un instante vivir en el Oriente y ser uno de aquellos fabulosos monarcas que ciñen las sienes con un círculo de oro y pedrería, para poder adornarme con aquellas magníficas hojas de esmeraldas con flores de brillantes.

»Un gnomo, para comprar un beso de una silfa no hubiera logrado encontrar entre los inmensos tesoros que guarda el avaro seno de la tierra, y que sólo ellos conocen, una esmeralda más grande, más clara, más hermosa que la que brillaba, sujetando un lazo de rubíes, en mitad de la diadema.

»Dueño ya del aderezo, comencé a imaginar el modo de hacerlo llegar a la mujer a quien lo destinaba. Al cabo de algunos días, y merced al dinero que me quedó, conseguía que una de sus doncellas me prometiese colocarlo en su guardajoyas sin ser vista, y a fin de asegurarme de que por su conducto no había de saberse el origen del regalo, le di cuanto me restaba, algunos miles de reales, a condición de que apenas hubiese puesto el aderezo en el lugar convenido, abandonaría la corte para trasladarse a Barcelona. En efecto, así lo hizo.

»Juzga tú cuál sería la sorpresa de su señora cuando, después de notar su inesperada desaparición, y sospechando ue tal vez había huido de la casa llevándose alguna cosa de ella, encontró en su *secrétaire* el magnífico aderezo de esmeraldas. ¿Quién había adivinado su pensamiento? ¿Quién ha-

bía podido sospechar que aún recordaba de cuando en cuando aquellas joyas con un suspiro?

»Pasó tiempo y tiempo. Yo sabía que conservaba mi regalo. Sabía que se habían hecho grandes diligencias para averiguar cuál era su origen, y, sin embargo, nunca la vi adornada con él. "¿Desdeñaría la ofrenda? ¡Ah —decía yo—, si supiese todo el mérito que tiene ese regalo! ¡Si supiera que apenas lo supera el de aquel amante que empeñó en invierno la capa para comprar un ramo de flores! Creerá tal vez que viene de mano de algún poderoso que algún día se presentará, si lo admiten, a reclamar su precio. ¡Cómo se engaña!"

»Una noche de baile me situé a la puerta de Palacio y, confundido entre la multitud, esperé su carruaje para verla. Cuando llegó éste y, abriendo el lacayo la portezuela, apareció ella radiante de hermosura, se elevó un murmullo de admiración de entre la apiñada muchedumbre. Las mujeres la miraban con envidia; los hombres, con deseo. A mí se me escapó un grito sordo e involuntario. Llevaba el aderezo de esmeraldas.

»Aquella noche me acosté sin cenar. No recuerdo si porque la emoción me había quitado las ganas o porque no tenía qué. De todos modos, era feliz. Durante mi sueño creí percibir la música del baile y verla cruzar ante mis ojos lanzando chispas de fuego de mil colores, y hasta me parece que bailé con ella.

»La aventura de las esmeraldas se había traslucido, siendo objeto, cuando aparecieron en su *secrétaire*, de las conversaciones de algunas damas elegantes.

»Después de haberse visto el aderezo, ya no

quedó lugar a dudas, y los ociosos comenzaron a comentar el hecho. Ella gozaba de una reputación intachable. A pesar de los extravíos y del abandono en que su marido la tenía, la calumnia no pudo jamás elevarse hasta el alto lugar en que la habían colocado sus virtudes. Sin embargo, en esta ocasión comenzó a levantarse el *venticello* por donde comienza, según don Basilio.

»Un día en que me hallaba en un círculo de jóvenes se hablaba de las famosas esmeraldas, y un fatuo dijo al fin, como terminando la cuestión:

»—No hay que darle vueltas; esas joyas tienen un origen tan vulgar como todas las que se regalan en este mundo. Pasó ya el tiempo en que los genios invisibles ponían maravillosos presentes debajo de la almohada de las hermosas, y no me cabe duda que el que hace un regalo de ese valor es con la esperanza de la recompensa... Y esa recompensa ¡quién sabe si se cobraría adelantada!...

»Las palabras de aquel necio me sublevaron, y me sublevaron, sobre todo, porque encontraron eco en los que las oían. No obstante, me contuve. ¿Qué derecho tenía yo para salir a la defensa de aquella mujer?

»No había pasado un cuarto de hora, cuando se me ofreció la ocasión de contradecir al que la había injuriado. No sé a propósito de qué le contradije. Lo que te puedo asegurar es que lo hice con tanta aspereza, por no decir grosería, que, de contestación en contestación, me sobrevino un lance. Era lo que yo deseaba.

»Mis amigos, conociendo mi carácter, se admiraban, no sólo de que hubiese buscado un desafío

por una causa tan fútil, sino de mi empeño en no dar ni admitir explicaciones de ningún género.

»Me batí, no sé si decirte con fortuna o sin ella, pues aunque al hacer fuego vi vacilar un instante a mi contrario y caer redondo a tierra, un momento después sentí que me zumbaban los oídos y que se oscurecían mis ojos. También estaba herido, y herido de gravedad, en el pecho.

»Me llevaron a mi pobre habitación, presa de una espantosa fiebre... Allí... no sé los días que permanecí, llamando a voces no sé a quién... A ella, sin duda. Hubiera tenido valor para sufrir en silencio toda la vida, a trueque de obtener al borde del sepulcro una mirada de gratitud; pero ¡morir sin dejarle siquiera un recuerdo!

»Estas ideas atormentaban mi imaginación en una noche de insomnio y de calentura; cuando vi que se separaron las cortinas de mi alcoba y en el umbral de la puerta apareció una mujer. Yo creí que soñaba; pero no. Aquella mujer se acercó a mi lecho, a aquel pobre y ardiente lecho en que me revolcaba de dolor, y levantándose el velo que cubría su rostro, vi brillar una lágrima suspendida de sus largas y oscuras pestañas. ¡Era ella!

»Yo me incorporé con los ojos espantados. Me incorporé y... en aquel punto llegaba frente a casa de Durán...

—¡Cómo! —exclamé yo, interrumpiéndole, al oír aquella salida de tono de mi amigo—. ¿Pues no estabas herido y en la cama?

—¡En la cama!... ¡Ah, qué diantre!... Se me había olvidado advertirte que todo esto lo vine yo pensando desde casa de Samper, donde, en efecto, vi el aderezo de esmeraldas y oí la exclamación que

te he dicho en boca de una mujer hermosa, hasta la carrera de San Jerónimo, donde un codazo de un mozo de cuerda me sacó de mi abstracción frente a casa de Durán, en cuyo escaparate reparé en un libro de Méry con este título: *Histoire de ce qui n'est pas arrivé. (Historia de lo que no ha sucedido).* ¿Lo comprendes ahora?

Al escuchar este desenlace no pude contener una carcajada. En efecto, yo no sé de qué tratara el libro de Méry; pero ahora comprendo que con este título podría escribirse un millón de historias a cuál mejor.

MEMORIAS DE UN PAVO

No hace mucho que invitado a comer en casa de un amigo, después que sirvieron otros platos *confortables,* hizo su entrada triunfal el clásico pavo, de rigor durante las Pascuas en toda mesa que se respete un poco y que tenga en algo las antiguas tradiciones y las costumbres de nuestro país.

Ninguno de los presentes al convite, incluso el anfitrión, éramos muy fuertes en el arte de trinchar, razón por la que mentalmente todos debimos coincidir en el elogio del uso últimamente establecido de srvir las aves trinchadas. Pero como, sea por respeto al rigorismo de la ceremonia, que en estas solemnidades y para dar a conocer, sin que quede género de duda, que el pavo es pavo, parece exigir que éste salga a la liza en una pieza; sea por un involuntario olvido o por otra causa que no es del caso averiguar, el animalito en cuestión estaba allí íntegro y pidiendo a voces un cuchillo que lo destrozase; me decidí a hacerlo, y poniendo mi esperanza en

Dios y mi memoria en el *Compendio de Urbanidad* que estudié en el colegio, donde, entre otras cosas no menos útiles, me enseñaron algo de este difícil arte, empuñé el trinchante en la una mano, blandí el acero con la otra, y salga lo que saliere, le tiré un golpe furibundo.

El cuchillo penetró hasta las más recónditas regiones del ya implume bípedo; mas juzguen mis lectores cuál no sería mi sorpresa al notar que la hoja tropezaba en aquellas interioridades con un cuerpo extraño.

—¿Qué diantre tiene este animal en el cuerpo? —exclamé, con un gesto de asombro e interrogando con la vista al dueño de la casa.

—¿Qué ha de tener? —me contestó mi amigo, con la mayor naturalidad del mundo—. Que está relleno.

—¿Relleno de qué? —proseguí yo, pugnando por descubrir la causa de mi estupefacción—. Por lo visto, debe ser de papeles, pues a juzgar por lo que se toca con el cuchillo, este animal trae un protocolo en el buche.

Los circunstantes rieron a mandíbula batiente mi observación.

Sintiéndome picado de la incredulidad de mis amigos, me apresuré a abrir en canal el pavo, y cuando lo hube conseguido, no sin grandes esfuerzos, dije en son de triunfo, como el Salvador de Santo Tomás:

—Ved y creed.

Había llegado el caso de que los demás participasen de mi asombro. Separadas a uno y otro lado las dos porciones carnosas de la pechuga del ave y rota la armazón de huesos y cartílagos que la soste-

nían, todos pudimos ver un rollo de papeles ocupando el lugar donde antes se encontraron las entrañas y donde entonces teníamos, hasta cierto punto, derecho a esperar que se encontrase un relleno un poco más gustoso y digerible.

El dueño de la casa frunció el entrecejo. La broma, caso de serlo, no podía venir sino de la parte de la cocinera, y para broma de abajo arriba, preciso era confesar que pasaba de castaño oscuro.

El resto de los circunstantes exclamaron a coro, pasado el primer momento de estupefacción, que lo fue asimismo de silencio profundo:

—Veamos, veamos qué dice en esos papeles.

Los papeles, en efecto, estaban escritos.

Yo, aun a riesgo de mancharme los dedos, pues estaban bastante grasientos, los extraje del sitio en que se encontraban, y aproximándose a la luz de una bujía pude descifrar este manuscrito que hasta hoy he conservado inédito:

Impresiones, notas sueltas
y pensamientos filosóficos de un pavo
destinado a utilizarse
en la redacción de sus Memorias

Ignoro quiénes fueron mis padres, el sitio en que nací y la misión que estoy llamado a realizar en este mundo. No sé, por tanto, de dónde vengo ni adónde voy.

Para mí no existe pasado ni porvenir; de lo que fui no me acuerdo; de lo que seré no me preocupo. Mi existencia, reducida al momento presente, flota en el océano de las cosas creadas como uno de esos átomos luminosos que nadan en el rayo del sol.

Sin que yo, por mi parte, la haya solicitado, ni poder explicarme por dónde me ha venido, me he encontrado con la vida; y como suele decirse que a caballo regalado no hay que mirarle el diente, sin discutirla, sin analizarla, me limito a sacar de ella el mejor partido posible.

Porque la verdad es que en los templados días de primavera, cuando la cabeza se llena de sueños y el corazón de deseos, cuando el sol parece más brillante y el cielo más azul y más profundo; cuando el aire perezoso y tibio vaga a nuestro alrededor cargado de perfumes y de notas de armonías lejanas; cuando se bebe en la atmósfera un dulce y sutil fluido que circula con la sangre y aligera su curso, se siente un no sé qué de diáfano y agradable en uno mismo y en cuanto lo rodea, que no se puede menos de confesar que la vida no es del todo mala.

La mía, a lo menos, es bastante aceptable. En clase de pavo, se entiende.

Aún no clarea la mañana cuando un gallo, compañero de corral, me anuncia que es la hora de salir al campo a procurarme la comida.

Entreabro los soñolientos ojos, sacudo las plumas y héteme aquí calzado y vestido.

Los primeros rayos de sol bajan resbalando por la falda de los montes, doran el humo que sube en azuladas espirales de las rojas chimeneas del lugar, abrillantan las gotas de rocío escondidas entre el césped y relucen como un inquieto punto de luz en los pequeños cascos de vidrio y loza de platos y pucheros rotos que, diseminados acá y allá, en el montón de estiércol y basuras a que se dirigen mis pa-

sos, fingen, a la distancia, una brillante constelación de estrellas.

Allí, ora distraído en la persecución de un insecto que huye, se esconde y torna a aparecer, ora revolviendo con el pico la tierra húmeda, entre cuyos terrones aparece de cuando en cuando una apetitosa simiente, dejo transcurrir todo el espacio de tiempo que media entre el alba y la tarde. Cuando llega ésta, un manso ruidito de aguas corrientes me llama al borde del arroyo próximo, donde, al compás de la música del aire, del agua y de las hojas de los álamos, abriendo el abanico de mis oscuras plumas, hago cada idilio a la inocente pava, señora de mis pensamientos, que causarían envidia, a poderlos comprender, no digo a los rústicos gañanes que frecuentan estos contornos, sino a los más pulidos pastores de la propia Galatea.

Tal es mi vida; hoy como ayer, probablemente como hoy.

Repetid esta página tantas veces como días tiene el año y tendréis una exacta idea de la primera parte de mi historia.

❈

La inalterable serenidad de mi vida se ha turbado como el agua de una charca a la que arrojar una piedra.

Una desconocida inquietud se ha apoderado de mi espíritu, y ya va de dos veces que me sorprendo pensando.

Este exceso de actividad de las facultades mentales es causa de una gran perturbación en mi eco-

nomía orgánica; apenas duermo once horas, y ayer se me indigestó el hueso de un albaricoque.

Yo creí que no habría nada más allá de esas montañas que limitan el horizonte de la aldea. No obstante, he oído decir que vamos a la corte, y que para llegar hasta allí salvaremos esas altísimas barreras de granito que yo creía el límite del mundo. ¡La corte! ¿Cómo será la corte? Pronto saldré de dudas.

Escribo estas líneas en el corral donde me recojo a dormir y aprovechando la última luz del crepúsculo de la tarde. Mañana partimos. Un poco precipitada me parece la marcha. Por fortuna, el arreglo del equipaje no me ha de entretener mucho.

Me he detenido en lo más alto de la cumbre que domina el valle donde viví para contemplar por última vez las bardas del corral paterno.

¡Con cuánta verdad podría llamarse a estas peñas, desde donde envío un postrer adiós a lo que fue mi reino, *el suspiro del pavo*!

Desde aquí veo la llanura teatro de mis cacerías. Más allá corre el arroyo que al par que apagaba mi sed me ofrecía limpio espejo donde contemplar mi hermosura. Allí vive mi pava; junto a aquel árbol la vi por primera vez. ¡Al pie de ese otro le declaré mi amor!

Las lágrimas me oscurecen la vista y lloro a moco tendido, en toda la extensión de la frase.

¡Parece que al alejarme de estos sitios se me arranca algo del fondo de las entrañas y, a mi pesar, se queda en ellos!

¿Será este extraño afán presentimiento de mi desventura? ¿Será...?

Un cañazo ha interrumpido el hilo de mis reflexiones en este instante.

443

Hago aquí el punto, de prisa y corriendo, para reunirme a la manada, no sea que se repita la insinuación.

*

Ya estamos en la corte. He necesitado que me lo digan y me lo repitan cien veces para creerlo. ¿Es esto Madrid? ¿Es éste el paraíso que yo soñé en mi aldea? ¡Dios mío! ¡Qué desencanto tan horrible!

El sol llega trabajosamente al fondo de estas calles, cuyas casas parecen castillos; ni un mal jaramago crece entre las descarnadas junturas de los adoquines; aún no ha acabado de caer al suelo la cáscara de una naranja, el troncho de una col, el hueso de un albaricoque, cualquier cosa, en fin, que pueda utilizarse como alimento digerible, cuando ya ha desaparecido sin saber por dónde.

En cada calle hay un tropiezo; en cada esquina, un peligro. Cuando no nos acosa un perro, amenaza aplastarnos un coche o nos arrima un puntillón un pillete.

La caña no se da punto de reposo. Noche y día la tenemos suspendida sobre la cabeza, como una nueva espada de Damocles.

Ya no puedo seguir al azar el camino que mejor me parece, ni detenerme un momento para descansar de las fatigas de este interminable pase. «¡Anda! ¡Anda!», me dice a cada instante nuestro guía, acompañando sus palabras con un cañonazo.

¡Con cuánta más razón que al famoso judío de la leyenda se me podría llamar a mi *el pavo errante*! ¿Cuándo terminará esta enfadosa y eterna peregrinación?

He perdido lo menos dos libras de carne.

No obstante, a un caballero que se ha parado delante de la manada he conseguido llamarle la atención por gordo. ¡Si me hubiera conocido en mi país y en los días de mi felicidad!

Con ésta va de tres veces que me coge por las patas y me mira y me remira, columpiándome en el aire, dejándome luego, para proseguir en el animado diálogo que sostiene con nuestro conductor.

Por cuarta vez me ha cogido en peso, y, sin duda, ha debido de distraerse con su conversación, pues me ha tenido cabeza abajo más de siete minutos.

El capricho de este buen señor comienza a cargarme.

...

¿Es esto una pesadilla horrible? ¿Estoy dormido o despierto? ¿Qué pasa por mí?

Ya hace más de un cuarto de hora que trato de sobreponerme al estupor que me embarga y no acierto a conseguirlo.

Me encuentro como si despertara de un sueño angustioso... Y no hay duda. He dormido, o, mejor dicho, me he desmayado.

Tratemos de coordinar las ideas. Comienzo a recordar confusamente lo que me ha pasado. Después de mucha conversación entre nuestro guía y el desconocido personaje, éste me entregó a otro hombre, que me agarró por las patas y se me cargó al hombro.

Quise resistirme, quise gritar al ver que se alejaban mis compañeros; pero la indignación, el dolor y la incómoda postura en que me habían colocado ahogaron la voz en mi garganta. Figuraos cuánto sufriría hasta perderlos de vista.

Luego me sentí llevado al través de muchas calles, hasta que comenzaron a subir unas empinadas escaleras que no parecían tener fin.

A la mitad de esta escala, que podría compararse a la de Jacob por lo larga, aun cuando no bajasen ni subiesen ángeles por ella, perdí el conocimiento.

La sangre, agolpada a la cabeza, debió producirme un principio de congestión cerebral.

Al volver en mí me he hallado envuelto en tinieblas profundas. Poco a poco mis ojos se van acostumbrando a distinguir los objetos de la oscuridad, y he podido ver el sitio en que me encuentro.

Esto debe de ser lo que en Madrid llaman una buhardilla. Trastos viejos, rollos de estera, pabellones de telaraña, constituyen todo el mobiliario de esta tenebrosa estancia, por la que discurren a su sabor algunos ratones.

Por el angosto tragaluz pasa en este instante un furtivo rayo de sol... ¡El sol, el campo, el aire libre! ¡Dios mío, qué tropel de ideas se agolpa en mi mente! ¿Dónde están aquellos días felices? ¿Dónde están aquéllas...?

Me es imposible seguir. Una arpía, turbando mis meditaciones, me ha metido catorce nueces en el buche. Catorce nueces con cáscaras y todo. Figuraos por un momento cuál será mi situación. ¡Y a esto le llaman en este país dar de comer!

<p style="text-align:center">*</p>

Lasciati ogni speranza! Han pasado algunos días y se me ha revelado todo lo horrible de mi situación. He visto brillar con un fulgor siniestro el cuchillo que ha de segar mi garganta y he contem-

plado con terror la cazuela destinada a recibir mi sangre.

Ya oigo los tambores de los chiquillos que redoblan anunciando mi muerte. Mis plumas, estas hermosas plumas con que tantas veces he hecho el abanico, van a ser arrancadas, una a una, y esparcidas al viento como las cenizas de los más monstruosos criminales.

Voy a tener por tumba un estómago, y por epitafio la décima en que pide los aguinaldos un sereno.

Se tu non piangi di che pianger suoli?

··· ··· ··· ··· ··· ··· ··· ··· ··· ··· ··· ···

Cuando terminé la lectura de este extraño diario, todos estábamos enternecidos. La presencia de la víctima hacía más conmovedora la relación de sus desgracias.

Pero... ¡oh fuerza de la necesidad y la costumbre!, transcurrido el primer momento de estupor y de silencio profundo, nos enjugamos con el pico de la servilleta la lágrima que temblaba suspendida en nuestros párpados y nos comimos el cadáver.

APÓLOGO

Brahma se mecía satisfecho sobre el cáliz de una gigantesca flor de loto que flotaba sobre el haz de las aguas sin nombre.

La Maija fecunda y luminosa envolvía sus cuatro cabezas como un velo dorado.

El éter encendido palpitaba en torno a las magníficas creaciones, misterioso producto del consorcio de las dos potencias místicas.

Brahma había deseado el cielo, y el cielo salió

del abismo del caos con sus siete círculos y semejante a una espiral inmensa.

Había deseado mundos que girasen en torno a su frente, y los mundos comenzaron a voltear en el vacío como una ronda de llamas.

Había deseado espíritus que le glorificasen, y los espíritus, como una savia divina y vivificadora, comenzaron a circular en el seno de los principios elementales.

Unos chispearon con el fuego, otros giraron con el aire, exhalaron suspiros en el agua o estremecieron la tierra, internándose en sus profundas simas.

Visnú, la potencia conservadora, dilatándose alrededor de todo lo creado, lo envolvió en su ser como si lo cubriese con un inmenso fanal.

Siva, el genio destructor, se mordía los codos de rabia. El lance no era para menos.

Había visto los elefantes que sostienen los ocho círculos del cielo, y al intentar meterles el diente, se encontró con que eran de diamante; lo que dice sobrado cuán duros estaban de roer.

Probó descomponer el principio de los elementos y los halló con una fuerza reproductora tan activa y espontánea, que juzgó más fácil encontrar el último punto de la línea de circunferencia.

De los espíritus no hay para qué decir que, en su calidad de esencia pura, burlaron completamente sus esfuerzos destructores.

En tal punto la creación y en esta actitud los genios que la presiden, Brahma, satisfecho de su obra, pidió de beber a grandes voces.

Diéronle lo que había pedido, bebió, y no debió

de ser agua, porque los vapores, subiéndosele a la cabeza, le trastornaron por completo.

En este estado de embriaguez deseó alguna cosa muy extravagante, muy ridícula, muy pequeña; algo que formara contraste con todo lo magnífico y lo grandioso que había creado: y fue la Humanidad.

Siva se restregó las manos de gusto al contemplarla.

Visnú frunció el ceño al ver encomendada a su custodia una cosa tan frágil.

Los hombres, en tanto, andaban mustios y sombríos por el mundo, ocultándose avergonzados los unos de los otros, cerrando los ojos para no ver a su alrededor tanto grande y eterno, y no compararlo involuntariamente con su pequeñez y su miseria.

Porque los hombres tenían la conciencia exacta de sí mismos.

—¿Queréis acabar de una vez con vuestros males? —les dijo Siva—. ¿Queréis morir?

—¡Sí, sí! —exclamaron todos en tumulto—. ¿Para qué queremos este soplo de la existencia?

—Yo soy un estúpido, lo sé, y me avergüenzo de mi barbarie —decía uno.

—Yo soy deforme —añadía el otro—, y me entristece el espectáculo de mi ridiculez.

—Y tenemos estas y estas faltas y aquellas y las otras miserias —proseguían diciendo los demás, enumerando el cúmulo de males y defectos de que entonces, como ahora, se hallaban plagados los hombres.

—Es cosa hecha —dijo Siva, viendo la decisión de la Humanidad entera.

Y levantó la mano para destruirla; pero en aquel instante se interpuso Visnú.

—Esperad un día —exclamó, dirigiéndose a los hombres—, un día no más. Voy a daros a beber un elixir misterioso. Si mañana, después de haberlo bebido, queréis morir, que vuestra voluntad se cumpla.

Los hombres aceptaron, y Siva dejó su presa, refunfuñando entre dientes, porque conocía el ingenio y la travesura de su competidor.

Visnú, que, efectivamente, era hombre, digo mal, era dios de grandes recursos en las ocasiones críticas, se las compuso de manera que a las pocas horas tenía ya hecho y embotellado su elixir, en tal cantidad, que tocó a frasco por barba.

Pasó la noche, durante la cual los hombres no hicieron otra cosa que sorber por la nariz aquella especie de éter mágico; y cuando tornó a brillar la luz, vino Siva de nuevo a renovar sus proposiciones de muerte.

Los hombres, al oírlo, comenzaron por maravillarse y acabaron por reírsele en las barbas.

—¡Morir nosotros —exclamaron—, cuando un porvenir inmenso se abre ante nuestra vista!

—Yo —decía el uno— voy a conmover el mundo con la fuerza de mi brazo.

—Yo voy a hacer mi nombre inmortal en la tierra.

—Yo, a avasallar los corazones con el encanto de mi hermosura.

Y así, todos iban repitiendo:

—¡Morir yo, que siento arder en mi frente la llama del genio; yo, que soy fuerte; yo, que soy hermoso; yo, que seré inmortal!

Siva no daba crédito a sus ojos, y unas veces le daban ganas de rabiar y otras de reír a carcajada tendida ante el espectáculo de tan ridícula transformación. En aquel momento pasaba Visnú a su lado, y el genio destructor no pudo menos de dirigirle estas palabras:

—¿Qué diantres les has dado a esos imbéciles, que ayer estaban todos mustios, cabizbajos y llenos de la conciencia de su pequeñez, y hoy andan con la frente erguida, burlándose los unos de los otros, creyéndose cada uno cual un dios?

Visnú, con mucha sorna, y dándole un golpecito en un hombro, se inclinó al oído de Siva y le dijo en voz muy baja:

—Les he dado el amor propio.

INDICE

Pág.

Prólogo 7
Rimas 11

LEYENDAS

La Corza Blanca 81
El Cristo de la Calavera 103
La Cruz del Diablo 116
El Caudillo de las Manos Rojas 138
La Vuelta del Combate 157
La Creación 187
Maese Pérez el Organista 197
El Miserere 216
El Monte de las Ánimas 228
La Promesa 239
Creed en Dios 252
La Cueva de la Mora 267
Los Ojos Verdes 274
La Voz del Silencio 284
El Rayo de Luna 286
El Gnomo 300
La Ajorca de Oro 319
La Rosa de Pasión 328
El Beso 340

NARRACIONES

Tres Fechas 361
La Fe Salva 385
La Venta de los Gatos 401
¡Es Raro! 416
El Aderezo de Esmeraldas 429
Memorias de un Pavo 438
Apólogo 447